Janet Valade

PHP et MySQL pour les Nuls

Titre de l'édition originale : PHP and MySQL For Dummies 2nd Edition
Publié par Wiley Publishing, Inc.
111 River Street
Hoboken, NJ 07030-5774
USA

Edition française publiée en accord avec Wiley Publishing, Inc.
© 2004 Éditions First Interactive
27, rue Cassette
75006 Paris - France
Tél. 01 45 49 60 00
Fax 01 45 49 60 01
E-mail : firstinfo@efirst.com
Web : www.efirst.com
ISBN : 2-84427-591-5
Dépôt légal : 2e trimestre 2004

Collection dirigée par Jean-Pierre Cano
Edition : Pierre Chauvot
Maquette et mise en page : Edouard Chauvot
Traduction : Daniel Rougé
Adaptation version poche : Véronique Congourdeau

Imprimé en France

Sommaire

Cinquième partie : Les dix commandements 367

Introduction

Bienvenue dans le monde passionnant des applications de bases de données sur le Web ! Bien que ce livre vous expose les techniques vous permettant de construire n'importe quelle application exploitant une base de données, je vous recommande de commencer par une application simple. Vous en trouverez deux exemples dans cet ouvrage, choisis en vue de représenter deux types d'applications que l'on rencontre fréquemment sur le Web : les catalogues de produits et les sites réservés à des membres ou à des clients particuliers qui doivent s'enregistrer et fournir un mot de passe pour y avoir accès. Ces exemples sont suffisamment élaborés pour que leur réalisation fasse appel à plusieurs programmes. Ils mettent en œuvre des données et des techniques de manipulation diversifiées, tout en restant faciles à comprendre. Vous pourrez aisément les adapter à la construction de toute une variété de sites Web, et en développer la structure pour y inclure toutes les fonctionnalités qui vous sembleront nécessaires.

Qu'y a-t-il dans ce livre ?

Ce livre est un guide chargé de vous faciliter la construction d'applications de bases de données. Il a été conçu comme une référence et non comme un outil pédagogique, aussi n'avez-vous nul besoin de le parcourir d'un bout à l'autre, page après page, sauf, bien sûr, si tel est votre désir. Vous pouvez en commencer la lecture n'importe où : au Chapitre 1, au Chapitre 9 ou ailleurs. J'ai divisé la tâche que représente la réalisation d'une application de base de données sur le Web en fragments d'informations faciles à digérer. Aussi une simple consultation du sommaire vous permettra-t-elle de localiser le sujet qui vous intéresse et de vous y reporter immédiatement. Si vous avez besoin d'informations supplémentaires contenues dans un autre chapitre, vous trouverez des références à ce chapitre.

Voici un échantillon de quelques-uns des sujets traités :

- Construction et utilisation d'une base de données MySQL.
- Inclusion d'instructions PHP dans un fichier HTML.
- Mise en œuvre des fonctionnalités de PHP.
- Emploi de formulaires HTML pour collecter des informations en provenance des utilisateurs.
- Présentation dans une page Web d'informations extraites d'une base de données.
- Enregistrement d'informations dans une base de données.

Conventions utilisées dans ce livre

Ce livre renferme plusieurs exemples dans lesquels interviennent des instructions PHP allant d'une ou deux lignes de code à un programme complet. Pour ces instructions, j'ai utilisé une typographie particulière comme celle de la ligne suivante :

```
Ceci est une instruction PHP
```

J'ai également utilisé cette convention lorsque, à l'intérieur d'un paragraphe normal, j'ai eu besoin de citer une instruction ou un mot clé PHP ou MySQL. Ainsi, `ce texte` est un exemple d'information PHP présentant `ce texte` dans le cours d'un paragraphe normal.

Dans les exemples, vous verrez souvent des mots écrits en italique. Ils représentent des types généraux qui doivent être remplacés par un nom ou un mot spécifique en fonction de l'endroit où ils figurent. Par exemple, lorsque vous verrez une ligne comme celle-ci :

```
SELECT champ1,champ2 FROM table
```

vous saurez que `champ1`, `champ2` et `table` doivent être remplacés par des noms véritables parce qu'ils sont imprimés en italique. Aussi, dans votre programme, cette ligne pourra-t-elle se présenter ainsi :

```
SELECT nom,age FROM Client
```

En outre, vous pourrez trouver occasionnellement dans un exemple des points de suspension (...) à la suite d'une liste. Il ne faut pas les taper, car ils indiquent simplement que vous pouvez avoir autant d'articles que vous le voulez dans cette liste. Par exemple, si vous lisez la ligne suivante :

```
SELECT champ1,champ2,... FROM table
```

vous ne devez pas reproduire les trois points dans votre instruction ; ils signifient simplement que votre énumération peut comprendre deux articles ou davantage. Vous pourriez donc les remplacer par `champ3, champ4`, et ainsi de suite, ce qui donnerait concrètement :

```
SELECT nom,age,taille,pointure... FROM Client
```

Stupides suppositions

Lorsqu'on écrit un livre sur un sujet précis et non une encyclopédie, on est obligé de faire quelques suppositions sur l'état des connaissances du lecteur. Ainsi, j'ai supposé que vous connaissiez HTML et aviez déjà créé des sites Web avec ce "langage". En conséquence, bien que j'aie utilisé fréquemment HTML, vous ne trouverez ici aucune explication le concernant. Si vous ne savez pas ce qu'est HTML, je vous suggère d'acquérir un livre sur le sujet (par exemple, *HTML 4 pour les Nuls*, de Ed Tittel, Natanya Pitts et Chelsea Valentine [Ed. First Interactive]) et de réaliser quelques pages Web avant de poursuivre votre lecture. En particulier, il est indispensable de bien connaître tout ce qui concerne les formulaires et les tableaux. Toutefois, si vous êtes du genre impatient, sachez qu'il n'est pas totalement impossible de profiter de ce livre sans bien connaître HTML. Vous aurez en effet l'occasion d'y glaner çà et là suffisamment de HTML pour être en mesure de construire votre propre site Web. Si vous décidez de continuer sans vous intéresser spécialement à HTML, je vous suggère néanmoins d'avoir à portée de main un ouvrage de référence sur le sujet. Vous pourrez certainement y trouver les explications nécessaires sur ce qui n'est pas détaillé dans mon livre.

Si, en dépit de votre peu d'expérience pratique de HTML, vous avez choisi de poursuivre la lecture de ce livre, vous risquez de manquer des connaissances de base nécessaires. Vous devez dans tous les cas savoir comment créer et sauvegarder des textes non formatés avec un éditeur de texte tel que le Bloc-notes de Windows ou votre traitement de texte habituel. Dans ce dernier cas, attention à bien spécifier que votre fichier doit être sauvegardé en texte pur et non en texte mis en forme. Vous devez aussi savoir où placer les fichiers texte contenant le code (HTML et/ou PHP) de vos pages Web, afin qu'elles soient accessibles à tous les utilisateurs qui visiteront votre site. Enfin, il faut que vous sachiez comment transférer vos fichiers sur un serveur Web afin que le monde entier puisse contempler vos pages.

Comment est organisé ce livre

Ce livre est divisé en six parties, chacune d'elles contenant plusieurs chapitres. Cela va de l'introduction à PHP et MySQL jusqu'à l'installation, la création et l'exploitation de bases de données en passant par l'écriture de programmes en PHP.

Première partie : Développement d'une application de base de données sur le Web avec PHP et MySQL

Cette partie constitue un bref tour d'horizon de l'utilisation de PHP et MySQL pour créer une application de base de données sur le Web. PHP et MySQL y sont décrits en mettant en lumière les avantages de leur utilisation conjointe. Vous y apprendrez comment démarrer, de quoi vous allez avoir besoin, comment accéder à PHP et à MySQL, et comment tester votre logiciel. Je vous montrerai comment se présente le processus de développement de ce type d'application.

Deuxième partie : Bases de données MySQL

Cette partie vous donne des détails concernant la mise en œuvre de bases de données avec MySQL : comment créer une base de données, comment la modifier et comment y placer ou en extraire des informations.

Troisième partie : PHP

Vous trouverez dans cette partie des détails sur l'écriture de programmes en PHP, programmes qui permettront à votre application Web d'insérer de nouvelles informations, de mettre à jour les informations existantes ou de supprimer des informations dans une base de données MySQL. Vous découvrirez de quelle façon utiliser les fonctionnalités de PHP pour dialoguer avec une base de données et traiter des formulaires HTML.

Quatrième partie : Applications

La quatrième partie décrit une application Web considérée comme un tout. Vous y verrez comment organiser un programme PHP sous forme d'une application fonctionnelle qui dialogue avec la base de données. Deux exemples d'applications complets s'y trouvent exposés avec force détails et explications.

Cinquième partie : Les dix commandements

C'est ici que vous trouverez les listes habituelles de ce qu'il faut faire et ne pas faire lorsqu'on développe une application de base de données sur le Web.

Pictogrammes utilisés dans ce livre

Cette icône indique que vous allez trouver ici des informations supplémentaires sur un point particulier. Cela peut vous faire gagner du temps et vous épargner des efforts. Aussi est-il important de lire ce ou ces paragraphes.

Ces "avertissements" sont loin d'être inutiles. Ils mettent l'accent sur tel ou tel point et vous expliquent ce que vous devez faire pour éviter de tomber dans un piège.

Ce pictogramme est une sorte de pense-bête qui signale des informations qu'il est utile d'avoir présentes en mémoire.

Pour aller plus loin

Ce livre est organisé en suivant l'ordre à respecter lorsque l'on doit aborder un nouveau projet. Si vous êtes un débutant complet, il vous sera probablement utile de commencer par la première partie, dans laquelle vous apprendrez comment concevoir les différentes composantes de votre application et comment elles vont dialoguer. Pour réaliser votre application, il est nécessaire que vous sachiez d'abord comment créer une application MySQL. C'est pourquoi je vous présente celui-ci avant PHP. Ensuite, lorsque vous saurez ce qu'est

MySQL, vous devrez le faire dialoguer avec PHP. Je vous dirai comment dans la quatrième partie. Si vous avez déjà des connaissances suffisantes sur certains des sujets abordés, passez votre chemin. Par exemple, si vous êtes familier du concept de bases de données, rendez-vous directement à la deuxième partie, dans laquelle est décrite la façon d'implémenter ce concept avec MySQL. Si vous connaissez bien MySQL, alors rendez-vous directement à la troisième partie dans laquelle je vous présente PHP.

Première partie

Développement d'une application de base de données sur le Web avec PHP et MySQL

"Regarde, ça fait déjà trois fois que j'ai lancé une recherche sur "cadavres de filles ressuscités" et je n'ai toujours rien trouvé !"

Dans cette partie...

Cette partie constitue un bref tour d'horizon de PHP et de MySQL. Vous y apprendrez comment chacun d'eux fonctionne et comment ils coopèrent dans la réalisation d'une application de base de données sur le Web. Une fois décrits ces outils, je vous montrerai comment créer votre environnement de travail, et vous présenterai les options d'accès à PHP et MySQL en vous indiquant ce qu'il faut rechercher dans chaque environnement.

Chapitre 1

Introduction à PHP et MySQL

Dans ce chapitre :

- Découvrons ce qu'est une application de base de données sur le Web.
- Jetons un regard sur PHP.
- Comment fonctionne MySQL.
- Comment dialoguent PHP et MySQL.

Si vous avez déjà créé des pages Web statiques avec HTML, sachez que créer une application de base de données sur le Web constitue un nouveau défi, tout comme créer une base de données. Vous avez peut-être demandé à un quelconque gourou de l'informatique comment procéder. Il vous a raconté un tas de choses obscures desquelles émergeaient les mots "rapide", "facile" et "gratuit" associés à "PHP" et "MySQL". Et maintenant vous voulez en savoir plus sur PHP et MySQL afin de pouvoir développer votre site.

PHP et MySQL dialoguent très facilement. Dans ce chapitre, vous allez voir comment s'établit ce partenariat dynamique, quels sont les avantages de chacun d'eux, comment ils travaillent et comment, de leur conjugaison, résulte une application de base de données dynamique sur le Web.

Qu'est-ce qu'une application de base de données sur le Web ?

Une *application* est un programme ou un groupe de programmes conçus pour être exploités par un utilisateur final quel qu'il soit (client, membre, acrobate...). Lorsque l'utilisateur final dialogue avec l'application au moyen d'un navigateur, on dit qu'il s'agit d'une *application de base de données sur le Web* ou, plus simplement, d'une *application Web*. Dans ce livre, vous allez trouver les informations dont vous aurez besoin pour développer une application de base de données sur le Web, capable d'accéder à une base de données au moyen d'un navigateur tel que Internet Explorer ou Netscape Navigator.

Vous ne serez pas étonné d'apprendre qu'une application de base de données consiste en deux composants : une application et une base de données :

- **La base de données est la mémoire à long terme de votre application Web.** Cette dernière ne peut remplir son office sans la base de données. Mais, seule, la base de données est inopérante.
- **L'application proprement dite consiste en un ou plusieurs programmes destinés à accomplir une certaine tâche.** Les programmes créent l'affichage que voit l'utilisateur dans la fenêtre de son navigateur. C'est ce qui rend votre application interactive en lui permettant d'accepter des informations de l'utilisateur, en traitant ces informations et en renvoyant une réponse composée d'après les informations extraites de la base de données. La base de données seule est inutile si vous n'êtes pas en mesure de faire circuler des informations entre l'utilisateur et elle.

La base de données

Le cœur d'une application Web de base de données est la *base de données* proprement dite, celle qui constitue la mémoire à long terme des informations utilisées par l'application. Une base de données n'est rien d'autre qu'un classeur électronique qui renferme des informations structurées de telle façon qu'il soit facile de s'y reporter. Car, après tout, conserver des informations ne sert pas à grand-chose si on est incapable de les retrouver plus tard. Une base de données peut être quelque chose de simple, possédant une structure rudimentaire comme les titres et les noms des auteurs des livres de votre bibliothèque. Ou bien quelque chose d'énorme, doté d'une structure complexe, comme celle qu'Amazon utilise pour contenir toutes les informations utiles sur son gigantesque catalogue et ses très nombreux clients.

Il existe de nombreuses variétés d'informations pouvant être conservées dans une base de données. Celle qui constitue le catalogue en ligne d'une entreprise doit contenir toutes les informations concernant chaque produit. La base de données utilisée par le site Web d'une association doit renfermer tout ce qui concerne chacun de ses membres. La direction d'une entreprise utilise une ou plusieurs bases de données recelant non seulement les renseignements d'identité des membres de son personnel, mais aussi des informations concernant leur C.V. et leur carrière. Les informations que vous projetez de conserver peuvent être du même type que celles d'autres sites Web de l'Internet ou être de nature très spécifique. Tout dépend de votre application.

Techniquement, l'expression *base de données* désigne un fichier ou un groupe de fichiers contenant des données réelles. Ces informations sont accessibles au moyen d'un ensemble de programmes appelé SGBD (système de gestion de bases de données). Presque tous les SGBD sont de type *relationnel* ; ce sont en réalité des SGBDR dans lesquels les informations sont conservées dans des tables en relation les unes avec les autres.

L'application : transférer les informations d'une base de données dans les deux sens

Pour qu'une base de données serve à quelque chose, vous devez être en mesure de transférer des informations dans les deux sens entre elle-même et une application. Pour cela, il faut écrire un ou plusieurs programmes qui seront chargés de lancer les requêtes nécessaires. Ces requêtes sont de la forme : "Prends ces informations et stocke-les à un endroit particulier." Ou encore : "Trouve les données spécifiées et envoie-les-moi." Ces programmes sont lancés lorsque l'utilisateur dialogue avec une page Web. Par exemple, lorsque l'utilisateur clique sur le bouton Soumettre (ou Envoyer) d'un formulaire HTML, il peut provoquer l'appel d'un programme qui va traiter les informations du formulaire et les placer dans une base de données.

MySQL, ma base de données

MySQL est un SGBDR facile à utiliser qui convient très bien pour la plupart des sites Web. La rapidité de développement a été, depuis le début, l'objectif principal de ceux qui l'ont écrit. Pour cela, ils ont décidé de proposer moins de fonctionnalités que leurs concurrents les plus importants (Oracle et Sybase, par exemple). Cependant, même si MySQL est un peu le parent pauvre des SGBDR, la simplicité de son installation et de son utilisation, comme la modicité de son prix, compensent largement cet inconvénient.

MySQL est développé et commercialisé par MySQL AB, un éditeur suédois qui en assure également le support. Il existe deux types de licences :

- **Licence de type "open source" :** Il s'agit de la licence GPL (General Public License) du GNU qui est gratuite. Toute personne remplissant les conditions du GPL peut utiliser ce type de logiciel gratuitement. Si vous utilisez MySQL pour réaliser une base de données sur un site Web (comme ce que nous allons faire dans ce livre), vous êtes dans le bon cas de figure, même si vous gagnez de l'argent avec votre site.
- **Licence commerciale :** Pour ceux qui préfèrent cette solution à la licence GPL, il existe une licence commerciale. C'est le cas, par exemple, d'un développeur qui compte utiliser MySQL à l'intérieur d'un nouveau produit logiciel qu'il a l'intention de commercialiser. Il faut alors qu'il acquière la licence commerciale, car il n'est plus dans le cadre du GPL. Le prix à payer reste très raisonnable.

Obtenir des renseignements techniques et une assistance sur MySQL ne présente pas de difficulté. Vous pouvez vous abonner à plusieurs listes de diffusion telles que celles proposées sur le site Web de MySQL à l'URL `http://www.mysql.com`. Vous pouvez également consulter les archives de ces listes dans lesquelles vous trouverez de nombreuses informations sous forme de questions/réponses. Si vous le souhaitez, vous pouvez opter pour une solution plus confortable et souscrire un contrat de support technique avec MySQL AB. Il en existe de cinq sortes, allant d'un simple échange d'e-mails à un contact téléphonique. Les prix sont naturellement en rapport avec la solution choisie.

Avantages de MySQL

MySQL est un SGBD très populaire parmi les développeurs. Sa rapidité et sa petite taille en font un outil idéal pour un site Web. Qu'il s'agisse d'un logiciel en open source (gratuit) entre pour une bonne part dans sa popularité. Voici un résumé de ses principaux avantages :

- **Il est rapide**. L'objectif principal des développeurs qui l'ont créé était la rapidité. En conséquence, cette préoccupation était présente dès le début de sa réalisation.
- **Il n'est pas cher**. MySQL est gratuit dans le cadre de la licence GPL et le coût d'une licence commerciale reste très raisonnable.

- **Il est facile à utiliser**. Vous pouvez réaliser et utiliser une base de données MySQL avec quelques instructions simples écrites dans le langage d'interrogation SQL qui est celui qu'utilisent habituellement tous les SGBDR. Voyez le Chapitre 4 pour en savoir davantage sur ce sujet.
- **Il fonctionne sur de nombreux systèmes d'exploitation**. Il est supporté par Windows, Linux, Mac OS, de nombreux avatars d'UNIX (Solaris, AIX et DEC UNIX, en particulier), FreeBSD, OS/2, Irix...
- **Il existe une assistance technique importante**. Le grand nombre de développeurs utilisant MySQL garantit une assistance efficace par le biais des listes de diffusion spécialisées. Les développeurs de MySQL eux-mêmes sont abonnés à ces listes. Vous pouvez même, moyennant finances, vous abonner à une assistance technique fournie par MySQL AB.
- **Il est sûr**. Il dispose d'un système d'autorisations très souple qui permet des accès à différents niveaux de privilèges. Par exemple, la création ou la suppression d'une base de données peut être limitée à certains utilisateurs ou groupes d'utilisateurs. Les mots de passe qui circulent sur l'Internet sont cryptés.
- **Il permet la création et la manipulation de bases de données de grande taille**. Le nombre de lignes de ces bases de données peut atteindre cinquante millions. Par défaut, la taille d'une table est limitée à 4 Go, mais vous pouvez aller jusqu'à 8 Go pour peu que votre système d'exploitation (ou, plus précisément, celui de l'installation sur laquelle se trouve votre base de données) le permette.
- **Il est configurable**. La licence open source GPL autorise les programmeurs à modifier MySQL pour qu'il s'adapte au mieux à des besoins spécifiques.
- **Il utilise la mémoire de façon efficace et sûre**. MySQL a été écrit et rigoureusement testé pour éviter toute fuite de mémoire.

Comment fonctionne MySQL

Le serveur MySQL est le gestionnaire du système de bases de données. C'est lui qui manipule toutes les instructions adressées à la base de données. Par exemple, si vous voulez créer une nouvelle base de données, vous envoyez un message au serveur MySQL disant : "Crée une nouvelle base de données que tu appelleras *nouvellebase*." Le serveur MySQL crée alors un sous-répertoire dans son dossier de données, lui donne le nom *nouvellebase* et crée les fichiers nécessaires au format requis dans ce nouveau sous-répertoire. De la même façon, pour ajouter des données à cette base de données, vous envoyez un message au serveur MySQL en lui fournissant les données et en lui disant à quel endroit vous voulez qu'elles soient rangées. Vous apprendrez comment réaliser ces opérations dans la deuxième partie du livre.

Avant que vous puissiez envoyer des instructions au serveur MySQL, il doit naturellement être en service. Il est souvent configuré de façon à démarrer automatiquement en même temps que le système d'exploitation et continue à tourner sans interruption. C'est là la configuration habituelle d'un site Web. Cependant, il est possible d'adopter une configuration différente et de lancer le serveur à la demande. Lorsqu'il est actif, le serveur MySQL est constamment à l'écoute des messages qui peuvent le concerner.

Communication avec le serveur MySQL

La totalité de votre dialogue avec une base de données s'effectue en passant des messages au serveur MySQL. Ces messages peuvent être envoyés de plusieurs façons ; dans ce livre, nous mettrons l'accent sur la communication via PHP. Il existe des instructions spéciales dans ce langage pour adresser des messages au serveur MySQL.

Le serveur MySQL doit pouvoir comprendre les instructions que vous lui envoyez et qui sont formulées dans le langage *SQL (Structured Query Language*). PHP, lui, ne comprend pas ce langage, mais ce n'est pas nécessaire, car il n'est là que pour passer de façon transparente à MySQL les requêtes écrites en SQL. Recevant ces requêtes, le serveur les interprète et les exécute, puis renvoie en retour un message contenant le résultat de cette exécution ou un diagnostic d'erreur si la requête n'était pas correcte. Vous trouverez des informations sur ces requêtes dans la deuxième partie du livre.

PHP, véhicule de données

PHP est un *langage de script* conçu spécialement pour être utilisé sur le Web. C'est l'outil que vous allez employer pour écrire vos pages Web dynamiques. Comme c'est un langage spécialisé, il ne contient pas toutes les fonctionnalités des langages de programmation, généraux. En conséquence, il est bien plus simple que d'autres langages comme C ou Java. Cela ne l'empêche pas d'être employé par des millions et des millions de sites, et sa popularité toujours croissante indique combien il donne satisfaction.

La force de PHP se révèle dans son habileté à communiquer avec des bases de données. Il peut dialoguer avec presque n'importe quel SGBD. Dès lors, il est inutile de connaître les subtilités de la connexion et des échanges de messages avec telle ou telle base de données. Il suffit de lui indiquer le nom de la base de données et son emplacement et il se chargera de tous les détails : connexion, transmission de vos instructions, récupération de la réponse.

Avantages de PHP

La popularité de PHP va croissant en raison de ses nombreux avantages. En voici quelques-uns :

- **Il est rapide**. Comme il est inclus dans HTML, ses temps de réponse sont courts.
- **Il n'est pas cher. En fait, il est gratuit**. Vous en aurez pour votre argent, voire plus !
- **Il est facile à utiliser**. Il ne contient que les éléments de langage de programmation nécessaires pour créer des pages Web dynamiques. Il a été conçu pour être facilement inclus dans un fichier HTML.
- **Il fonctionne sur de nombreux systèmes d'exploitation**. On le trouve sous Windows, Linux, Mac OS, et la plupart des avatars d'UNIX.
- **Il existe une large assistance technique**. L'importante base installée des développeurs assure une assistance efficace par le moyen des listes de diffusion.
- **Il est sûr**. L'utilisateur final ne peut pas voir le code PHP.
- **Il a été conçu pour supporter les bases de données**. PHP contient des fonctionnalités qui lui permettent de dialoguer avec des bases de données spécifiques, ce qui vous évite d'avoir à apprendre les détails techniques de ces communications.
- **Il est configurable**. La licence open source permet aux programmeurs de modifier l'interpréteur en ajoutant ou en supprimant certaines fonctionnalités selon tel ou tel besoin particulier.

Comment fonctionne PHP

PHP est un *langage de script inclus*, c'est-à-dire que le code PHP est contenu dans le code HTML. Des balises HTML particulières séparent ce qui est PHP de ce qui est HTML. On crée et on édite des pages Web contenant du PHP de la même façon que s'il n'y avait que du HTML pur.

Le logiciel PHP travaille en coopération avec le serveur Web qui est chargé d'envoyer les pages Web au monde entier. Lorsque vous saisissez une URL dans votre navigateur, vous adressez un message au serveur Web qui se trouve à cette URL, message qui lui demande de vous envoyer un fichier HTML. Lorsqu'il reçoit ce fichier, le navigateur interprète et affiche son contenu. La même chose a lieu lorsque vous cliquez sur un lien d'une page Web. De la même façon, c'est le serveur Web qui va recevoir les données que vous envoyez lorsque vous cliquez sur le bouton Soumettre (ou Envoyer, ou encore Submit) d'une page.

Lorsque PHP est installé, le serveur Web est configuré pour reconnaître certaines extensions de fichiers contenant des instructions PHP. La plus courante de ces extensions est `.php`, mais il en existe d'autres (`.php3` ou `.phtml`, par exemple, quoique ces formes soient aujourd'hui périmées). Lorsque le serveur Web reçoit une requête concernant un tel fichier, il envoie la partie HTML telle quelle, mais les instructions PHP sont traitées par l'interpréteur PHP avant de les transmettre au demandeur.

Le traitement des instructions PHP produit du code HTML qui est substitué dans le fichier original aux instructions PHP. De cette façon, on est certain que l'utilisateur ne verra jamais une instruction PHP, ce qui est un gage de sécurité et de transparence. Par exemple, considérez cette simple instruction PHP :

```
<?php echo "<p>Bonjour le Monde"; ?>
```

`<?php` est la balise initiale signalant que ce qui suit est du code PHP, et ?> la balise terminale qui indique la fin du code. `echo` est une instruction PHP qui demande à PHP d'afficher ce qui suit sous forme de code HTML ordinaire. Cette instruction est donc transformée en :

```
<P>Bonjour le Monde
```

qui est une ligne de code HTML standard. C'est cette ligne qui est envoyée au navigateur de l'utilisateur. L'instruction PHP elle-même n'est pas transmise.

PHP et le serveur Web doivent coopérer étroitement. Tous les serveurs Web ne contiennent pas un interpréteur PHP, mais la plupart d'entre eux acceptent très bien sa présence. PHP a été développé en tant que projet du groupe de logiciels Apache, aussi est-il très à l'aise avec les serveurs Apache. Mais il est également accepté par les serveurs IIS/PWS (Microsoft), iPlanet (anciennement Netscape Enterprise Server) et d'autres encore.

MySQL et PHP, le couple parfait

MySQL et PHP sont fréquemment utilisés conjointement. On les appelle parfois le *duo dynamique*. MySQL assure la gestion de la base de données et PHP le langage de programmation dans lequel sont écrites vos applications de bases de données sur le Web.

Avantages de ce partenariat

Le couple MySQL/PHP offre plusieurs avantages :

- **Ils sont tous deux gratuits**. Sur le plan du coût, il est difficile de faire mieux.
- **Ils sont tous deux orientés vers le Web**. Tous deux ont été spécifiquement conçus pour être utilisés sur des sites Web. Tous deux offrent un ensemble de fonctionnalités orientées vers la construction de sites Web dynamiques.
- **Ils sont faciles à utiliser**. Ils ont été conçus pour permettre de réaliser rapidement un site Web.
- **Ils sont rapides**. La vitesse a été le principal objectif poursuivi lors de leur conception. Leur mise en commun constitue l'un des meilleurs moyens de transmettre rapidement des pages Web aux utilisateurs.
- **Ils s'entendent bien**. PHP possède des fonctionnalités natives pour communiquer avec MySQL. Vous n'avez pas besoin de connaître les détails techniques : PHP s'en charge.
- **Il existe une large base installée pour vous assister**. Comme ils sont souvent utilisés ensemble, ils partagent la même base d'utilisateurs. Ces derniers ayant l'expérience de ce travail en commun sont à même de vous aider, par exemple au moyen des listes de diffusion.
- **Ils sont configurables**. Tous deux sont conçus sur le principe de l'open source, ce qui permet à chaque utilisateur de modifier PHP et MySQL à sa convenance en fonction de besoins particuliers.

Comment ils coopèrent

Les instructions PHP sont imbriquées à l'intérieur de votre code HTML, encadrées par des balises spécifiques. Lorsque la tâche à accomplir par l'application demande des mouvements de données, vous exécutez des instructions PHP particulières, conçues dans ce but. Il en va de même pour vous connecter à une base de données MySQL. Ces instructions indiquent à quel emplacement se trouve la base de données, quel est son nom et quel est votre mot de passe. Il n'est pas nécessaire que cette base de données soit sur la même machine que l'application, car PHP peut communiquer au travers d'un réseau. Pour interroger la base de données, vous envoyez des requêtes SQL sur le réseau. En retour, vous recevez un message contenant l'état de l'exécution de la requête, ce qui vous permet de savoir si elle s'est correctement déroulée. En cas de problème, vous recevez un message d'erreur. Si votre requête SQL demandait l'envoi de certaines données, MySQL vous renvoie ces informations, et PHP les mémorise dans un emplacement temporaire où elles peuvent ensuite être traitées.

Vous utilisez ensuite une ou plusieurs instructions PHP pour accomplir votre tâche. Par exemple, vous pouvez demander à PHP d'afficher les données reçues. Ou bien d'envoyer dans la fenêtre du navigateur de l'utilisateur un message lui disant que tout s'est bien (ou mal) passé.

En tant que SGBDR, MySQL est capable de manipuler des informations de nature très complexe. En tant que langage de script, PHP peut accomplir des manipulations de données très élaborées, qu'il s'agisse de les enregistrer dans la base de données ou de les traiter après les avoir lues dans cette même base de données. Travaillant ensemble, MySQL et PHP permettent la réalisation d'applications de bases de données sur le Web très sophistiquées.

PHP et MySQL, une évolution constante

PHP et MySQL sont des logiciels *open source*. Si vous ne vous servez habituellement que des produits vendus par de grands éditeurs, tels que Microsoft, Adobe ou encore Macromedia, vous allez vite vous rendre compte qu'il s'agit d'une autre planète. Les programmes *open source* sont développés par des groupes d'individus qui écrivent du code pendant leurs loisirs, gratuitement et pour le plaisir. Pas de siège social, pas de bureau, pas de profit !

Contrairement aux logiciels commerciaux, les applications open source évoluent souvent. Les développeurs peuvent se sentir prêts à diffuser une nouvelle évolution. Ou bien il faut résoudre rapidement un problème, comme une faille de sécurité. Dans ce cas, une version corrigée peut apparaître en quelques jours. Comme vous ne recevrez jamais de brochure sur papier glacé, il est indispensable de vous tenir informé en permanence. Si vous ne faites pas cet effort, vous ne saurez rien des mises à jour, ni même qu'il existe un problème sérieux avec votre version.

Visitez le plus souvent possible les sites de PHP et de MySQL. Lisez les informations qui y sont publiées. Abonnez-vous aux listes de diffusion (le trafic y est souvent très important). Au début, votre messagerie va se remplir de messages qui vous apporteront des renseignements pratiques et utiles. Bientôt, c'est peut-être vous qui pourrez aider d'autres utilisateurs grâce à l'expérience acquise.

Vous devez au minimum vous abonner à la liste qui vous permet d'être informé des nouveautés, des mises à jour ou des problèmes importants (*Announcements*). Les messages y sont assez rares pour ne pas encombrer votre boîte à lettres, mais leur contenu est important. Rendez-vous donc à l'adresse `http://www.php.net/mailing-lists.php` pour PHP, et `http://lists.mysql.com/` pour MySQL. Abonnez-vous à quelques listes (disons, une ou deux pour débuter).

Lors d'un changement de version, certains scripts peuvent ne plus fonctionner correctement. La compatibilité ascendante (ou descendante) n'est donc pas toujours assurée. Dans le cas de PHP, la version stable diffusée au moment où ce livre est rédigé porte le numéro 4.3.4. MySQL en est à la version 4.0.18. Laissez de côté les versions encore en cours de développement. Voici simplement quelques points à ne pas négliger :

- **Version 4.3.4 :** La version 4.3.0 comportait une faille de sécurité. Elle a été réparée depuis. Il est déconseillé de continuer à utiliser sur un serveur Web cette ancienne mouture.
- **Version 4.2.0 :** La valeur par défaut du paramètre `register_globals` est désormais sur `Off` (au lieu de `On`). Si nécessaire, les anciens scripts doivent être adaptés à cette configuration.
- **Version 4.1.0 :** Elle introduit la notion de tableau *superglobal* (voir à ce propos le Chapitre 6). Pour les versions antérieures, vous devez vous contenter des tableaux ancien style, du type `$HTTP_POST_VARS`.

Si vous voulez découvrir une documentation PHP extrêmement complète et en français, rendez-vous sur le site `http://www.nexen.net`. Chargez le fichier au format PDF ou HTML à partir du lien `Documentations`. Attention : le bébé pèse près de 2000 pages à la naissance !

Chapitre 2
Configuration de votre environnement de travail

Dans ce chapitre :

- Comment accéder à PHP et à MySQL.
- Construction de votre propre site Web à partir de zéro.
- Tester PHP et MySQL.

Une fois prise la décision d'utiliser PHP et MySQL, votre première tâche va consister à accéder à ces deux logiciels. Peut-être disposez-vous déjà d'un environnement de travail adapté à l'écriture d'applications Web dans lequel tous les outils nécessaires sont déjà installés ? Si ce n'est pas le cas, vous allez devoir vous préoccuper de ces détails. Dans ce chapitre, nous verrons comment procéder.

Les outils nécessaires

Pour être à même de réaliser des sites Web dynamiques, vous devez avoir accès aux trois outils logiciels suivants :

- **Un serveur Web**. C'est lui qui enverra vos pages Web à vos utilisateurs.
- **MySQL**. C'est le SGBDR (système de gestion de bases de données relationnelles) qui va manipuler les données de la base.

- **PHP**. C'est le langage de script que vous allez utiliser pour écrire les programmes qui rendront votre site Web dynamique.

Chacun de ces outils a été décrit au Chapitre 1.

Quelle solution adopter ?

Pour créer vos pages dynamiques, vous devez avoir accès à un site Web sur lequel ces trois outils logiciels sont déjà installés. Si tous les sites Web possèdent un serveur, en revanche, tous ne proposent pas PHP et MySQL. Voici quels sont les environnements les plus répandus dans lesquels vous trouverez tout ce qui est nécessaire pour réaliser vos pages :

- **Un site Web installé par une entreprise sur son propre ordinateur**. C'est le département informatique de l'entreprise qui a en charge les moyens informatiques et administre les logiciels installés. Dans le cadre de ce livre, votre travail consistera à programmer un site Web soit en tant que collaborateur de l'entreprise, soit en tant que consultant.
- **Un site Web installé chez un hébergeur**. Un "hébergeur" est une entreprise qui offre d'héberger sur ses machines les sites Web de tout un chacun gratuitement, comme le font la plupart des fournisseurs d'accès, ou bien moyennant finances, comme c'est le cas pour les sites Web à usage commercial. C'est l'hébergeur qui gère le logiciel installé chez lui, et alloue la place sur ses disques aux différents fichiers nécessaires à l'élaboration d'un site Web complet.
- **Un site Web qui n'existe pas encore**. Vous pouvez décider d'installer vous-même les trois outils énumérés plus haut. En général, ce sera sur votre propre machine, mais ce peut être aussi sur une autre machine si vous travaillez en tant que consultant pour une entreprise.

Le site Web d'une entreprise

Vous accédez aux ressources informatiques de l'entreprise au travers de son département informatique. Le nom de ce département peut varier, mais son rôle est toujours le même : c'est lui le responsable des moyens d'informations de l'entreprise et de leur utilisation.

Si PHP et/ou MySQL ne sont pas déjà installés, c'est ce département qui les installera et les mettra à votre disposition. Vous pourrez intervenir pour choisir ensemble les paramètres de configuration optimaux. En général, vous ne serez pas autorisé à effectuer ces modifications vous-même. Par exemple, PHP doit être configuré avec le support de MySQL activé. Si ce n'est pas le cas, le département informatique de l'entreprise devra le réinstaller.

Pour que le monde entier puisse consulter vos pages Web, vos fichiers HTML doivent être placés dans un répertoire particulier de l'ordinateur. Le serveur Web qui les transmet s'attend à les trouver à un endroit précis. Le département informatique devra donc vous permettre d'accéder à ce répertoire. Généralement, vous testerez vos pages dans un répertoire de travail, et ne les transférerez dans le répertoire spécialisé qu'une fois qu'elles seront bien au point. Ce transfert pourra s'effectuer soit par des commandes du système d'exploitation, soit par *FTP* (*File Transfert Protocol*), selon les privilèges d'accès qui vous auront été accordés par le département informatique de l'entreprise. Parfois, pour des raisons de sécurité, vous n'aurez pas directement accès au répertoire des pages Web ; dans ce cas, ce sera le département informatique qui effectuera le transfert.

Pour pouvoir utiliser les outils logiciels nécessaires à la construction de votre site Web, vous aurez besoin des informations suivantes :

- **L'adresse des pages Web**. Vous devrez connaître le chemin d'accès complet du répertoire dans lequel les fichiers devront être installés. Vous devrez également posséder un *login* et un mot de passe vous permettant d'accéder à l'ordinateur ; enfin, vous devrez connaître les commandes du système d'exploitation vous permettant d'effectuer vos transferts de fichiers.

- **Les noms de fichiers par défaut**. Lorsqu'un utilisateur indique une URL dans laquelle aucune page HTML n'est spécifiée, il reçoit néanmoins quelque chose. Le serveur Web lui envoie un fichier dont le nom par défaut est fixé à l'avance. Presque toujours, ce nom sera `index.htm` ou `index.html`, mais ce pourrait être `default.htm` ou `default.html`. A vous de vous renseigner.

- **Un compte MySQL**. L'accès aux bases de données MySQL est contrôlé au moyen d'un système de comptes et de mots de passe. C'est le département informatique qui crée ces entités. (Nous reverrons cette notion de compte MySQL au Chapitre 5.)

- **L'emplacement des bases de données MySQL**. Les bases de données MySQL ne sont pas nécessairement situées sur la même machine que les pages Web qui les exploitent. Lorsqu'elles figurent sur une autre machine, il faut savoir quel est le nom de cette machine (par exemple : `thor.monserveur.com`).

- **L'extension des fichiers PHP**. Lors de l'installation de PHP, une extension par défaut des fichiers PHP est définie pour que le site Web puisse les reconnaître. La plupart du temps, cette extension sera `.php` ou `.phtml`, mais il existe d'autres variantes. Les fichiers PHP qui n'auraient pas la bonne extension seraient tout simplement ignorés. Ici encore, renseignez-vous auprès du département informatique de l'entreprise.

Un site Web installé chez un hébergeur

Un *hébergeur* est une entreprise qui vous propose tout ce dont vous pouvez avoir besoin pour créer un site Web : de la place sur ses disques, des logiciels, et même, en cas de besoin, une assistance technique. Dès lors, il ne vous reste plus qu'à créer les fichiers de votre application et à les installer à l'emplacement qui vous a été alloué par l'hébergeur.

Il existe, tant en France qu'aux Etats-Unis, des quantités d'hébergeurs. La plupart vous facturent mensuellement l'utilisation de leurs moyens informatiques. De leur côté, les fournisseurs d'accès (gratuits ou payants) vous offrent souvent un accès gratuit pour vos pages Web, mais (tout au moins en France) cette gratuité est parfois limitée à des sites Web non commerciaux. Le prix à payer dépend des ressources utilisées. Par exemple, un site Web qui occupe 2 Mo d'espace disque vous coûtera moins cher qu'un site Web qui en requiert 10.

Pour des raisons de sécurité, les fournisseurs d'accès qui vous proposent PHP ne vous permettent pas toujours d'utiliser l'ensemble de ses instructions. Par exemple, l'instruction `mail`, qui autorise l'envoi d'un e-mail au moyen d'un script, est souvent désactivée afin de lutter contre le *spam*.

Lors de la recherche d'un hébergeur, assurez-vous que celui-ci offre les fonctionnalités suivantes :

- **PHP et MySQL**. Tous les hébergeurs n'offrent pas ces outils. Par exemple, en France, ni Club-Internet ni Wanadoo ne les proposent. Chez les hébergeurs spécialisés, certains vous feront payer un supplément pour les utiliser.
- **Accès à PHP 4**. Il peut arriver que l'interpréteur PHP installé ne soit pas le plus récent. Actuellement, on en est à PHP 4 qui offre beaucoup plus de possibilités que son prédécesseur, PHP 3. Méfiez-vous !

Considérez aussi les points suivants :

- **Fiabilité**. Il est indispensable que vous puissiez compter sur votre hébergeur. Aussi doit-il avoir pignon sur rue et bonne réputation pour ne pas risquer de disparaître d'un jour à l'autre. Et son matériel doit être récent. Méfiez-vous des machines assemblées avec du fil de fer et des bouts de ficelle, et dont le temps d'indisponibilité est supérieur au temps d'activité.
- **Rapidité**. Les pages Web qui se chargent avec une lenteur majestueuse ont vite fait de lasser les utilisateurs, toujours prompts à s'impatienter. Cette lenteur peut être causée par un équipement insuffisant, incapable de supporter dans de bonnes conditions la charge qui lui est imposée. Parfois, la configuration et la mise à jour de cet équipement n'ont pas suivi l'accroissement du nombre de ses utilisateurs. Quoi qu'il en soit, il faut éviter ce type d'hébergeur.
- **Assistance technique**. Certains hébergeurs ne vous proposent pas d'assistance, et vous n'aurez pas d'interlocuteur valable pour répondre aux questions techniques que vous vous posez ou pour résoudre les difficultés que vous risquez de rencontrer. Parfois, cette assistance n'est fournie que par e-mail, ce qui n'est acceptable que si la réponse parvient dans un délai suffisamment court. Vous pouvez parfois tester la qualité de cette assistance en l'appelant au téléphone ou en lui envoyant un e-mail.
- **Le nom de domaine**. Certains hébergeurs vous permettent de disposer de votre propre nom de domaine : celui que vous avez enregistré selon la procédure qui a été expliquée plus haut. Certains iront même jusqu'à vous aider à enregistrer ce nom. En revanche, d'autres vous imposeront un nom dans lequel figurera leur propre nom de domaine. Par exemple, si vous vous appelez Jules Dupont, le fournisseur d'accès Free vous imposera le nom `http://jules.dupont.free.fr`. Chez Wanadoo, ce serait `http://perso.wanadoo.fr/julesdupont`. Notez que ce n'est généralement pas le cas pour les hébergeurs payants.
- **Sauvegardes**. Pour des raisons de sécurité, il est bon que vous ayez des copies de vos fichiers HTML/PHP et de vos bases de données, pour le cas où ils se trouveraient endommagés, quelle que soit la raison de ce désastre. Vérifiez donc que votre hébergeur effectue régulièrement des copies de sauvegarde des fichiers de ses clients. Et demandez-lui aussi combien de temps il lui faut pour procéder à la restauration des fichiers endommagés en utilisant cette sauvegarde.
- **Fonctionnalités diverses**. Selon l'objet de votre site Web, certaines de ces fonctionnalités peuvent être importantes et

d'autres de second ordre. Presque toujours, plus les fonctionnalités offertes seront nombreuses et plus votre facture mensuelle sera salée. Voici un échantillon de ce qui peut vous être proposé :

Espace sur disque. Quelle place sur le disque votre application demande-t-elle ? N'oubliez pas que certains fichiers comme les fichiers audio ou vidéo réclament beaucoup de place.

Visites de votre site. Certains hébergeurs vous font payer un prix qui augmente avec le nombre de consultations de vos pages. Si votre site devient très populaire, votre facture s'en ressentira.

Adresses e-mail. La plupart des hébergeurs vous proposent un lot d'adresses e-mail pour votre site Web. A vous de voir comment se présentent ces adresses et combien vous sont offertes.

Logiciels. Les hébergeurs vous proposent généralement un certain nombre d'outils logiciels pour créer vos pages. Nous avons déjà parlé de PHP et MySQL. D'autres SGBD peuvent vous être proposés. On peut même vous proposer des outils de support de pages Web comme FrontPage (qui nécessite l'installation, côté serveur, d'extensions particulières), des logiciels de gestion de caddie virtuel, de validation de carte de crédit, etc.

Statistiques. Vous pourrez souvent obtenir des statistiques mensuelles d'utilisation de votre site Web : nombre de consultations des pages, durée des accès, etc.

Un des inconvénients de faire héberger votre site Web à l'extérieur est que vous n'avez aucun contrôle sur l'environnement de travail et de développement qui vous est imposé. C'est l'hébergeur qui vous fournit cet environnement, configuré de la façon qui lui semble la meilleure, et en tout cas celui qui lui paraît le plus facile et le moins cher à maintenir. C'est aussi, à son avis, celui qui convient à la plus grande partie de ses clients. Vous ne pouvez rien y changer. La seule chose que vous puissiez faire est de le supplier de bien vouloir le modifier. Sans grand espoir généralement, ne serait-ce qu'à cause des bouleversements que pourraient entraîner ces modifications à l'encontre des autres utilisateurs ou de lui-même.

Les accès aux bases de données sont contrôlés par tout un système de comptes et de mots de passe qui doivent être gérés manuellement, ce qui entraîne du travail supplémentaire pour l'hébergeur. C'est l'une des raisons pour lesquelles beaucoup d'hébergeurs ne proposent pas MySQL ou font payer un surcoût pour son utilisation. C'est un peu la même chose pour PHP dont de multiples options sont ajustables. C'est l'hébergeur qui décide quelles sont celles qui conviendront à la majorité de ses clients, et ce ne sera pas forcément celles que vous auriez souhaitées.

Créer vous-même votre propre site Web

Si vous partez de zéro, dites-vous bien que vous devez posséder de solides connaissances sur les logiciels du Web pour vous lancer dans cette entreprise. Vous devrez faire des choix motivés concernant tant les logiciels que le matériel. Vous devrez installer un serveur Web, PHP, MySQL et un certain nombre d'autres outils logiciels de moindre importance. En outre, vous devrez vous-même assurer l'administration, la maintenance et la mise à jour de votre site. La route vers le succès est ici pavée d'embûches, et il n'est pas conseillé à un néophyte de se lancer dans une telle entreprise. Mais si vous réussissez, vous en tirerez un gros avantage : celui de tout contrôler de A à Z dans votre configuration.

Voici quelles sont les étapes à parcourir pour mettre sur pied un site Web personnel (vous trouverez des détails dans les sections qui suivent) :

1. **Configuration et mise en service d'un ordinateur.**
2. **Installation du logiciel serveur.**
3. **Installation de MySQL.**
4. **Installation de PHP.**

Si vous n'avez ni matériel ni logiciel, commencez à l'étape 1. Si vous possédez un ordinateur mais sans logiciel pour le Web, rendez-vous à l'étape 2. Si vous avez déjà installé un serveur personnel sans PHP et MySQL, l'étape 3 est pour vous.

Installation d'un ordinateur

Votre première décision à prendre concerne le choix du matériel ou, plus précisément, de la plate-forme (ensemble matériel + logiciel) à acquérir puis à installer. Dans la plupart des cas, vous allez choisir un PC et votre système d'exploitation sera Windows ou Linux. Voici quelques-uns des avantages et inconvénients de ces deux systèmes d'exploitation :

- **Linux**. C'est un système d'exploitation écrit en open source, donc gratuit. Sa stabilité est justement renommée : il peut tourner des journées entières sans qu'il soit nécessaire de réamorcer le système. Le logiciel serveur Apache est actuellement plus à son aise dans cet environnement que sous Windows, mais la situation évolue sensiblement de ce côté. C'est la solution dont le coût apparent est le plus faible. Du côté des inconvénients, il faut bien reconnaître que la majorité de ceux qui s'y sont essayés reconnaissent que Linux est plus difficile à installer et à gérer que Windows, et que l'installation comme l'administration de nouveaux logiciels ne sont pas toujours simples.

  Théoriquement, oui. Toutefois, dans la pratique, vous devrez **acquérir** une "distribution Linux", c'est-à-dire un ensemble de logiciels gratuits regroupés sur plusieurs CD, accompagnés du programme d'installation et de la notice indispensables. Parmi les plus connues, citons *Red Hat*, *Mandrake*, *Slackware*, *Caldera*, *Suse... (N.d.T.)*

- **Windows**. Windows est payant et, bien qu'il en existe plusieurs moutures, seule la dernière (Windows XP) est maintenant commercialisée. Presque tout le monde s'accorde à dire que Windows est plus facile à utiliser. De plus, comme ce système d'exploitation domine de très loin ses concurrents en ce qui concerne le nombre de systèmes installés, vous êtes toujours certain de trouver quelqu'un pour vous aider en cas de problème.

S'il est facile d'acquérir un ordinateur sur lequel Windows soit déjà installé, c'est moins courant en ce qui concerne Linux. Actuellement, Dell, IBM et HP offrent de telles configurations.

Si vous avez décidé d'assembler vous-même votre machine en achetant les composants (carte mère, mémoire, disques, écran, clavier...), vous risquez de rencontrer des difficultés d'un autre ordre. Il est préférable d'avoir de petites compétences en électronique pour être certain de ne pas faire d'erreurs en interconnectant ces composants. Mais vous êtes alors libre d'adopter le système d'exploitation que vous préférez. Si vous en connaissez déjà un pour l'avoir pratiqué peu ou prou, choisissez-le sans hésiter, car c'est de cette façon que vous rencontrerez le moins de problèmes.

En ce qui concerne PHP et MySQL, vous devriez envisager sérieusement le passage à Linux, car PHP est un projet de l'Apache Software Foundation, ce qui fait que ces deux outils logiciels sont plus à l'aise sous Apache. Donc, toutes choses égales par ailleurs, si votre ordinateur doit principalement être utilisé comme serveur pour des applications de bases de données sur le Web, Linux est probablement le meilleur choix possible.

Sur le site officiel d'Apache, à l'URL `http://httpd.apache.org/`, on peut lire (nous traduisons) : "Cette version [la 2.0.48] est connue pour tourner sous de nombreuses versions d'UNIX, de BeOS, d'OS/2, de Windows et de Netware. En raison des nombreuses améliorations apportées à Apache 2.0, on pense que la version initiale d'Apache tournera aussi bien sur toutes les plates-formes supportées." *(N.d.T.)*

Il existe d'autres solutions qu'un PC tournant sous Windows ou Linux, mais elles sont moins courantes :

- Il existe des systèmes UNIX gratuits pour PC : FreeBSD (que certains préfèrent à Linux) ou une version de Solaris proposée gratuitement par Sun en téléchargement.
- Vous pouvez aussi utiliser un Macintosh en tant que serveur Web, mais l'installation des logiciels nécessaires est relativement moins facile que sur un PC (mais cela se discute). Les nouveaux Macintosh peuvent être livrés avec PHP préinstallé. Mais le nombre limité d'utilisateurs constitue tout de même un handicap certain. A moins que vous n'utilisiez votre machine pour d'autres tâches, le choix d'un Macintosh n'est sans doute pas le meilleur. Un bon conseil : n'hésitez pas à visiter le site `http://www.phpmac.com` pour plus d'informations.

Installation du serveur Web

Une fois l'ordinateur installé et testé, vous devez choisir le logiciel serveur à installer. Presque toujours, ce sera Apache, car il offre les avantages suivants :

- **Il est gratuit**. Que dire d'autre ?
- **Il tourne sur de nombreuses plates-formes**. Nous en avons déjà fait la remarque.
- **Il est très répandu**. Environ 60 % des sites Web de l'Internet utilisent Apache, selon le recensement effectué par Netcraft (`http://www.netcraft.com`). Vous pouvez aussi consulter la page Web à l'URL `http://www.securityspace.com/s_survey/data/`. Ce ne serait pas le cas si ce logiciel marchait mal. Et, de ce fait, de nombreux utilisateurs peuvent vous apporter leur aide.
- **Il est fiable**. Une fois lancé, Apache ne connaît pas de problèmes et peut tourner longtemps sans connaître d'incident.

- **Il est configurable**. La licence open source permet à tout un chacun de modifier le logiciel Apache, d'y ajouter des modules ou de modifier ceux qui existent pour coller au plus près à tout environnement particulier.

- **Il est sûr**. Il existe des adjonctions gratuites qui permettent de faire tourner Apache dans un environnement sécurisé (*SSL*, pour *Secure Sockets Layer*). Si vous avez l'intention d'utiliser votre serveur pour faire du e-commerce, c'est un impératif.

Apache est automatiquement présent lorsque vous installez la plupart des distributions Linux. On le trouve aussi sur les Macintosh récents. Pour les différentes moutures d'UNIX, vous devez télécharger le code source d'Apache et le compiler vous-même. Il existe cependant quelques *binaires* (programmes déjà compilés pour des systèmes d'exploitation particuliers). Pour Windows, vous devez installer un de ces binaires, de préférence sur Windows NT/2000/XP, bien qu'Apache puisse aussi tourner sous Windows 95/98.ME. Au moment où ces lignes sont écrites, il en existe deux versions : la 1.3.29 et la 2.0.48, qui semblent toutes deux sûres. Pour plus d'informations sur ce point, consultez la page située à l'URL `http://httpd.apache.org/`. Vous y trouverez également une abondante documentation, des recommandations pour l'installation sur différentes plates-formes ainsi que des logiciels complémentaires à charger.

Sous Windows, n'oubliez pas EasyPHP (cocorico!) qui, comme son nom l'indique, vous facilitera l'utilisation de PHP (ainsi que de MySQL). Son installation commence par celle d'un serveur personnel Apache.

D'autres serveurs Web existent, parmi lesquels on peut citer celui de Microsoft : IIS/PWS (Internet Information Server), qui vient au second rang parmi les serveurs les plus utilisés avec environ 27 % de parts de marché. C'est probablement la solution à préférer si vous vous attendez à un trafic important sur votre site Web. Il est réputé pour fonctionner plus efficacement qu'Apache dans un environnement Windows. De son côté, Sun propose IPlanet (connu auparavant sous le nom de Netscape Enterprise Server), qui n'est actuellement utilisé que sur environ 5 % des sites Web exploités. Il en existe aussi d'autres, mais leur base installée est encore plus réduite.

Installation de MySQL

Une fois installés l'ordinateur et Apache, vous êtes prêt pour installer MySQL. Il faut l'installer avant PHP, parce que vous devrez connaître le chemin d'accès de MySQL lorsque vous installerez PHP.

Toutefois, avant d'installer MySQL, vérifiez qu'il ne se trouve pas déjà sur votre machine. Ou peut-être s'y trouve-t-il tout en n'étant pas activé ? Ainsi, plusieurs distributions de Linux installent automatiquement MySQL. Voici comment vérifier que MySQL est actif :

- **Sous Linux/UNIX**. Tapez :

```
ps -ax
```

Vous devriez voir s'afficher une série de programmes. Selon la variante du système d'exploitation, la commande `ps` peut prendre différentes options. Si la syntaxe ci-dessus ne donne pas le résultat escompté, consultez la liste de ces options en tapant `man ps`.

  Dans la liste de programmes qui s'affiche, cherchez-en un qui s'appelle `mysqld`.

- **Sous Windows**. Si MySQL est actif, vous devez voir sa petite icône dans le coin inférieur droit de l'écran, en même temps que l'horloge temps réel et quelques autres utilitaires. Si vous ne voyez rien qui ressemble à un feu de croisement au vert, c'est qu'il ne tourne pas.

Même si MySQL n'est pas actif, il peut avoir été installé mais pas lancé. Voici comment vérifier s'il est installé sur votre machine :

- **Sous Linux/UNIX**. Tapez :

```
find / -name "mysql*"
```

  Si un répertoire nommé `mysql` est affiché, c'est que MySQL a été installé.

- **Sous Windows**. Si vous n'avez pas installé EasyPHP et que vous n'ayez pas l'intention de le faire, recherchez un programme appelé `WinMySQLadmin`. C'est lui qui, entre autres fonctions, lance et arrête MySQL. Vous devriez le trouver dans le menu Démarrer (cliquez sur Tous les programmes, puis sur Démarrage). Si ce n'est pas le cas, recherchez-le dans un répertoire qui pourrait être `c:\mysql\bin`.

  Si vous avez l'intention d'utiliser EasyPHP, pas de problème, tout ce qu'il faut sera installé sans que vous ayez besoin de mettre les mains dans le cambouis.

Si MySQL est installé mais non lancé, voici comment le démarrer :

- **Sous Linux/UNIX :**

  1. **Placez-vous dans le répertoire** `mysql/bin`**.**

C'est le répertoire que vous devriez avoir trouvé lorsque vous avez vérifié que MySQL était bien installé.

2. **Tapez :**

```
safe_mysqld &
```

Lorsque la commande se termine, l'invite est affichée.

3. **Vérifiez que MySQL est bien actif en tapant :**

```
ps -ax
```

Dans la liste de programmes qui s'affiche, cherchez-en un qui s'appelle `mysqld`.

- **Sous Windows (hors EasyPHP) :**

1. **Lancez le programme WinMySQLadmin.**

   Si vous ne le trouvez pas dans le menu, recherchez-le dans un autre répertoire avec la fonction de recherche de Windows (Démarrer/Rechercher/Tous les fichiers et tous les dossiers). Son chemin d'accès est probablement `c:\mysql\bin\winmysqladmin.exe`. Double-cliquez sur ce nom.

2. **Cliquez du bouton droit dans la fenêtre de** `WinMySQLadmin`**.**

   Un menu contextuel s'affiche.

3. **Choisissez l'entrée de ce menu qui convient à votre système d'exploitation (Win9x ou WIN NT qui inclut Win 2000 et XP).**

4. **Cliquez sur Start the Server (ou plus probablement Start the Service).**

Si MySQL n'est pas installé sur votre ordinateur, vous devez le télécharger et l'installer. Pour cela, consultez le site Web dont l'URL est `http://www.mysql.com`. Vous y trouverez toutes les informations et tous les logiciels dont vous allez avoir besoin.

Installation de PHP

Une fois installé MySQL, vous êtes prêt pour installer PHP. J'ai expliqué plus haut les raisons pour lesquelles PHP devait être installé en dernier.

Cependant, avant de procéder à l'installation de PHP, vérifiez si, par hasard, il ne serait pas déjà présent. Ainsi, certaines distributions de Linux l'installent automatiquement. Pour vérifier ce point, recherchez sur votre disque dur les fichiers PHP. Pour cela :

- **Sous Linux/UNIX**. Tapez :

```
find : -name "php*"
```

- **Sous Windows (hors EasyPHP)**. Utilisez la fonction de recherche (voir ce qui a été dit pour MySQL) en indiquant comme critère de recherche : `php*`.

Si vous trouvez les fichiers PHP, c'est que PHP est déjà installé ; il est donc inutile de le réinstaller. Par exemple, même si vous avez installé MySQL vous-même après PHP, peut-être l'avez-vous copié à l'endroit où PHP s'attend à le trouver. Mieux vaut vous en assurer maintenant que plus tard. Effectuez le test décrit dans la section suivante pour vérifier que MySQL et PHP sont tous deux installés et actifs.

Si vous ne trouvez aucun fichier PHP, c'est que PHP n'est pas là ! Pour l'installer, vous devez pouvoir accéder au serveur Web de votre site. Par exemple, lorsque vous installez PHP sous Apache, il vous faut éditer le fichier de configuration d'Apache. Tout ce qui est nécessaire (documentation et logiciels) se trouve sur le site de PHP, à l'URL `http://www.php.net`.

Une alternative intéressante : EasyPHP

Installer un serveur personnel, un serveur MySQL et un interpréteur PHP n'est pas à la portée de tout le monde. C'est ce qu'ont compris trois développeurs français, enthousiastes de PHP, et désireux de faire du prosélytisme. Ils ont créé un "package" contenant ces trois logiciels (package qui s'installe sous Windows avec autant de facilité que n'importe quel outil bureautique) et l'ont appelé **EasyPHP**, autrement dit "PHP facile".

Pour apprendre PHP et MySQL et tester ses bases de données et ses scripts PHP avant de les installer sur un serveur externe, EasyPHP est l'outil idéal, car il permet de se concentrer sur les seuls problèmes concernant PHP et MySQL, sans se perdre dans les intrications que posent aux non-spécialistes l'installation et surtout la configuration de logiciels aussi élaborés qu'un serveur personnel, un SGBD et un interpréteur appelés à coopérer. Avantage supplémentaire : EasyPHP est gratuit. C'est ce système qui nous servira à illustrer les exemples du livre dans tout ce qui suit.

Comme nous l'avons signalé plus haut, l'utilisation d'un serveur personnel n'est pas réaliste pour l'exploitation d'un site Web. Il faut pratiquement recourir aux bons offices d'un hébergeur. Mais la mise au point des bases de données et des scripts peut s'effectuer à domicile, sur son propre serveur personnel, avec beaucoup plus de souplesse, une plus grande disponibilité et une moindre dépense que sur un serveur externe, propriété d'un fournisseur d'accès ou d'un hébergeur. Nous incitons donc fortement le lecteur à opérer de cette façon.

Vingt fois sur le métier, remettez votre ouvrage...

Autrement dit : testez, testez et testez encore. Il y a au moins trois raisons qui peuvent vous conduire à supposer que PHP et MySQL sont utilisables sur votre site Web :

- Le département informatique de votre entreprise ou celui de l'entreprise qui est votre cliente vous a dit qu'il en était ainsi.
- Votre hébergeur vous a fourni toutes les informations que vous lui avez demandées et vous a assuré que tout était prêt.
- Vous avez suivi les instructions précédentes et tout installé vous-même.

Mais cela n'est pas suffisant. Encore faut-il vérifier que tout est bien en ordre de marche.

PHP

Pour vérifier que PHP est installé et actif, voici les étapes à parcourir :

1. **Trouvez le répertoire dans lequel vos fichiers PHP doivent être sauvegardés.**

   Ce dossier et ses sous-répertoires constituent votre *espace Web*. Dans le cas d'Apache, il s'agit du répertoire dans lequel celui-ci est installé (normalement `htdocs`, également appelé *Document Root*). Sous IIS, ce sera par défaut `Inetpub\wwwroot`. Sous Linux, il devrait s'agir de `/var/www/html`. Tout cela peut bien sûr être personnalisé en reconfigurant le serveur Web. Si votre site est hébergé, n'oubliez pas de demander le nom du répertoire qui vous est alloué pour vos scripts PHP.

2. **Créez le fichier ci-après dans votre espace Web et donnez-lui le nom** `test.php`.

```
<html>
<head>
<title>Test de PHP</title>
</head>
<body>
<p> Ceci est une ligne HTML
<p>
<?php
   echo "Ceci est une ligne PHP";
   phpinfo();
?>
</body>
</html>
```

3. **Pointez votre navigateur sur le fichier** `test.php` **que vous venez de créer (en tapant le nom de votre site Web, ou encore une adresse du type** `localhost/test.php` **si vous effectuez un test sur votre propre système – n'utilisez pas la commande Ouvrir du menu Fichier !).**

   Vous devriez voir s'afficher les deux lignes suivantes :

   ```
   Ceci est une ligne HTML
   Ceci est une ligne PHP
   ```

   Ces deux lignes sont suivies par un grand tableau montrant toutes les informations associées à PHP dans votre système (il est produit par la fonction `phpinfo()`). Vous pourrez y repérer le chemin d'accès et le nom de divers fichiers, des noms de variables et l'état de diverses options.

4. **Vérifiez les valeurs des options de PHP que vous comptez utiliser.**

   Par exemple, le support de MySQL doit être activé. Recherchez la rubrique MySQL dans ce tableau et assurez-vous que le support de MySQL a bien la valeur "on" (ou *Enabled*).

5. **Modifiez éventuellement des valeurs.**

   Si vous n'avez pas le privilège d'administrateur sur PHP, vous devrez demander au responsable du département informatique qui en dispose d'effectuer ces modifications pour votre compte. Si c'est vous qui avez installé PHP ou que vous avez ces privilèges, pas de problème, faites vous-même les modifications.

MySQL

Lorsque vous aurez vérifié que PHP tournait correctement, il vous restera à tester MySQL au moyen de PHP. Pour cela :

1. **Créez le fichier ci-après dans votre espace Web et donnez-lui le nom** `test-mysql.php` :

```
<html>
<head>
<title>Test de MySQL</title>
<body>
<!-- test-mysql.php -->
<?php
$host="hostname";
$user="mysqlaccount";
$password="mysqlpassword";

mysql_connect($host,$user,$password);
$sql="show status";
$result = mysql_query($sql);
if ($result == 0)
   echo("<b>Erreur " . mysql_errno() . ": " . mysql_error() .
                                                         "</b>");
elseif (mysql_num_rows($result) == 0)
   echo("<b>Requête exécutée avec succès</b>");
else
{
?>
<!-- Tableau affichant les résultats -->
<table border=»1»>
  <tr><td><b>Nom de la variable</b></td><td><b>Valeur</b>
                                                   </td></tr>
  <?php
    for ($i = 0; $i < mysql_num_rows($result); $i++) {
      echo("<TR>");
      $row_array = mysql_fetch_row($result);
      for ($j = 0; $j < mysql_num_fields($result); $j++) {
        echo("<TD>" . $row_array[$j] . "</td>");
        }
        echo("</tr>");
    }
  ?>
</table>
<?php } ?>
</body>
</html>
```

2. **Si vous n'utilisez pas EasyPHP, les lignes imprimées en gras doivent être modifiées. Ce sont :**

```
$host="hostname";
$user="mysqlaccount";
$password="mysqlpassword";
```

Remplacez les valeurs situées à droite du signe "=" par les véritables valeurs en fonction de votre environnement. A la place de `hostname`, indiquez le nom de l'ordinateur sur lequel MySQL est installé. Si vous utilisez un serveur local, sur lequel se trouve aussi MySQL, vous pouvez utiliser le nom `localhost` (ou ne rien mettre).

A la place de `mysqlaccount`, indiquez votre nom de *login*, et à la place de `mysqlpassword` votre véritable mot de passe. Si votre compte ne demande pas de mot de passe, indiquez tout simplement une chaîne de caractères vide : `""`.

N'oubliez pas les points-virgules à la fin de chacune de ces trois lignes.

3. **Pointez votre navigateur sur le fichier** `test-mysql.php` **que vous avez créé à l'étape 1 et éventuellement modifié à l'étape 2.**

Vous devriez voir s'afficher le tableau dont la Figure 2.1 vous montre le début. Il contient une longue liste de noms de variables accompagnées de leurs valeurs. Vous ne devriez voir s'afficher aucun message d'erreur. Ne vous préoccupez pas du contenu de ce tableau. La seule chose qui compte est qu'il soit affiché, ce qui vous permettra d'être certain que MySQL fonctionne correctement et qu'il peut dialoguer avec PHP.

Si un message d'erreur s'affiche, il y a quelque chose qui cloche dans votre installation de MySQL et/ou de PHP.

Les messages d'erreur sont généralement assez clairs. Selon les options que vous aurez choisies, ils seront affichés en anglais ou en français, voire dans un mélange des deux langues. En voici un exemple :

```
MySQL Connection Failed: Access denied for user: 'tartempion'
(Using password: YES)
```

Ce message signifie que votre nom d'utilisateur et/ou votre mot de passe est ou sont incorrects. Vous noterez que, pour des raisons de sécurité, le mot de passe réel n'est pas affiché mais remplacé par `YES`.

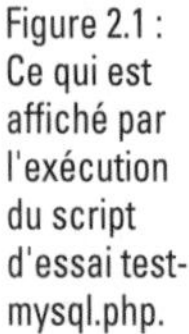

Test de MySQL - Microsoft Internet Explorer

http://localhost/php4/test-mysql.php

Nom de la variable	Valeur
Aborted_clients	0
Aborted_connects	0
Bytes_received	2386
Bytes_sent	425714
Com_admin_commands	0
Com_alter_table	0
Com_analyze	0
Com_backup_table	0
Com_begin	0
Com_change_db	0
Com_change_master	0
Com_check	0
Com_commit	0
Com_create_db	0
Com_create_function	0
Com_create_index	0
Com_create_table	0
Com_delete	0
Com_delete_multi	0

Figure 2.1 : Ce qui est affiché par l'exécution du script d'essai test-mysql.php.

Si vous aviez indiqué une chaîne vide en guise de mot de passe, `YES` serait remplacé par `NO`.

En cas de message d'erreur, vérifiez soigneusement votre numéro de compte et votre mot de passe. Souvenez-vous qu'il s'agit ici de votre compte MySQL, différent de votre compte de login. Si vous ne trouvez aucune erreur, contactez le département informatique, votre hébergeur ou votre fournisseur d'accès pour leur soumettre le problème. (Les mots de passe et comptes MySQL seront traités au Chapitre 5.)

Chapitre 3

Développement d'une application de base de données sur le Web

Dans ce chapitre :

- Planification de votre application.
- Choix et organisation des données.
- Conception de la base de données.
- Vue d'ensemble de la construction de votre base de données.
- Vue d'ensemble de l'écriture des programmes de votre application.

Développer une application de base de données sur le Web demande bien plus qu'un simple rangement de données dans une base de données MySQL suivi de l'écriture de quelques programmes PHP. La construction de l'application doit être précédée d'une sérieuse planification. Les étapes à suivre sont les suivantes :

1. **Développer un plan listant les tâches que votre application doit accomplir.**
2. **Concevoir la base de données nécessaire pour supporter les tâches précédentes.**
3. **Construire la base de données MySQL en respectant la façon dont elle a été conçue.**

4. **Ecrire les programmes PHP qui accomplissent les diverses tâches de l'application.**

Ce sont ces quatre étapes que nous allons détailler.

Planification de votre application de base de données sur le Web

Avant même de poser le doigt sur votre clavier pour écrire un programme PHP, vous devez planifier votre application de base de données sur le Web. C'est probablement l'étape la plus importante dans le processus de développement de l'application. Il serait douloureux de découvrir, une fois terminée l'écriture du dernier programme de votre application, que vous avez oublié un détail et qu'il vous faut tout reprendre de zéro. Ce serait également pénible pour votre ordinateur si, de rage, vous le projetiez violemment sur le sol.

Une bonne planification vous évitera d'en arriver à de telles extrémités. En outre, cela aura l'avantage de focaliser votre attention sur les fonctionnalités de l'application, vous empêchant d'écrire des fragments de programmes, peut-être intéressants par eux-mêmes, mais sans réelle adéquation avec l'application considérée comme un tout. Lorsque l'écriture de cette application est l'œuvre d'une équipe, la planification augmente les chances qu'ont les divers morceaux de s'emboîter correctement à la fin.

Identification des objectifs de l'application

La première étape de la phase de planification est d'identifier avec exactitude les raisons qui justifient le développement de l'application et ce que vous en attendez. Par exemple, votre but principal pourrait être :

- La collecte de noms et d'adresses auprès d'utilisateurs pour créer une liste de clients.
- La fourniture d'informations concernant vos produits à des clients potentiels, sous forme d'un catalogue.
- La vente en ligne de vos produits.
- L'assistance technique aux gens qui sont déjà en possession de vos produits.

Lorsque vous aurez clairement identifié l'objectif principal de votre application, faites une liste exacte de ce que vous en attendez. Par exemple, si votre objectif est de développer une base de données des noms et adresses de vos clients à des fins de marketing, la liste des tâches est plutôt brève :

- Proposer un formulaire grâce auquel vos clients potentiels pourront s'identifier.
- Placer les informations ainsi recueillies dans une base de données.

Si votre objectif est la vente en ligne de vos produits, la liste s'allonge un peu :

- Proposer à vos clients potentiels des informations sur ce que vous vendez.
- Les inciter à acheter tel ou tel produit.
- Proposer un formulaire grâce auquel ils pourront concrétiser leur achat.
- Proposer une ou plusieurs méthodes de paiement.
- Valider le paiement pour être certain d'être réellement payé.
- Envoyer la commande pour exécution au service chargé des expéditions.

A ce niveau, la description des tâches reste dans le domaine des généralités. Vous pouvez accomplir chacune de ces tâches de diverses façons. Aussi faut-il les examiner de près et entrer plus avant dans les détails. Par exemple, si votre objectif est la vente en ligne, la liste précédente doit être ainsi complétée :

- **Proposer à vos clients potentiels des informations sur ce que vous vendez.**

  Afficher une liste par catégorie de produits, chacune de ces catégories étant un lien.

  Lorsque le client clique sur un des liens, afficher la liste des produits de cette catégorie. Chaque nom de produit est à son tour un lien.

  Lorsqu'un client clique sur le nom d'un produit, afficher la description de ce produit.

- **Les inciter à acheter tel ou tel produit.**

Proposer des descriptions soigneusement rédigées de chaque produit mettant en lumière ses qualités intrinsèques.

Montrer des images flatteuses de chaque produit.

Proposer une documentation imprimée, disponible en ligne, de ces produits.

Offrir des remises par quantité.

- **Proposer un formulaire grâce auquel le client pourra concrétiser son achat.**

  Afficher un bouton sur lequel le client potentiel puisse cliquer pour matérialiser son intention d'acquérir le produit.

  Proposer un formulaire destiné à collecter toutes les informations nécessaires sur le produit : taille, couleur, etc.

  Calculer et afficher le coût total de la commande.

  Calculer et afficher le montant des frais d'expédition.

  Calculer et afficher le montant de la TVA.

  Proposer un formulaire dans lequel le client pourra indiquer son identité et ses adresses de facturation et de livraison.

- **Proposer une ou plusieurs méthodes de paiement.**

  Afficher un bouton correspondant au mode de paiement choisi.

  S'il s'agit d'une carte de crédit, afficher un formulaire dans lequel le client indiquera les renseignements nécessaires.

- **Valider le paiement pour être certain d'être réellement payé.**

  La méthode usuelle de validation consiste à recourir à un service en ligne spécialisé dans ce contrôle.

- **Envoyer la commande au service chargé des expéditions.**

  Pour cela, l'envoi d'un e-mail à ce service devrait suffire.

Se préoccuper du client

L'identification de ce que vous voulez que fasse votre application n'est qu'un des aspects de la planification. Vous devez également prendre en considération ce que vos utilisateurs en attendent. Par exemple, si votre objectif est de constituer une liste de clients potentiels à des fins de marketing, vous devez vous demander s'ils ne risquent pas d'être réticents à fournir ces informations.

Votre application doit correspondre à un but réel, tant pour vous que pour vos clients, faute de quoi ils l'ignoreront tout simplement. Pour les inciter à fournir leurs coordonnées, vous devez les motiver et leur faire comprendre le bénéfice qu'ils pourront en retirer. Voici quelques exemples de raisons pouvant inciter un utilisateur à fournir ses nom et adresse :

- **Recevoir une lettre d'information**. Pour paraître intéressante, cette lettre devra montrer des applications réelles de vos produits et apporter des informations d'actualité. Il ne faut pas qu'elle se contente d'être un instrument de marketing.
- **Participer à une loterie dotée d'un premier prix attractif**. Qui peut laisser passer une chance de gagner une semaine de vacances au soleil ou une Ferrari ?
- **Se voir accorder une remise intéressante**. Vous pouvez, par exemple, proposer périodiquement des offres promotionnelles.
- **Etre informé de la sortie de nouveaux produits ou de mises à jour des anciens dès qu'elles sont disponibles**. S'il s'agit de logiciels, les clients seront intéressés par l'existence d'une nouvelle version ou de correctifs qu'ils pourront télécharger.
- **Avoir accès à des informations réellement utiles**. Vous pouvez, par exemple, leur proposer un abonnement gratuit à un journal spécialisé.

Vous pouvez maintenant compléter votre liste de tâches initiale qui était, rappelons-le :

- Proposer un formulaire grâce auquel vos clients pourront s'identifier.
- Placer les informations ainsi recueillies dans une base de données.

En prenant en compte le point de vue du client, cette liste devient :

- Présenter une description des avantages dont bénéficieront les clients qui accepteront de donner leur identité.
- Proposer un formulaire grâce auquel vos clients pourront s'identifier.
- Ajouter les coordonnées du client à la liste des abonnés à votre lettre d'information.

- Placer les informations ainsi recueillies dans une base de données.

De tout cela découle l'ébauche d'un plan pour votre application de base de données sur le Web. Vous-même et vos clients pourrez retirer un réel bénéfice de cette application.

Faciliter l'utilisation de votre site Web

Faciliter l'utilisation de votre application fait appel à plusieurs techniques comme :

- **Navigation**. Tout client doit pouvoir accéder facilement à telle ou telle partie de votre site Web.
- **Graphisme**. "Un court croquis vaut un long discours." Les images et les schémas accroissent le caractère attractif d'une page Web. N'oubliez pas, cependant, que le temps de chargement d'une image est assez important.
- **Accès**. Certains choix dans la présentation d'une page peuvent contribuer à en faciliter la perception par les visiteurs souffrant de troubles visuels.
- **Navigateurs**. Différents navigateurs (et même différentes versions d'un navigateur donné) peuvent afficher la même page d'une façon différente.

Ces considérations sont importantes, mais en dire davantage sur ce sujet dépasse les objectifs de ce livre. Si vous lisez l'anglais technique, vous tirerez bénéfice de la consultation des deux sites Web suivants conçus par des experts de la question :

- Jakob Nielsen : `http://www.useit.com`.
- Jarod Spool : `http://world.std.com/~uieweb`.

Enfin, reportez-vous au livre de Lisa Lopuck, *Design Web pour les nuls*, paru dans la même collection, chez le même éditeur.

Prévoir de la place pour les extensions

Vous pouvez être certain que votre application évoluera au cours du temps. Vous pouvez, par exemple, imaginer de nouvelles fonctionnalités ou simplement modifier quelques éléments dans sa composition actuelle. Ou bien les logiciels généraux évolueront, vous offrant de nouvelles perspectives. Aussi, lorsque vous planifiez votre application, prévoyez ces possibles évolutions.

Vous pouvez concevoir votre application comme une succession d'étapes qui tiendraient compte de cette évolution. Vous pouvez établir un plan correspondant à vos préoccupations actuelles en conservant la possibilité d'en faire davantage plus tard, lorsque cette première étape sera réalisée de façon satisfaisante. Vous pouvez aussi la compléter au fur et à mesure que vous pourrez développer les programmes nécessaires. Par exemple, vous pouvez publier le catalogue de vos produits sur le Web dès qu'il est prêt. Puis vous pourrez commencer à travailler sur une fonction de prise de commande en ligne que vous incorporerez à l'application lorsqu'elle sera écrite et testée.

Ecrivez

Ecrivez votre plan sur papier. Je vous le répéterai souvent, car j'ai fait la douloureuse expérience d'écarter ce "détail". Lorsque vous développez un plan, il est très présent dans votre esprit et parfaitement clair. Mais au bout de quelques semaines, vous serez surpris de découvrir que certains de ces aspects sont devenus flous, d'autres préoccupations ayant mobilisé votre attention. Ou bien vous souhaiterez, au bout d'un temps plus ou moins long, apporter certains changements au plan initial. Mieux vaudra alors savoir au plus juste comment s'articule l'application. Autre hypothèse : vous travaillez avec un partenaire pour développer cette application et découvrez que ce dernier a compris de travers vos explications depuis le début et développé des fonctionnalités qui n'entrent pas dans vos objectifs. Fixer votre plan par écrit sur le papier vous évitera ces écueils.

Etudiez les deux exemples donnés dans ce livre

Dans les deux sections qui suivent, je vais vous présenter deux exemples d'applications de bases de données sur le Web que j'ai créés pour ce livre. J'y ferai référence dans les chapitres qui suivent pour illustrer certains aspects de la conception d'une application et de son développement.

Vente en ligne

Le premier exemple est un catalogue de produits en ligne. Vous possédez une animalerie et vous voulez proposer à vos clients potentiels un simple catalogue décrivant les animaux de compagnie que vous vendez. On ne peut pas vendre des animaux par l'Internet, mais il est possible d'en réserver un sur catalogue, puis de concrétiser l'achat en se rendant sur le lieu de vente. Les informations concernant les animaux sont contenues dans une base de données que les clients peuvent consulter.

Votre plan pour ce type de consultation s'établit ainsi :

- **Permettre à un client de choisir l'animal sur lequel il veut avoir des informations. Pour cela, proposer deux méthodes :**

  Faire un choix dans une liste de liens. Afficher une liste de liens vers les différentes catégories d'animaux (chat, chien, dinosaure, etc.). Lorsque le client clique sur un tel lien, une liste d'animaux de cette catégorie s'affiche et chaque entrée de cette liste est elle-même un lien vers un descriptif détaillé.

  Faire une recherche par mot clé. Afficher un formulaire de recherche dans lequel le client pourra taper les mots qui décrivent au plus près le type d'animal qu'il recherche. L'application va alors consulter la base de données et rechercher des correspondances entre son contenu et les mots saisis par le client. Ensuite, les informations trouvées seront affichées. Si, par exemple, un client tape le mot **chat**, l'application affichera une liste de tous les chats disponibles. Dans cette liste, chaque entrée est elle-même un lien vers la description du chat concerné.

- **Afficher une description de l'animal choisi par le client. Cette description est, elle aussi, contenue dans une base de données.**

Accès réservé

Le second exemple a un rapport avec le premier. Outre le catalogue en ligne, vous voulez proposer à certains clients, membres d'une association particulière, une liste d'articles auxquels le commun des mortels ne peut accéder. Pour consulter cette liste, les membres doivent indiquer leur nom (ou leur pseudo) et leur adresse. Dans cette liste, on trouve, par exemple, des aliments pour animaux proposés à un tarif réduit, des informations sur des animaux qui doivent arriver bientôt et d'autres concernant les soins à donner aux animaux.

Votre plan pour ce type de consultation s'établit ainsi :

- **Afficher une description des articles et des informations accessibles aux seuls membres de l'association.**

- **Proposer des boîtes de saisie permettant à ces membres de s'identifier.**

  Proposer un lien vers la zone d'identification.

  Dans cette zone, afficher un formulaire contenant les boîtes de saisie qui permettront aux clients de s'identifier.

  Valider les informations saisies par le client (vérifier, par exemple, que le code postal ne comporte que des chiffres et qu'il y en a exactement 5, que l'adresse e-mail respecte la syntaxe de ce type d'information, etc.).

  Conserver ces informations dans la base de données.

- **Proposer une section réservée aux clients qui sont déjà enregistrés.**

  Afficher un formulaire d'identification dans lequel le client déjà enregistré saisira son identité et son mot de passe.

  Comparer ces renseignements avec ceux qui existent dans la base de données et, s'il n'y a pas égalité, afficher un message d'erreur.

- **Afficher la page à accès réservé si le client a subi avec succès le contrôle précédent.**

Conception de la base de données

Lorsque vous avez déterminé exactement ce que doit faire votre application de base de données sur le Web, vous êtes prêt pour étudier la conception de la base de données qui contiendra les informations utilisées par l'application. A ce stade, vous devez identifier les informations dont vous avez besoin et les organiser de la façon imposée par le logiciel de cette base de données.

Choix des données

Vous devez commencer par identifier les informations à conserver dans la base de données. En regardant la liste des tâches à accomplir, vous allez pouvoir les identifier.

Voici quelques exemples :

- Un catalogue de produits demande une base de données contenant des informations sur les produits.

- Une application de prise de commande en ligne demande une base de données pouvant contenir des informations sur le client et sur sa commande.
- Une agence de voyages a besoin d'une base de données contenant des informations sur toutes les destinations qu'elle propose, les moyens de transport, les réservations, les tarifs, les horaires...

Dans le premier exemple d'application, vos clients vont consulter le catalogue en ligne des animaux pour choisir celui qu'ils envisagent d'acheter. Vous voulez qu'ils aient sous les yeux des informations qui les incitent à acheter. Pour cela, voici ce qu'ils devraient pouvoir trouver :

- Le type d'animal : caniche, licorne, etc.
- Une description de l'animal.
- Une image de l'animal.
- Le prix de l'animal.

Dans le second exemple (la section à accès réservé), vous voulez enregistrer des informations concernant les membres. Par exemple :

- Nom.
- Adresse.
- Numéro de téléphone.
- Numéro de fax.
- Adresse e-mail.

Organisation des données

MySQL est un *SGBD relationnel*, ce qui signifie que les données qu'il conserve y figurent sous forme de tables. Il existe des relations entre les tables qui sont dans la base de données.

Organisation des données sous forme de tables

Les tables de bases de données sont organisées comme des tableaux : en lignes et en colonnes, ainsi que vous pouvez le voir sur la Figure 3.1. La cellule (la donnée) située à l'intersection d'une ligne et d'une colonne est appelée *champ*.

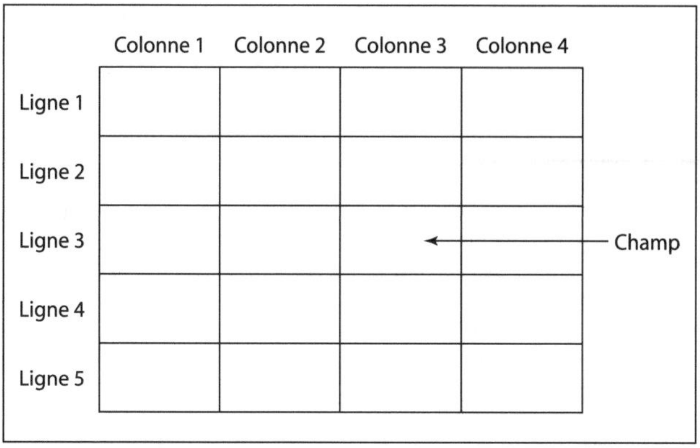

Figure 3.1 : Les données utilisées par MySQL sont organisées sous forme de tables.

Le rôle d'une table est de renfermer des informations sur un objet particulier, quel qu'il soit. Voici une liste de quelques objets pouvant être concernés par ce concept de *table* :

- Clients
- Produits
- Entreprises
- Animaux
- Villes
- Pièces d'habitation
- Livres
- Ordinateurs
- Profils
- Documents
- Projets
- Semaines

Vous devez créer une table pour chaque objet et le nom de cette table doit désigner clairement et sans ambiguïté l'objet qu'elle représente. Ce nom doit être écrit en un seul mot, sans espaces intercalés. En général, on adopte le singulier pour ce nom. En conséquence, une table contenant des informations sur les clients pourrait s'appeler

Client. Une table contenant des informations sur les commandes d'un client s'appellerait alors **CommandeClient**.

Linux et Unix font la différence entre majuscules et minuscules, ce qui n'est pas le cas de Windows. L'échec ou la réussite peuvent tenir à ce genre de détail !

Dans le jargon des bases de données, un objet est appelé *entité*. Une entité possède des *attributs*. Dans la table, chaque ligne représente une entité, et chaque colonne un attribut. Ainsi, dans une table de clients, chaque ligne contient des informations concernant un client particulier, alors que chaque colonne contient le même type d'informations pour tous les clients. Exemple d'attributs : nom, prénom, âge, numéro de téléphone...

L'organisation de vos données en tables s'effectue en parcourant les étapes suivantes :

1. **Donnez un nom à votre base de données.**

   Ce nom, comme je l'ai dit plus haut, doit être significatif. Par exemple, la base de données utilisée par un libraire contenant des informations sur les livres qu'il vend s'appellera tout simplement **Livre**. Evitez les noms trop longs dans l'écriture desquels vous pourriez faire des fautes de frappe.

2. **Identifiez les objets.**

   Considérez la liste des informations que vous voulez conserver dans la base de données et analysez-la pour identifier les objets. Dans l'exemple de la table Livre, ces objets pourraient être :

   - Auteur
   - Titre
   - Date de publication
   - Prix
   - Editeur
   - Quantité en stock

   Ce faisant, vous pourrez généralement constater que vous conservez des informations sur plusieurs objets : un auteur particulier et un de ses ouvrages, un éditeur, par exemple. Ou encore : tous les membres d'une famille possèdent la même adresse, mais ils n'ont pas la même chambre...

3. **Définissez et nommez une table pour chaque objet.**

Pour reprendre l'exemple précédent, vous pourriez avoir une table **Auteur** et une table **Editeur**.

4. **Identifiez les attributs pour chaque objet.**

   Analysez votre liste d'informations et identifiez les attributs dont vous aurez besoin pour chaque objet. Eclatez les informations à conserver en morceaux raisonnablement petits. Par exemple, lorsque vous voulez conserver le nom d'une personne dans une table, vous pouvez le décomposer en deux attributs : nom propre et prénom. De cette façon, vous pourrez ensuite faire facilement un tri sur le nom propre, ce qui serait plus difficile si l'attribut contenait, dans cet ordre, le prénom suivi du nom propre. Les Américains, qui utilisent couramment jusqu'à trois prénoms, peuvent pousser la décomposition plus loin. Chez nous, il est rare de s'identifier par tous ses prénoms. Tout au plus peut-on avoir un prénom composé (Jean-Claude, Paul-Emile, Anne-Aymone...) qu'il faut alors traiter comme une entité unique.

5. **Définissez les colonnes et donnez-leur un nom.**

   Vous devez le faire pour chaque article d'information identifié à l'étape précédente. Ici encore, choisissez un nom de colonne significatif et suffisamment bref. La syntaxe est toujours la même : un seul mot et pas d'espace. Exemples : Nom, Nom_propre, Prénom...

6. **Identifiez la clé primaire.**

   Chaque ligne d'une table doit avoir un identificateur unique, ce qui empêche deux lignes ou plus d'avoir le même nom. Lors de la conception de la table, vous devez choisir parmi les colonnes celle ou celles qui contiendront l'identificateur unique qui va devenir la *clé primaire*. Dans la plupart des cas, les attributs d'un objet ne peuvent avoir un identificateur unique, parce que, par exemple, deux clients peuvent avoir le même nom. Mais si vous associez le prénom au nom, vous diminuez ce risque de collision. Dans la réalité, on utilise plutôt comme clé primaire une numérotation des colonnes. Dans notre exemple, cet identificateur pourrait être constitué par le "code client", numéro unique attribué par le logiciel au moment de l'enregistrement du client. De cette façon, on ne risque pas d'avoir deux codes identiques.

7. **Définissez des valeurs par défaut.**

   Vous pouvez définir une valeur par défaut qui sera assignée à un champ lorsque aucune valeur ne lui aura été spécifiquement attribuée. Ce n'est pas indispensable, mais souvent utile. Par exemple, si votre application inclut le pays parmi les champs qui définissent une adresse, vous pouvez définir le champ "pays" comme ayant la valeur "France" par défaut. Si rien n'a été spécifié pour ce champ, il prendra automatiquement cette dernière valeur.

8. **Identifiez les colonnes qui doivent obligatoirement contenir des informations.**

   Vous pouvez spécifier que certaines colonnes doivent obligatoirement être renseignées, ce qui implique qu'elles ne peuvent pas recevoir de valeur vide (ou `NULL`). C'est le cas, par exemple, pour la colonne désignée comme clé primaire. Tout champ de ce type laissé vide produirait un message d'erreur au moment de son enregistrement.

Les bases de données bien conçues ne conservent chaque élément d'information qu'en un seul exemplaire, à un endroit unique. Agir autrement est inefficace et peut créer des problèmes lorsque cette information doit être déplacée, car si vous ne la déplacez que d'un seul des endroits qu'elle occupe, laissant l'autre ou les autres intacts, votre base de données risque fort de connaître de sérieuses difficultés.

Création de relations entre les tables

Certaines tables d'une base de données ont des relations avec d'autres tables. Le plus souvent, il existe une relation entre une ligne d'une certaine table et plusieurs lignes d'une autre. Il est nécessaire de consacrer une colonne à l'établissement de ces relations entre les lignes de ces différentes tables. Dans la plupart des cas, une colonne d'une table contiendra une information (un pointeur) correspondant à la clé primaire d'une autre table.

Pour illustrer ce type de relation, considérons une application dans laquelle une base de données renferme des clients et leurs commandes. Une des tables contiendra les informations "Client" (nom, adresse...). Chaque client peut avoir commandé un nombre quelconque d'articles. Dans la seconde table, celle des commandes, on trouvera donc, pour un client donné, de 0 à *n* entrées (une par commande). Une colonne de cette table "Commande" contiendra une information d'identification pour un client donné (normalement, la clé primaire de celui-ci), ce qui permettra d'établir un lien entre les deux tables. La Figure 3.2 illustre l'agencement de la table des clients.

La Figure 3.3 montre un extrait de la table des commandes correspondant à l'extrait de la table des clients illustré par la Figure 3.2. Vous remarquerez la correspondance entre les colonnes ID_client des deux tables, établissant ainsi le lien nécessaire entre les commandes de chaque client et le client concerné.

ID_client	Prénom	Nom	Téléphone
27895	Jean	Dupont	0123456789
44555	Arthur	Martin	0455667788
23695	Georgette	Durand	02999888777
27822	Kevin	Dupond	0666666668
29844	Emma	Bovary	0233445566

Figure 3.2 : Extrait de la table des clients.

No_cde	ID_Client	No_article	Prix
87-222	27895	chat_3	200
87-223	44555	chat-4	225
87-224	23695	cheval_1	550
87-225	27822	chien_27	210
87-226	29844	oiseau_1	50

Figure 3.3 : Extrait de la table des commandes.

Dans cet exemple, les colonnes qui créent la relation entre les deux tables ont le même nom, mais ce n'est pas un impératif. Ce qui compte, c'est que leur contenu soit identique.

Conception des bases de données des exemples

Dans les deux sections qui suivent, nous verrons comment sont conçues les deux bases de données pour les deux exemples proposés.

Catalogue d'animaux

Vous voulez afficher la liste des informations suivantes lorsque le client consulte le catalogue des animaux :

- Le type d'animal : caniche, licorne, etc.
- Une description de l'animal.
- Une image de l'animal.
- Le prix de l'animal.

Chaque animal doit être classé dans sa catégorie, et celle-ci comporter autant d'entrées qu'il y a d'animaux. Il en découle l'exécution des étapes suivantes, d'après le schéma général que nous avons expliqué plus haut :

1. **Donnez un nom à votre base de données.**

   Ce sera **AniCata** (contraction de **Ani**mal**Cata**logue).

2. **Identifiez les objets.**

   Voici quelle est la liste des informations à entrer pour chaque animal :

   - Le type d'animal : caniche, licorne, etc.
   - Une description de l'animal.
   - Une image de l'animal.
   - Le prix de l'animal.
   - La catégorie de l'animal.

   Toutes ces informations concernent un animal. Aussi, le seul objet ici présent est-il "animal".

3. **Définissez et nommez une table pour chaque objet.**

   Ce sera tout simplement `Animal`.

4. **Identifiez les attributs pour chaque objet.**

   Voyons de plus près la nature des informations à saisir :

   - **Type de l'animal**. Un seul attribut : caniche, licorne... Cependant, il semble évident que plusieurs caniches sont à vendre dans votre boutique en même temps. Il vous faut donc un identificateur unique comme clé primaire.
   - **Numéro d'identification de l'animal.** Ce numéro unique est affecté de façon séquentielle lorsqu'un nouvel animal est ajouté à la table. Ce sera notre clé primaire.
   - **Description de l'animal**. Ici, nous avons affaire à deux attributs : la description écrite de l'animal et sa couleur.
   - **Image de l'animal**. Ce sera un pointeur vers une image de l'animal.
   - **Prix de l'animal**. Prix de vente exprimé en euros.
   - **Catégorie de l'animal**. Ici encore, deux attributs : le nom de la catégorie (chien, cheval, dragon...) et une description générale de cette catégorie.

   Il serait peu efficace d'inclure deux types d'informations dans cette table :

   - Les informations concernant la catégorie contiennent une description de celle-ci. Comme chaque catégorie contient plusieurs animaux, inclure la description de la catégorie dans la table `Animal` entraînerait sa duplication dans plusieurs lignes. Il est bien plus efficace de définir une catégorie d'animal comme un objet ayant sa propre table.
   - S'il existe plusieurs couleurs pour un animal, toutes les informations seront répétées dans une ligne séparée pour chaque couleur. Ici encore, il est plus efficace de créer une autre table : celle des couleurs d'animaux.

   Ces deux nouvelles tables s'appelleront `Type` et `Couleur`.

5. **Définissez les colonnes et donnez-leur un nom.**

   La table `Animal` contient une ligne pour chaque animal. Les noms des colonnes sont :

   - **animalID**. L'identificateur de chaque animal doit être unique.

- **animalNom.** Définit le nom de l'animal.
- **animalType**. Le nom de la catégorie de l'animal. C'est la colonne qui va établir une relation avec l'entrée appropriée de la table `Type`.
- **animalDesc**. La description de l'animal.
- **animalPrix**. Le prix de l'animal.
- **animalImage**. Le nom du fichier d'image contenant une photo ou un dessin de l'animal.

La table `Type` possède une ligne pour chaque catégorie d'animal et chaque ligne contient les deux colonnes suivantes :

- **animalType**. Le nom de la catégorie de l'animal. C'est la colonne qui va établir une relation avec l'entrée appropriée de la table `Animal` vue ci-dessus.
- **typeDesc**. La description du type.

La table `Couleur` a une entrée pour chaque couleur d'animal et chaque ligne contient les deux colonnes suivantes :

- **animalNom**. Le nom de l'animal. C'est cette colonne qui établira la relation entre la ligne de la couleur et la ligne appropriée de la table `Animal`.
- **animalCouleur**. La couleur de l'animal.

6. **Identifiez la clé primaire.**

   - La clé primaire de la table `Animal` est animalID.
   - La clé primaire de la table `Type` est animalType.
   - La clé primaire de la table `Couleur` est formée de l'association de `animalNom` et `animalCouleur`.

7. **Définissez des valeurs par défaut.**

   Aucune valeur par défaut n'est définie pour ces tables.

8. **Identifiez les colonnes qui doivent obligatoirement contenir des informations.**

   Les colonnes suivantes doivent toujours être renseignées :

   - `animalID`
   - `animalNom`
   - `animalCouleur`

- `animalType`

Ces colonnes sont celles qui sont utilisées pour les clés primaires. Une ligne qui ne possède pas de valeurs pour ces attributs ne doit pas se trouver dans une table.

Accès réservé

Vous avez établi la liste d'informations ci-après qui représente les informations à exploiter lorsque les clients veulent accéder à la section à accès réservé de votre site Web :

- Nom.
- Adresse.
- Numéro de téléphone.
- Numéro de fax.
- Adresse e-mail.

En outre, vous aimeriez mémoriser la date à laquelle chaque membre s'est enregistré, ainsi que la date de chacune de ses consultations de la section à accès réservé.

La base de données utilisée dans cette section va être créée en suivant les étapes énumérées ci-après, d'après les règles générales que nous avons vues plus haut.

1. **Donnez un nom à votre base de données.**

   Ce sera **MembresSeuls**.

2. **Identifiez les objets.**

   Voici quelle est la liste des informations à entrer pour chaque membre :

   - Nom
   - Adresse
   - Numéro de téléphone
   - Numéro de fax
   - Adresse e-mail
   - Date d'enregistrement
   - Enregistrement des accès à cette section

Toutes ces informations concernent un membre déterminé. Aussi le seul objet de cette liste est-il "membre".

3. **Définissez et nommez une table pour chaque objet.**

   Ce sera tout simplement `Membre`.

4. **Identifiez les attributs pour chaque objet.**

   Voyons de plus près la nature des informations à saisir :

   - **Nom**. Deux attributs : nom propre et prénom.
   - **Adresse**. Quatre attributs : adresse proprement dite (nom de la rue et numéro), ville, département et code postal. Comme actuellement tous vos clients sont domiciliés en France, nous supposerons que ces informations sont exprimées conformément aux règles en usage dans notre pays.
   - **Numéro de téléphone**. Un seul attribut (un nombre de dix chiffres).
   - **Numéro de fax**. Un seul attribut (un nombre de dix chiffres).
   - **Adresse e-mail**. Un seul attribut.
   - **Date d'enregistrement**. Un seul attribut.

   Ici, plusieurs informations sont en relation avec chaque accès :

   - L'accès à la section réservée requiert un nom de login et un mot de passe qui doivent être conservés dans la base.
   - La façon la plus simple de conserver trace des accès est d'enregistrer la date et l'heure de chaque accès dans la base.

   Comme chaque membre peut visiter autant de fois qu'il le souhaite la section à accès réservé, plusieurs groupes date/heure devront pouvoir être enregistrés. En conséquence, plutôt que de définir ce groupe date/heure comme étant un attribut de l'objet membre, mieux vaut le considérer comme un objet à part entière, relié au membre mais disposant de sa propre table.

   Cette nouvelle table prendra le nom `Login`. L'attribut de l'objet login est le groupe date/heure du login.

5. **Définissez les colonnes et donnez-leur un nom.**

   La table `Membre` contient une ligne pour chaque membre. Les noms des colonnes sont :

   - **login**. Nom de login.

Chaque nom de login doit être unique. Les programmes de l'application doivent vérifier cette unicité.

- **mPasse**. Mot de passe.
- **initial**. Date de l'enregistrement du membre.
- **prénom**.
- **nom**.
- **rue**. Nom de la rue et numéro.
- **ville**.
- **département**.
- **codePostal**.
- **email**.
- **tph**. Numéro de téléphone.
- **fax**. Numéro de fax.

La table `Login` possède une entrée pour chaque login. Elle contient les trois colonnes suivantes :

- **login**. C'est le nom de login du membre. Cette colonne est celle qui établira un lien avec la colonne de même nom de la table `Membre`. Alors que cette valeur est unique pour cette table, elle peut figurer plusieurs fois dans la table `Login`.
- **date**. C'est le groupe date/heure du login considéré.

6. **Identifiez la clé primaire.**

   - La clé primaire de la table `Membre` est `login`.
   - La clé primaire de la table `Login` est formée de l'association de `login` et de `date`.

7. **Définissez des valeurs par défaut.**

   Aucune valeur par défaut n'est définie pour ces tables.

8. **Identifiez les colonnes qui doivent obligatoirement contenir des informations.**

   Les colonnes suivantes doivent toujours être renseignées :

   - `login`
   - `mPasse`

• `date`

Ces colonnes sont celles qui sont utilisées pour les clés primaires. Une ligne qui ne posséderait pas de valeurs pour ces attributs ne doit pas se trouver dans une table.

Type de données

MySQL conserve les informations selon différents formats dépendant du type de ces informations tel que vous le déclarez dans les tables. Les principaux types sont : chaîne de caractères, numérique et date/heure.

Chaîne de caractères

C'est le type le plus courant : noms, adresses, numéros de téléphone ou de fax, descriptions... Il est représenté par une suite de caractères quelconques et ne peut être manipulé que sous cette forme. Une chaîne de caractères peut être déplacée, comparée, affichée, imprimée et concaténée (ou accolée) à une ou plusieurs autres. Il est possible de définir une sous-chaîne formée d'une suite de caractères consécutifs extraits d'une chaîne donnée. Une chaîne peut être remplacée par une autre.

Une chaîne de caractères peut avoir une longueur fixe ou variable. Dans le premier cas, MySQL réserve un emplacement de longueur fixe pour la chaîne. Si celle-ci s'avère plus longue, seuls les premiers caractères en seront conservés, le reste étant perdu. Si elle est plus courte, elle sera complétée à droite par des espaces.

Dans le cas d'un format de longueur variable, la chaîne est rangée dans un champ qui a la même longueur. Vous continuez à spécifier une taille, mais aucun espace n'est ajouté si la chaîne est plus courte. Par contre, les caractères supplémentaires sont toujours perdus si la chaîne est plus longue que ce qui est attendu.

Lorsque la longueur d'une chaîne varie peu, le format de longueur fixe est préférable. Dans le cas contraire, il est évident qu'il faut choisir une longueur variable. Ce serait le cas, par exemple, pour le champ `Titre` d'un livre.

Numérique

C'est un type de données également courant. On peut avoir affaire à des nombres décimaux *réels* (10.5, 2.34567, -45.91) ou à des *entiers* (-5,

234, 0). Une valeur stockée sous forme numérique peut intervenir dans des calculs classiques. Si une information ne doit pas être utilisée dans des expressions arithmétiques ou mathématiques, il est préférable de l'enregistrer sous forme de chaîne de caractères. C'est le cas, par exemple, pour un code postal, un numéro de téléphone ou de fax.

Rappelez-vous qu'en notation anglo-saxonne (celle qu'utilise MySQL) la partie fractionnaire et la partie entière d'un nombre décimal sont séparées par un point (.) et non par une virgule (,).

Les nombres peuvent être positifs, négatifs ou nuls, mais vous pouvez spécifier que tel ou tel champ ne doit contenir que des nombres positifs. On a alors affaire à des nombres sans signe (*unsigned*). Un bon exemple en est le nombre d'habitants d'une ville ou le nombre de pages d'un livre.

Date/heure

C'est un autre type de données, toutefois un peu moins utilisé. Une information conservée sous forme de groupe date/heure peut être affichée sous différents formats. Elle peut également être utilisée pour déterminer l'intervalle entre deux dates ou deux heures.

Enumération

Il peut arriver qu'un champ ne puisse recevoir qu'un nombre limité de valeurs. Par exemple : "oui" ou "non". Pour cela, MySQL propose le type *énumération*. Il faut indiquer dans la déclaration du champ la liste des valeurs acceptables et MySQL vérifiera qu'aucune autre valeur n'est placée dans cette colonne.

Nom des types de données reconnus par MySQL

Lorsqu'on crée une base de données, on déclare quels seront les types de valeurs convenant aux diverses colonnes. Le Tableau 3.1 montre la liste des types de variables les plus utilisés dans les applications de bases de données sur le Web.

Il existe d'assez nombreux autres types de données dont l'emploi est moins fréquent. Pour une description complète de tous les types de données possibles, consultez la page Web située à l'URL `http:/ :www.mysql.com/doc/C/o/Column_types.html`.

Tableau 3.1 : Types de données reconnus par MySQL.

Type de données	Description
`CHAR (longueur)`	Chaîne de caractères de longueur fixe.
`VARCHAR (longueur)`	Chaîne de caractères de longueur variable (255 caractères au plus).
`TEXT`	Chaîne de caractères de longueur variable (65 535 caractères au plus).
`INT (longueur)`	Entier compris entre -2147483648 et +2147483647. La longueur du nombre pouvant être affiché est déterminée par `longueur`. Ainsi, si `longueur` vaut 4, seuls les nombres compris entre -999 et +999 pourront être affichés, même si la valeur conservée est plus grande.
`INT (longueur) UNSIGNED`	Nombre entier compris entre 0 et 4294967295. `longueur` représente la taille maximale du nombre pouvant être affiché. Ainsi, si `longueur` vaut 4, seuls les nombres compris entre 0 et 9999 pourront être affichés, même si la valeur conservée est plus grande.
`DECIMAL (longueur, dec)`	Nombre décimal. `longueur` représente le nombre de caractères pouvant être utilisés pour l'affichage, y compris le signe, l'exposant et le point décimal. `dec` représente le nombre de chiffres de la partie fractionnaire. Par exemple, pour 12.34, `longueur` vaut 5 et `dec` vaut 2.
`DATE`	Date (année, mois, jour) selon le découpage AAAA-MM-JJ. Par exemple : 2002-05-17.
`TIME`	Heure (heures, minutes, secondes) selon le découpage hh:mm:ss.
`DATETIME`	Groupe date/heure selon le découpage AAAA-MM-JJ hh:mm:ss.
`ENUM ("val1", "val2",...)`	Liste des seules valeurs que peut prendre le champ 65 535.

Revenons à nos deux exemples

Dans cette section, nous allons revoir les choix effectués pour nos deux exemples et dresser l'inventaire du contenu des tables.

Vente en ligne

La base de données prévue pour le catalogue de l'application de vente en ligne d'animaux contient trois tables : `Animal`, `Type` et `Couleur`. Les Tableaux 3.2 à 3.4 montrent comment sont organisées ces tables. Ces structures ne sont pas ainsi figées pour l'éternité. MySQL est suffisamment souple pour autoriser des modifications de structure. Si, initialement, vous avez fixé la longueur d'une chaîne de caractères à 20 caractères et que vous découvrez un peu plus tard que c'est trop court, vous pourrez facilement revoir cette définition.

Base AniCata

Tableau 3.2 : Contenu de la table Animal.

Nom de la variable	Type	Description
`animalID`	`INT(5)`	Numéro unique de l'animal. Clé primaire.
`animalNom`	`CHAR(25)`	Nom de l'animal.
`animalType`	`CHAR(15)`	Catégorie de l'animal.
`animalDesc`	`VARCHAR(255)`	Description de l'animal.
`animalPrix`	`DECIMAL(9,2)`	Prix de l'animal.
`animalImage`	`CHAR(15)`	Pointeur vers l'image de l'animal.

Tableau 3.3 : Contenu de la table Type.

Nom de la variable	Type	Description
`animalType`	`CHAR(15)`	Catégorie de l'animal. Clé primaire.
`typeDesc`	`VARCHAR(255)`	Description de la catégorie.

Tableau 3.4 : Contenu de la table Couleur.

Nom de la variable	Type	Description
`animalNom`	`CHAR(25)`	Nom de l'animal (clé primaire 1).
`animalCouleur`	`CHAR(15)`	Nom de la couleur (clé primaire 2).

Accès réservé

La base de données prévue pour la section à accès réservé contient deux tables appelées `Membre` et `Login`. Les Tableaux 3.5 et 3.6 en présentent l'organisation. Ces structures ne sont pas figées pour l'éternité. MySQL est suffisamment souple pour autoriser des modifications de structure. Si, initialement, vous avez fixé la longueur d'une chaîne de caractères à 20 caractères et que vous découvrez un peu plus tard que c'est trop court, vous pourrez facilement revoir cette définition.

Base MembresSeuls

Tableau 3.5 : Contenu de la table Membre.

Nom de la variable	Type	Description
`login`	`VARCHAR(20)`	Nom de login (clé primaire).
`mPasse`	`CHAR(255)`	Mot de passe.
`initial`	`DATE`	Date enregistrement initial.
`prénom`	`VARCHAR(40)`	Prénom.
`nom`	`VARCHAR(50)`	Nom propre.
`rue`	`VARCHAR(50)`	Nom de la rue et numéro dans la rue.
`ville`	`VARCHAR(40)`	Ville de résidence.
`département`	`CHAR(2)`	Code du département.
`codePostal`	`CHAR(5)`	Code postal.
`mail`	`VARCHAR(50)`	Adresse e-mail.
`tph`	`CHAR(10)`	Numéro de téléphone.
`fax`	`CHAR(10)`	Numéro de fax.

Tableau 3.6 : Contenu de la table Login.

Nom de la variable	Type	Description
`login`	`CHAR(15)`	Nom de login (clé primaire 1).
`date`	`DATETIME`	Groupe date/heure des logins (clé primaire 2).

Développement de l'application

Maintenant que sont définies les structures de chacune des tables des deux bases de données et que votre plan contient la liste des tâches que devra accomplir l'application, vous êtes prêt pour créer l'application. Vous allez d'abord construire la base, puis écrire vos programmes PHP. Mais vous êtes encore loin d'une application pleinement fonctionnelle ! Allons, j'exagère : vos progrès sont déjà sensibles.

Construction de la base de données

Cette tâche consiste à transformer la description sur papier de la base en une suite de déclarations que MySQL sera à même de comprendre. Cette phase est indépendante de la programmation PHP, car la base de données qui va en résulter pourrait tout aussi bien être utilisée par des programmes écrits dans d'autres langages : C, Perl, Java... La base de données forme un tout.

Les déclarations qui vont matérialiser la base de données doivent être écrites en SQL pour être comprises par MySQL. Vous allez lui expliquer comment créer la base, et comment y ajouter les tables. Vous lui indiquerez la façon dont les données sont organisées et quel est leur format. Nous étudierons en détail ces déclarations au Chapitre 4.

Deuxième partie

Bases de données MySQL

"Notre processus de réponse automatisée à un gros crash informatique consiste à en informer la direction, à sauvegarder les données existantes et à vendre au plus vite 90 % de mes actions de l'entreprise."

Dans cette partie...

Vous allez trouver dans cette partie des détails sur la façon d'exploiter une base de données MySQL grâce au langage SQL. Vous découvrirez en outre comment créer une base de données et en manipuler les données.

Chapitre 4

Construction de la base de données

Dans ce chapitre :

- Envoi de requêtes SQL à MySQL.
- Création d'une nouvelle base de données.
- Ajout d'informations à une base de données existante.
- Recherche d'informations dans une base de données existante.
- Suppression d'informations dans une base de données existante.

Lorsque vous avez achevé le plan de votre base de données ainsi que nous venons de le voir au Chapitre 3, vous êtes prêt à créer, puis à utiliser, la base proprement dite.

Communications avec MySQL

Le serveur MySQL est le gestionnaire de vos bases de données. C'est lui qui :

- Crée les nouvelles bases de données.
- Sait à quel endroit sont conservées les bases de données.
- Range les données et les retrouve selon les *requêtes* qu'il reçoit.

Pour cette communication, vous devez créer une requête SQL et l'envoyer au serveur MySQL. Les deux sections qui suivent vous donnent des détails sur la façon de procéder.

Construction de requêtes SQL

SQL (*Structured Query Language* ou "langage de requêtes structuré") est le langage qu'on utilise pour communiquer avec MySQL. Il se compose de phrases et de mots très proches de l'anglais courant ; il n'est donc pas nécessaire de connaître un jargon particulier pour exprimer ses requêtes. (Tout au moins pour ceux d'entre vous qui ont quelques notions d'anglais !)

Le premier mot d'une requête est son nom. C'est un vocable d'action, mot ou verbe, qui indique à MySQL ce qu'il doit faire. Les requêtes dont nous parlerons dans ce chapitre sont : `CREATE`, `DROP`, `ALTER`, `SHOW`, `INSERT`, `LOAD`, `SELECT`, `UPDATE` et `DELETE`. (En français : créer, lâcher, modifier, montrer, insérer, charger, sélectionner, actualiser et supprimer.) Ce vocabulaire de base est suffisant pour créer et manipuler des bases de données sur un site Web.

Le nom de la requête doit être suivi par des mots ou des phrases (certains obligatoires, d'autres facultatifs) qui indiquent à MySQL comment accomplir l'action spécifiée. Par exemple, vous devez toujours indiquer à MySQL ce qu'il doit créer et dans quelle table insérer ou extraire des données.

La requête suivante vous donne un exemple de ce langage :

```
SELECT nom FROM Membre
```

Cette requête demande à MySQL de rechercher tous les champs appelés "nom" dans la table appelée `Membre`. Il existe des formes de requête plus complexes, comme la suivante :

```
SELECT nom,prénom FROM Membre WHERE département="95"
                  AND ville="Montmorency" ORDER BY nom
```

Cette requête demande à MySQL de retrouver tous les noms et prénoms des membres qui habitent à Montmorency, dans le Val-d'Oise (code 95) et de les présenter triés en séquence croissante sur le nom.

Voici quelques points importants dont vous devez vous souvenir lorsque vous construisez une requête en SQL du genre de celles que nous venons de voir.

- **Majuscules et minuscules**. Dans ce livre, j'écrirai les mots du langage SQL en capitales (majuscules) et ceux des champs (variables) de la base de données en bas de casse (minuscules), ce qui facilitera la lecture et la compréhension des requêtes. Mais, comme pour le langage HTML, ce n'est pas un impératif exigé par MySQL : `select` et `SELECT` seront compris de la même façon. En revanche, les noms des tables, des colonnes comme de toute information variable doivent respecter la casse utilisée pour les déclarer si vous œuvrez sous Linux ou UNIX. Dans ce cas, `motPasse` et `motpasse` ne sont pas identiques. Si vous travaillez sous Windows, cela n'a pas d'importance, car ce système d'exploitation ne fait pas de distinction entre majuscules et minuscules. Avec Windows, `motPasse` et `motpasse` sont identiques.

- **Espaces**. Les mots du vocabulaire SQL doivent être séparés les uns des autres par au moins un espace. Peu importe qu'il y en ait un ou vingt. En outre, une requête peut s'étaler sur plusieurs lignes sans qu'il soit nécessaire de l'indiquer par des "caractères de continuation".
- **Guillemets**. Dans la dernière commande que j'ai montrée, vous aurez sans doute noté que `95` et `Montmorency` étaient placés entre guillemets. Ce sont en effet des chaînes de caractères (nous reviendrons un peu plus loin, dans ce même chapitre, sur cette notion) et, comme telles, elles exigent cette forme particulière d'écriture. En ce qui concerne les autres types de variables (numériques, par exemple), **il ne faut pas** utiliser de guillemets. Les principaux types de données nous ont été présentés dans le Chapitre 3.
- **Caractères accentués**. De même que PHP (comme nous le verrons dans la troisième partie), MySQL accepte les caractères accentués dans les noms de champs, de tables et de bases de données.

Envoi de requêtes SQL

Comme l'indique le titre de ce livre, je ne parlerai ici que de l'envoi de requêtes SQL au moyen de PHP. La vie de MySQL ne s'arrête pas là, il s'en faut de très loin, mais ce n'est pas notre propos. L'exemple du programme `mysql_envoi.php` (voir le Listing 4.1) montre comment envoyer une requête à MySQL. Recopiez les instructions de ce programme dans le répertoire de votre application Web, en modifiant les informations des lignes imprimées en gras pour qu'elles soient conformes à votre compte de base de données, et chargez ce programme dans votre navigateur.

Listing 4.1 : Exemple de script PHP envoyant une requête SQL et en récupérant le résultat pour l'afficher.

```
<!-- Nom du programme : mysql_envoi.php
     Description : envoi d'une requête SQL au serveur SQL
                   et affichage des résultats.
-->
<html>
<head>
<title>Envoi de requêtes SQL</title>
</head><body>
<?php
$host="hostname";
$user="mysqlaccountname";
$password="mysqlpassword";

 /* Section d'exécution de la requête */
if(@$_GET['form'] == "yes")
{
  mysql_connect($host,$user,$password);
  mysql_select_db($_POST['database']);
  $query = stripSlashes($_POST['query']);
  $result = mysql_query($query);
  echo "Base de données sélectionnée : <b>{$_POST['database']}
                                                         </b><br>
        Requête : <b>$query</b><h3>Résultats</h3><hr>";
  if($result == 0)
     echo "<b>Erreur ".mysql_errno().": ".mysql_error().
          "</b>";
  elseif (@mysql_num_rows($result) == 0)
     echo("<b>Requête exécutée. Aucun résultat envoyé.
           </b><br>");
  else
  {
   echo "<table border='1'>
          <thead>
           <tr>";
            for($i = 0;$i < mysql_num_fields($result);$i++)
            {
             echo "<th>".mysql_field_name($result,$i).
                  "</th>";
            }
   echo "  </tr>
          </thead>
         <tbody>";
          for ($i = 0; $i < mysql_num_rows($result); $i++)
          {
```

```
            echo "<tr>";
             $row = mysql_fetch_row($result);
             for($j = 0;$j<mysql_num_fields($result);$j++)
             {
               echo("<td>" . $row[$j] . "</td>");
             }
            echo "</tr>";
          }
     echo "</tbody>
          </table>";
    } //end else
    echo "
     <hr><br>
      <form action=\"{$_SERVER['PHP_SELF']}\" method=\"POST\">
      <input type='hidden' name='query' value='$query'>
      <input type='hidden' name='database'
             value={$_POST['database']}>
      <input type='submit' name=\"queryButton\"
             value=\"Nouvelle requête\">
      <input type='submit' name=\"queryButton\"
             value=\"Editer la requête\">
     </form>";
    unset($form);
    exit();
  } // endif form=yes

  /* Section that requests user input of query */
  @$query=stripSlashes($_POST['query']);
  if (@$_POST['queryButton'] != "Editer la requête")
  {
    $query = " ";
  }
  ?>

  <form action="<?php echo $_SERVER['PHP_SELF'] ?>?form=yes"
                                              method="POST">
   <table>
    <tr>
     <td align=right><b>Indiquez le nom<br>de la base de
                                         données</b></td>
     <td><input type="text" name="database"
               value=<?php echo @$_POST['database'] ?> ></td>
    </tr>
    <tr>
     <td align="right" valign="top">
          <b>Saisissez la requête SQL</b></td>
     <td><textarea name="query" cols="60"
```

```
                    rows="10"><?php echo $query ?></textarea>
    </td>
   </tr>
   <tr>
    <td colspan="2" align="center"><input type="submit"
        value="Envoyez la requête"></td>
   </tr>
  </table>
 </form>
 </body></html>
```

Les lignes imprimées en gras indiquent à MySQL les informations qui lui permettent de retrouver la base de données et d'y accéder. Ce sont :

```
$host="hostname";
$user="mysqlaccountname";
$password="mysqlpassword";
```

Modifiez ces lignes pour qu'elles reflètent respectivement le nom de l'ordinateur, votre login et votre mot de passe de base de données. Si vous utilisez les bons offices d'un hébergeur, c'est lui qui vous aura indiqué ces valeurs. Si vous avez installé votre configuration vous-même, vous avez déjà défini ces valeurs. En particulier, le nom d'hôte `localhost` devrait convenir si MySQL est installé sur le même ordinateur que votre site. Elles peuvent même être (très éventuellement) constituées par des chaînes de caractères vides :

```
$host="";
$user="";
$password="";
```

Sous Linux/UNIX, n'utilisez pas `root` sans mot de passe comme valeur pour `user`, car vous iriez au-devant de problèmes de sécurité en permettant à tout le monde d'accéder à votre base de données. Il vaut mieux supprimer ce compte s'il existe. Reportez-vous au Chapitre 5 pour plus de détails sur les comptes et les mots de passe sous MySQL.

Une fois que vous aurez effectué les corrections indiquées pour ces trois lignes, exécutez les étapes suivantes :

1. **Chargez le programme** `mysql_envoi.php` **dans votre navigateur.**

   La Figure 4.1 vous montre ce que vous devriez voir.

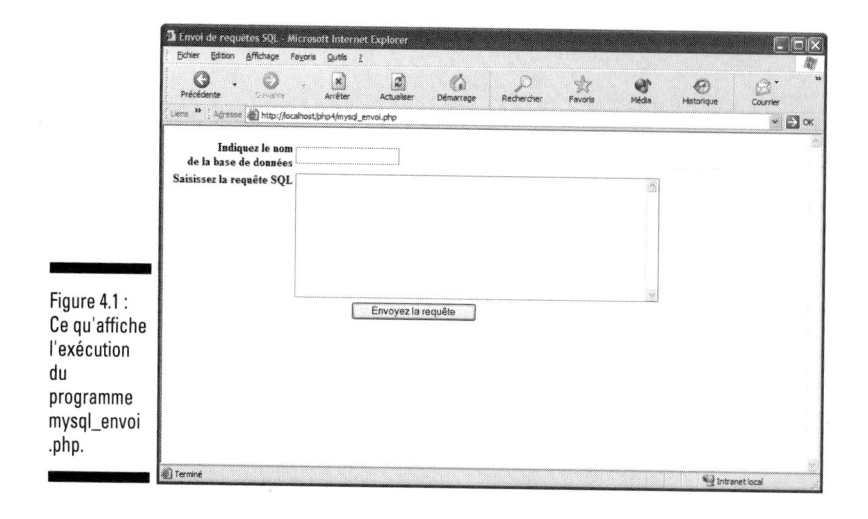

Figure 4.1 : Ce qu'affiche l'exécution du programme mysql_envoi.php.

2. **Tapez la requête SQL dans la grande zone de texte.**
3. **Indiquez un nom de base de données dans la boîte de saisie plus petite, si la requête SQL le nécessite.**

   Les détails d'écriture d'une requête SQL vous seront expliqués dans les sections suivantes de ce même chapitre.
4. **Cliquez sur le bouton Envoyez la requête.**

   La requête est exécutée et une nouvelle page affichée qui en montre les résultats. Si votre requête contenait des erreurs, ces résultats sont remplacés par un message d'erreur.

Vous pouvez tester facilement ce programme en tapant :

```
SHOW DATABASES
```

Normalement, vous n'avez pas besoin d'indiquer un nom de base de données, aussi pouvez-vous ignorer l'étape 3. Lorsque vous cliquez sur le bouton Envoyez la requête, la liste des bases de données présentes sur le serveur est affichée, comme on peut le voir sur la Figure 4.2.

Presque toujours parmi cette liste figureront les bases **test** et **MySQL**, installées automatiquement lors de l'installation de MySQL. (La base de données **MySQL** sert aux besoins propres de MySQL.) Même si aucune base n'est détectée, la requête doit s'exécuter correctement. Un message d'erreur s'affichera en cas de problème. De ce point de

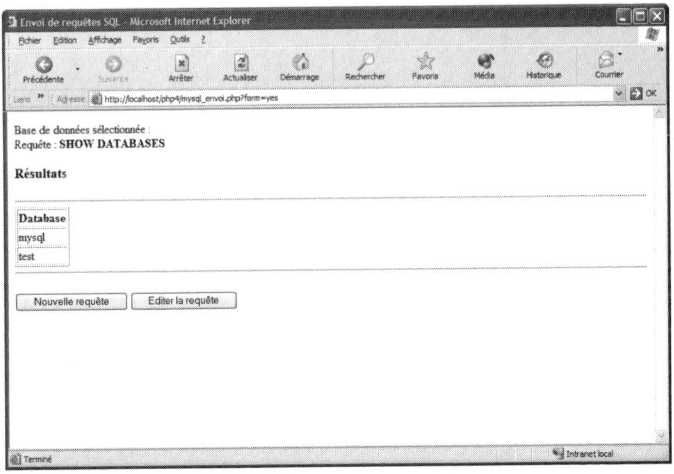

Figure 4.2 : Résultat d'une interrogation affichant la liste des bases de données déjà présentes sous MySQL.

vue, les messages MySQL sont généralement bien conçus et ils facilitent la localisation de l'erreur.

Construction d'une base de données

Une base de données se compose de deux parties : une structure, qui contiendra les données, et les données proprement dites. Dans les sections qui suivent, nous verrons comment créer la structure de la base de données. Pour commencer, vous allez créer une base de données vide, c'est-à-dire dépourvue de tout contenu.

Pour cela, vous allez utiliser la commande SQL `CREATE` suivie du nom de la base à créer. Nous verrons également d'autres commandes : `ALTER`, `DROP` et `SHOW`. Pour l'instant, vous devrez utiliser le client `mysql`, dont nous venons de voir le fonctionnement, puisque nous ne savons pas encore le faire avec un script PHP. En dehors de EasyPHP, vous devrez également avoir les privilèges nécessaires pour conduire à bien cette opération. Des précisions sur ce dernier point vous seront données au Chapitre 5.

Création d'une nouvelle base

La commande à utiliser pour créer une nouvelle base de données est la suivante :

```
CREATE DATABASE nomBase
```

où *nomBase* est le nom que vous allez donner à cette base de données. En voici deux exemples en rapport avec les deux exemples que nous avons commencé à étudier dans le chapitre précédent :

```
CREATE DATABASE AniCata
CREATE DATABASE MembresSeuls
```

Certains fournisseurs d'accès, parmi ceux qui vous proposent PHP et MySQL, ne vous autorisent à créer qu'une seule base de données. C'est le cas de Free, en particulier. En fait, ni PHP ni MySQL ne vous empêchent de placer toutes vos tables dans une seule base de données au lieu de créer autant de bases que vous avez de projets différents. Mais il est évident que ce n'est pas une méthode bien efficace.

Ensuite, vous pourrez passer à la création des tables qui contiendront les données. Pour vérifier que vos bases ont bien été créées, lancez la commande SQL que nous avons déjà rencontrée :

```
SHOW DATABASES
```

Suppression d'une base de données

Pour supprimer une base de données, tapez la commande :

```
DROP DATABASE nomBase
```

Utilisez la commande `DROP DATABASE` avec prudence, car son effet est irréversible. Les données que contenait la base qui vient d'être détruite sont irrécupérables.

Ajout de tables dans une base de données

Vous pouvez ajouter des tables à n'importe quelle base de données (pour peu que vous ayez les privilèges nécessaires pour y accéder), qu'elle soit vide ou qu'elle contienne déjà quelque chose. Pour cela, vous devez utiliser une autre forme de la requête `CREATE`.

Repartons des deux exemples du Chapitre 3. La base de données `AniCata` possède trois tables : `Animal`, `Type` et `Couleur`. La seconde base, `MembresSeuls`, possède deux tables : `Membre` et `Login`. Comme une table appartient toujours à une base de données, il faut commencer par sélectionner cette base. Faute de quoi, vous verriez s'afficher le message `No Database Selected` (aucune base de données n'est sélectionnée). Si vous utilisez le formulaire de la Figure 4.1, vous devrez remplir le champ de saisie qui se trouve en haut de la fenêtre.

La requête qui permet d'ajouter une table à une base de données commence par :

```
CREATE TABLE nomtable
```

Vient ensuite une liste de noms de colonnes accompagnés de leurs définitions. Les informations relatives à une colonne sont séparées de celles de la suivante par une virgule, et l'ensemble de cette liste est placé entre parenthèses. Les définitions sont constituées par le type de données (voir à ce sujet le Chapitre 3), la longueur et/ou d'autres mots clés dont la liste qui suit donne un échantillon :

- `NOT NULL` Cette colonne doit toujours avoir une valeur. Elle ne peut pas rester vide.
- `DEFAULT valeur` Valeur à placer par défaut dans la colonne si aucune valeur n'est spécifiée.
- `AUTO_INCREMENT` Création d'une suite de valeurs numériques entières consécutives : 1, 2, 3... L'accroissement est d'une unité par ligne ajoutée. Cet attribut peut être annulé si on spécifie une valeur particulière pour la colonne. C'est un moyen pratique pour créer des clés primaires.
- `UNSIGNED` La valeur qui sera placée dans cette colonne devra toujours être positive ou nulle.

Le dernier article d'une requête de création de table indique quelle colonne ou combinaison de colonnes sera l'identificateur unique pour la ligne : c'est sa *clé primaire*. Chaque ligne d'une table doit avoir un champ ou une combinaison de champs qui sera (seront) unique(s) dans la table. Si vous tentez d'ajouter une nouvelle ligne ayant la même clé primaire qu'une ligne qui existe déjà, vous obtiendrez un message d'erreur et la ligne ne sera pas ajoutée. La clause qui spécifie la clé primaire s'écrit :

```
PRIMARY KEY (nom_de_colonne)
```

Le nom de la colonne (*nom_de_colonne*) doit être écrit entre parenthèses. S'il s'agit d'une combinaison de colonnes, il faut séparer les noms des colonnes par autant de virgules que nécessaire. Par exemple, pour définir la clé primaire de la table `Login` de la base `MembresSeuls`, il faut écrire :

```
PRIMARY KEY (login,date)
```

Le Listing 4.2 présente la requête utilisée pour créer la table `Membre` de la base de données `MembresSeuls`. Cette requête peut s'écrire sur une seule ligne, mais il est recommandé de l'écrire de la façon indiquée pour en faciliter la relecture (et éventuellement la correction).

Listing 4.2 : Requête de création de la table Membre pour la base de données MembresSeuls.

```
CREATE TABLE Membre
( login         VARCHAR(20) NOT NULL,
  initial       DATE        NOT NULL,
  mPasse        CHAR(255)   NOT NULL,
  nom           VARCHAR(50),
  prénom        VARCHAR(40),
  rue           VARCHAR(50),
  ville         VARCHAR(50),
  département   CHAR(2),
  codePostal    CHAR(5),
  email         VARCHAR(50),
  tph           CHAR(10),
  fax           CHAR(10),
 PRIMARY KEY(login)
);
```

Comme vous pouvez le voir, l'ensemble des paramètres de la requête est placé entre parenthèses, chaque entrée étant séparée de la suivante par une virgule. L'instruction se termine par un point-virgule.

Rappelez-vous qu'il est interdit d'utiliser un des mots réservés de MySQL pour appeler une colonne. Faute de quoi, vous récolteriez un message d'erreur du genre de celui-ci :

```
You have an error in your SQL syntax near
'create VARCHAR(50), prénom VARCHAR(40)' at line 5
```

Comme vous le voyez, ce message vous indique la définition d'une colonne qui n'est pas bonne et la ligne où elle a été trouvée. L'erreur provient ici de l'utilisation du mot réservé "create" en guise de nom de colonne.

- Pour voir les tables que vous venez d'ajouter à une base de données, tapez la requête :

```
SHOW TABLES
```

- Pour voir la structure d'une table, utilisez la requête :

```
SHOW COLUMNS FROM nomTable
```

- Pour supprimer une table, utilisez la requête :

```
DROP TABLE nomTable
```

Utilisez la commande `DROP TABLE` avec prudence, car son effet est irréversible. Les données que contenait la table qui vient d'être détruite sont irrécupérables.

Modification de la structure d'une base de données

La base de données que vous venez de créer n'est pas figée pour l'éternité. Vous pouvez en modifier la structure au moyen de la requête `ALTER`, ajouter, supprimer ou renommer une colonne ou modifier le type de données qu'elle contient ou tout autre de ses attributs.

Le format de base de cette commande est :

```
ALTER TABLE nomTable
```

A sa suite, vous indiquez les changements que vous voulez opérer. Le Tableau 4.1 donne la liste des modifications possibles.

Modifier une base de données n'est pas quelque chose de rare. Vous pouvez avoir besoin de le faire pour de nombreuses raisons. Par exemple, supposez que vous ayez défini le type de données de la colonne `nom` de la table `Membre` (base de données `MembresSeuls`) comme `VARCHAR(20)`, et qu'ultérieurement survienne un nouveau membre du nom de Marc Schwartzheimer-Losterman. Pour ne pas amputer ce magnifique patronyme en le réduisant à ses vingt premières lettres, vous allez redéfinir par prudence cette colonne ainsi :

```
ALTER TABLE Membre MODIFY nom VARCHAR(50)
```

Tableau 4.1 : Modifications possibles au moyen de la requête ALTER.

Changement	Description
`ALTER nomCol définition`	Ajouter une colonne. *définition* renferme le type de données et d'autres paramètres facultatifs.
`ALTER nomCol SET DEFAULT valeur`	Modifier la valeur par défaut d'une colonne.
`ALTER nomCol DROP DEFAULT valeur`	Supprimer la valeur par défaut d'une colonne.
`CHANGE nomCol nouvNomCol définition`	Modifier la définition d'une colonne et changer son nom. *définition* renferme le type de données et d'autres paramètres facultatifs.
`DROP nomCol`	Supprimer une colonne ainsi que les données contenues dans cette colonne, lesquelles seront définitivement perdues.
`MODIFY nomCol définition`	Modifier la définition d'une colonne. *définition* renferme le type de données et d'autres paramètres facultatifs.
`RENAME nouvNomTable`	Changer le nom d'une table.

Manipulation des données d'une base

Une base de données vide est pareille à une bonbonnière vide : elle ne présente aucun intérêt. Elle ne peut être utile à quelque chose qu'à partir du moment où elle contient des informations. Le rôle d'une base de données est de recevoir des informations et de pouvoir les compléter, les restituer ou les modifier à la demande.

Voici les quatre types de requêtes qui peuvent être adressées à une base de données :

- **Recevoir de nouvelles informations**. Ajouter une ligne à une table.
- **Mettre à jour des informations**. Modifier les données contenues dans une ligne qui existe déjà. Par exemple, ajouter une donnée dans un champ jusque-là vide.

- **Retrouver des informations**. Rechercher une valeur de donnée. Cette requête ne modifie pas le champ où se trouve la valeur.
- **Supprimer des informations**. Supprimer une valeur dans une base de données.

Une requête peut parfois concerner plusieurs tables. Par exemple, la question : "Combien coûte un dragon vert ?" demande des informations provenant de la table `Animal` et de la table `Couleur`. Vous pouvez poser cette question au moyen d'une seule requête `SELECT` associant les deux tables.

Dans les sections qui suivent, nous allons voir comment accepter et retrouver des informations et comment associer des tables.

Ajouter des informations

Toute base de données doit contenir des données. L'exemple de la base `AniCata` montre comment le contenu de cette table permet aux visiteurs de se documenter sur les animaux commercialisés. A l'inverse, ces données peuvent provenir des utilisateurs eux-mêmes, comme c'est le cas pour la base `MembresSeuls`. Dans les deux cas, des données sont ajoutées à une base.

Lorsque vous avez beaucoup d'informations à saisir, il faut trouver une solution appropriée. Scanner ces informations est une des méthodes possibles, à condition que vous ayez ensuite un bon logiciel d'OCR (*Optical Character Recognition* - reconnaissance optique de caractères). Vous pourrez aussi sous-traiter cette saisie sous forme de texte au kilomètre plutôt que de considérer la saisie individuelle sous forme de requête SQL.

Il existe une requête SQL (`LOAD`) qui permet de lire des données contenues dans un fichier texte. Si vos données sont déjà sous une forme lisible par l'ordinateur, ce fichier est utilisable. Et si ce n'est pas du texte pur mais un fichier Excel, Access ou Oracle, par exemple, la conversion est généralement réalisable, et vous pouvez ensuite lire le fichier dans votre base de données MySQL. Dans le cas où ces données ne sont pas encore enregistrées sur l'ordinateur, il sera plus rapide de les saisir dans un fichier de texte avant de les transférer dans MySQL.

Presque tous les fichiers texte peuvent être lus par MySQL, mais certaines formes sont plus faciles à lire que d'autres. Si vous avez l'intention de saisir des données sous cette forme, lisez la section "Ajout d'une grande quantité de données" pour voir quel est le meilleur format pour votre fichier texte. Mais, naturellement, si ces données sont déjà dans un fichier informatique, vous les récupérerez généralement telles qu'elles sont. Encore qu'il existe des logiciels capables de modifier de façon simple la structure d'un fichier texte pour l'adapter à tel ou tel usage.

Ajout d'une ligne à la fois

C'est la requête `INSERT` qui va s'en charger. Elle indique à MySQL dans quelle table doit être ajoutée la ligne et quelles sont les valeurs à ajouter dans la ligne. Sa forme générale est la suivante :

```
INSERT INTO nomTable (nomCol1, nomCol2... nomColx)
VALUES (val1, val2..., valx)
```

Voici quelles sont les règles qui s'appliquent à la requête `INSERT` :

- **Les valeurs doivent apparaître dans le même ordre que les noms des colonnes correspondantes**. La première valeur sera placée dans la première des colonnes énumérées, et ainsi de suite.
- **Une liste partielle des noms de colonnes dans la ligne est possible**. Il n'est pas indispensable que toutes les colonnes de la ligne reçoivent un contenu. Elles prendront alors la valeur définie par défaut, ou sinon resteront vides.
- **Une liste des noms de colonnes n'est pas obligatoire**. Lorsque toutes les colonnes d'une ligne doivent recevoir des valeurs, il n'est pas nécessaire que vous indiquiez les noms de toutes ces colonnes dans la requête. L'absence de noms de colonnes est interprétée par MySQL comme l'énumération implicite de l'intégralité des colonnes. Il faudra alors autant de valeurs qu'il existe de colonnes dans la table.
- **La liste de valeurs et la liste de noms de colonnes doivent être de même longueur**. Faute de quoi, vous recevrez un message de ce genre :

```
Column count doesn't match value count
```

La requête `INSERT` ci-après ajoute une ligne dans la table `Membre` :

```
INSERT INTO Membre (login,initial,mPasse,nom,
                    rue,ville,département,codePostal,
                    email,tph,fax)
VALUES ("PetitMalin", "2002-Jan-30","a234wyz","Dupondt",
```

```
        "23 rue de la Poupée-qui-Tousse", "Richeville",
        "45", "45100", "dupondt@monserveur.com", "0233445566","")
```

Notez que le prénom ne figure pas dans la liste des noms de colonnes. Aucune valeur ne sera entrée dans ce champ. S'il avait l'attribut NOT NULL, un message d'erreur serait envoyé par MySQL. Si une valeur par défaut (attribut DEFAULT) existait pour ce champ, c'est elle qui serait retenue. Notez aussi que le numéro de fax est une chaîne de caractères vide : "", ce que MySQL considère comme parfaitement valable.

Pour voir quelles valeurs ont les données qui viennent d'être entrées dans une table et être à même de les vérifier, envoyez une requête SQL d'interrogation. Nous étudierons cette forme de requête plus loin dans ce même chapitre, dans la section "Recherche d'informations". Sans plus attendre, sachez que vous pouvez récupérer toutes les valeurs d'une ligne au moyen de la requête :

```
SELECT * FROM nomTable;
```

Ajout d'une grande quantité de données

Lorsque vous avez de nombreuses données à saisir dans une table, et qu'elles existent déjà sous forme lisible par un ordinateur, vous pouvez en effectuer le transfert au moyen d'une requête LOAD dans laquelle vous spécifierez le nom de la base de données concernée par cette entrée de données.

Par défaut, MySQL considère que le fichier contenant vos données se trouve dans le même répertoire que la base de données elle-même.

Du fait de la façon dont sont organisées les tables de MySQL, le fichier texte source doit indiquer où commence et où finit chaque suite de valeurs à entrer dans la base. Pour cela, on utilise un caractère séparateur qui ne doit pas se trouver dans les données elles-mêmes. Par défaut, c'est une tabulation, mais vous pouvez choisir un autre caractère à condition de l'indiquer à MySQL. Toujours par défaut, la fin d'une ligne du texte est considérée comme la fin de la ligne correspondante de la base de données. Ici encore, vous pouvez spécifier un autre caractère. Un fichier texte destiné à décrire des animaux pour la base de données AniCata pourrait se présenter ainsi :

```
Licorne  cheval   corne spiralée    5000   /images/licorne.jpg
Pégase   cheval   animal ailé       8000   /images/pegas.jpg
Lion     chat     grande taille     2000   /images/lion.jpg
```

Un tel fichier est appelé *fichier délimité par des tabulations* (*tab delimited file*). Il en existe une variante : le fichier délimité par des virgules dans lequel les tabulations sont remplacées par des virgules. Si votre fichier est dans un autre format, vous devez commencer par le convertir dans un format "délimité".

La forme générale de la commande LOAD est la suivante :

```
LOAD DATA INFILE "fichierTexte" INTO TABLE nomTable
```

Des paramètres facultatifs permettent de spécifier les séparateurs. Ce sont :

```
FIELDS TERMINATED BY "caractère"
FIELDS ENCLOSED BY "caractère"
LINES TERMINATED BY "caractère"
```

ce qu'on peut traduire respectivement par :

```
champs terminés par...
champs encadrés par ...
lignes terminées par ...
```

Supposons que vous disposiez d'un fichier texte, animaux.txt, convenant au catalogue d'animaux que nous étudions à titre d'exemple, fichier dont chaque champ est séparé du suivant par une virgule et non par une tabulation. Vous devrez adresser la requête suivante à MySQL :

```
LOAD DATA INFILE "animaux.txt" INTO TABLE Animal
          FIELDS TERMINATED BY ",";
```

Pour pouvoir utiliser la requête LOAD DATA INFILE, le compte MySQL doit disposer du privilège FILE sur le serveur. Ce sujet sera abordé dans le Chapitre 5.

N'oubliez pas d'en contrôler le résultat en examinant le contenu de la base de données avec la requête :

```
SELECT * FROM Animal;
```

Recherche d'informations

Le seul intérêt de stocker des informations dans une base de données est de pouvoir les récupérer plus tard. Une base de données n'existe que pour répondre à des questions. Quels sont les animaux en vente ? Qui sont les membres ? Combien y a-t-il de membres dans le Lot-et-Garonne ? Avez-vous un alligator à vendre ? Quel est le prix d'un dragon ? etc. C'est la requête `SELECT` qui permet de rechercher la réponse à toutes ces questions.

Sa forme générale est la suivante :

```
SELECT * FROM nomTable
```

Cette requête récupère toutes les informations contenues dans la table. L'astérisque est un caractère joker qui signifie *toutes les colonnes*.

On peut accroître la sélectivité de la requête `SELECT` en y ajoutant des mots du vocabulaire SQL permettant de situer exactement l'emplacement de l'information recherchée ou les critères à laquelle elle doit répondre. Vous pouvez spécifier quelles informations vous souhaitez, comment elles doivent être présentées et quelle en est leur source :

- **Vous pouvez limiter la recherche aux colonnes qui répondent exactement à votre question**. Par exemple, vous pouvez demander les seuls noms et prénoms d'une liste de membres.
- **Vous pouvez spécifier dans quel ordre les informations doivent vous être présentées**. Par exemple, vous pouvez demander qu'elles soient triées en ordre alphabétique inverse.
- **Vous pouvez spécifier les objets (les lignes) dans lesquels doivent être recherchées les informations**. Par exemple, vous pouvez demander le nom et le prénom des seuls membres qui résident dans les Bouches-du-Rhône.

Recherche d'informations spécifiques

Pour rechercher des informations spécifiques, listez les colonnes dans lesquelles doivent se trouver ces informations :

```
SELECT col1,col2,colx... FROM nomTable
```

Cette requête vous fournira les valeurs de toutes les lignes pour les seules colonnes dont les noms sont énumérés dans la requête. Par exemple, la requête suivante retrouve tous les noms et prénoms contenus dans la table `Membre` :

```
SELECT nom,prénom FROM Membre
```

Il est parfaitement possible d'effectuer des opérations mathématiques sur les colonnes sélectionnées. Ainsi, la requête `SELECT` suivante va ajouter les valeurs provenant de deux colonnes :

```
SELECT col1+col2 FROM nomTable
```

Autre exemple :

```
SELECT animalPrix,animalPrix*1.196 FROM Animal
```

N'oubliez pas le point-virgule final dans vos requêtes.

Le résultat obtenu est un prix hors taxes et un prix TTC. Vous pouvez aussi changer le nom d'une colonne lorsque vous la sélectionnez, comme dans :

```
SELECT animalPrix,animalPrix*1.196 AS PrixTTC FROM Animal
```

La clause `AS` demande à MySQL de donner comme nom `PrixTTC` à la seconde colonne retrouvée. La requête renvoie donc deux colonnes : `animalPrix` et `PrixTTC`.

Dans certains cas, ce ne sont pas les valeurs elles-mêmes qui vous intéressent, mais quelque chose qui est en rapport avec la ou les colonnes retrouvées. Par exemple, vous pouvez vous intéresser à la plus petite ou à la plus grande valeur située dans une certaine colonne d'une table. Le Tableau 4.2 donne la liste de quelques-unes des informations que vous pouvez connaître sur le contenu des colonnes.

Tableau 4.2 : Type d'informations pouvant être obtenues par une requête SELECT.

Forme SQL	Description de l'information
`AVG(nomCol)`	Valeur moyenne de toutes les colonnes de nom *nomCol*.
`COUNT(nomCol)`	Nombre de lignes dans lequel le champ *nomCol* n'est pas vide.
`MAX(nomCol)`	Plus grande valeur située dans la colonne *nomCol*.
`MIN(nomCol)`	Plus petite valeur située dans la colonne *nomCol*.
`SUM(nomCol)`	Somme des valeurs situées dans la colonne *nomCol*.

La requête ci-dessous permettra de savoir quel est l'animal qui coûte le plus cher :

```
SELECT MAX(animalPrix) FROM Animal
```

Présentation d'informations dans un certain ordre

La recherche d'informations peut être automatiquement suivie d'un tri. Par exemple, dans la table `Membre`, vous pouvez demander que les noms des membres extraits de la table soient présentés en ordre alphabétique croissant (ou décroissant). Dans la table `Animal`, vous pouvez demander que la liste des animaux soit triée sur le nom de l'animal, son type ou sa couleur.

Dans une requête `SELECT`, ce sont les mots clés `ORDER BY` ou `GROUP BY` qui effectuent ce tri :

- `ORDER BY`

  L'information trouvée est triée dans un certain ordre. Par défaut, c'est l'ordre alphabétique ascendant :

  ```
  ORDER BY nomCol
  ```

  Pour spécifier l'ordre descendant (inverse), ajoutez le mot `DESC` avant le nom de la colonne :

  ```
  SELECT * FROM Membre ORDER BY DESC nom
  ```

- `GROUP BY`

  Les lignes dans lesquelles les valeurs de la colonne *nomCol* sont identiques sont regroupées. Exemple :

  ```
  SELECT * FROM Animal GROUP BY type
  ```

Vous pouvez utiliser `ORDER BY` et `GROUP BY` dans la même requête.

Limiter une recherche à une source particulière

Très souvent, vous ne vous intéresserez pas à toutes les informations contenues dans une table, mais seulement à celles de certaines *lignes* répondant à un critère particulier. Pour cela, il existe trois mots dans le vocabulaire SQL :

- `WHERE` Permet de spécifier une condition d'existence. Par exemple, vous pouvez limiter une recherche aux seuls membres qui résident dans le Calvados (département 14) en écrivant :

```
SELECT * FROM Membre WHERE département="14"
```

- `LIMIT` Vous pouvez limiter la recherche aux seules *n* premières lignes spécifiées par la clause `LIMIT`.
- `DISTINCT` Lorsque les colonnes de plusieurs lignes contiennent la même information, vous limitez ainsi la recherche à la première ligne dont la colonne contient cette valeur, ce qui permet d'éliminer les doublons. De cette façon, vous pourriez répondre à la question : "Le membre Untel a-t-il déjà consulté la section à accès réservé ?", au lieu de demander : "Combien de fois ce membre s'est-il connecté ?"

La clause `WHERE` permet d'effectuer des recherches obéissant à des critères complexes. Supposez que vous souhaitiez obtenir la liste de tous les membres dont les noms commencent par un "B", qui habitent à Rochefort et dont le numéro de téléphone ou de fax contient au moins un "8". (Il est certain qu'une telle question présente un très grand intérêt !) Vous utiliseriez pour cela une condition de sélection de la forme :

```
WHERE expression1 AND|OR expression2 AND|OR expressionx...
```

expression spécifie une comparaison entre deux valeurs dont l'une, au moins, est celle d'un champ de la base. De cette façon, seules les lignes de la table qui répondent à cette association de conditions seront sélectionnées. Vous pouvez ainsi grouper autant d'expressions de sélection que vous le souhaitez, en les reliant par les conditions `AND` (ET) ou `OR` (OU). Avec `AND`, les deux expressions doivent être vraies, alors qu'avec `OR` il suffit qu'une seule le soit.

Le Tableau 4.3 présente quelques conditions fréquemment utilisées.

Tableau 4.3 : Exemple d'expressions utilisables dans une clause WHERE.

Expression	Exemple	Résultat
`colonne = valeur`	`codePostal = "78000"`	Sélectionne les lignes où le champ `codePostal` a pour valeur 78000.
`colonne > valeur`	`codePostal > "78000"`	Sélectionne les lignes où le champ `codePostal` a une valeur supérieure à 78000.

Expression	Exemple	Résultat
colonne >= valeur	codePostal >= "78000"	Sélectionne les lignes où le champ codePostal a une valeur supérieure ou égale à 78000.
colonne < valeur	codePostal < "78000"	Sélectionne les lignes où le champ codePostal a une valeur inférieure à 78000.
colonne <= valeur	codePostal <= "78000"	Sélectionne les lignes où le champ codePostal a une valeur inférieure ou égale à 78000.
colonne BETWEEN valeur1 AND valeur2	codePostal BETWEEN "75000" AND "78000"	Sélectionne les lignes où le champ codePostal a une valeur supérieure à 74999 et inférieure à 78001.
colonne IN (valeur1, valeur2...)	codePostal IN ("78541","87260")	Sélectionne les lignes où le champ codePostal a une valeur égale à 78541 ou à 87260.
colonne NOT IN (valeur1,valeur2...)	codePostal NOT IN ("78541", "87260")	Sélectionne les lignes où le champ codePostal a une valeur différente de 78541 et de 87260.
colonne LIKE valeur	codePostal LIKE "7%"	Sélectionne les lignes dont le champ codePostal commence par un 7. Les caractères de substitution possibles sont % (qui remplace une chaîne quelconque) et _ (qui figure un caractère quelconque).
colonne NOT LIKE valeur	codePostal NOT LIKE "7%"	Sélectionne les lignes dont le champ codePostal *ne* commence *pas* par un 7.

Remarquez que, pour les deux dernières expressions, ce qui figure à droite du mot clé LIKE peut contenir des caractères jokers. "%" signifie "n'importe quelle chaîne de caractères" et "_" veut dire "n'importe quel caractère".

Vous pouvez combiner n'importe laquelle des expressions du Tableau 4.3 avec AND et/ou OR. Lorsque ces associations deviennent trop complexes, regroupez les conditions dans des paires de parenthèses pour être certain que les comparaisons et associations se feront bien dans l'ordre que vous souhaitez. Par exemple, pour rechercher dans la table Membre les gens dont les noms commencent par un "B", qui habitent à Rochefort et dont le numéro de téléphone *ou* de fax contient au moins un "8", vous écrirez :

```
SELECT nom,prénom FROM Membre
       WHERE nom LIKE "B%"
       AND ville="Rochefort"
       AND (tph LIKE "8%" OR fax LIKE "8%")
```

En l'absence de parenthèses, les expressions et associations s'effectuent de gauche à droite (ou encore du début vers la fin). Si vous supprimiez les parenthèses de la dernière ligne, vous obtiendriez la liste des gens dont les noms commencent par un "B", qui habitent à Rochefort et dont le numéro de téléphone **et** de tous les membres dont le numéro de fax contient au moins un "8", quelle que soit l'initiale de leur nom et leur lieu de résidence. Lorsque le OR final est évalué, les membres retenus sont ceux dont les caractéristiques vérifient la condition précédant cet opérateur, *ou* qui vérifient l'expression qui le suit. En d'autres termes, tous les AND ont déjà été traités à ce stade et forment donc un résultat global. Par contre, la dernière expression est évaluée à part.

LIMIT (comme on s'en douterait) limite le nombre de réponses fournies. Cette clause s'écrit :

```
LIMIT début,nbRéponses
```

début représente la première ligne à explorer (1, par défaut) et *nbRéponses* le nombre maximal de réponses à fournir. Pour obtenir la liste des trois premiers membres de la table Membre qui résident dans les Yvelines, vous pouvez écrire :

```
SELECT * FROM Membre WHERE département="78" LIMIT 3
```

Certaines requêtes SELECT peuvent renvoyer des enregistrements identiques, mais lorsque vous ne voulez en voir qu'un seul, vous devez ajouter la clause DISTINCT pour n'obtenir que le premier. Exemple :

```
SELECT DISTINCT * FROM Membre WHERE département="78"
```

Combinaison de tables

Dans les premières sections du Chapitre 1, j'ai supposé que toutes les informations sur lesquelles vous travailliez étaient situées dans une seule table. Cependant, vous pouvez avoir besoin d'associer des informations provenant de différentes tables. Cela peut se faire de façon simple dans une seule requête.

Deux mots servent à combiner des informations provenant de diverses tables dans une requête `SELECT` :

- **UNION :** Les lignes sont extraites d'une ou plusieurs tables, et sont renvoyées ensemble, l'une après l'autre, dans un même résultat. Si votre requête sélectionne 6 lignes dans une table et 5 dans une autre, la réponse en contiendra 11.
- **JOIN :** Les tables sont combinées côte à côte et les informations récupérées dans les deux tables.

UNION

`UNION` sert à combiner les résultats produits par deux requêtes `SELECT` (ou davantage). Les réponses fournies par chaque requête sont ajoutées à celles de la précédente pour former le résultat final. La syntaxe de `UNION` se présente ainsi :

```
SELECT requête UNION ALL SELECT requête ...
```

Il est possible de combiner un nombre quelconque de requêtes `SELECT`. Chacune est susceptible de posséder son propre format, et y compris d'inclure de clauses `WHERE`, `LIMIT`, etc. Les règles à respecter sont les suivantes :

- Toutes les requêtes SELECT doivent fournir le même nombre de colonnes.
- Les colonnes sélectionnées dans les requêtes doivent posséder le même type de donnée.

Les *jeux* résultant contiendront toutes les lignes de la première requête, suivies de toutes les lignes de la seconde requête, et ainsi de suite. Les noms de colonnes utilisés dans ces jeux sont ceux qui sont fournis par la première requête `SELECT`.

Les requêtes `SELECT` successives peuvent sélectionner différentes colonnes d'une même table. Cependant, il est rare de trouver une situation dans laquelle vous avez besoin d'une certaine colonne d'une table, suivie d'une autre colonne de cette table. Le but est généralement de combiner des colonnes provenant de différentes tables. Supposons par exemple que votre base de données contienne d'un côté la liste des personnes qui ont quitté le club, et de l'autre celle des membres actuels de celui-ci. Vous pouvez facilement obtenir la liste des anciens comme des modernes à l'aide d'une instruction comme celle-ci :

```
SELECT nom,prénom FROM Membre UNION ALL
     SELECT nom,prénom FROM AncienMembre
```

Le résultat produit par cette requête donne la liste des noms et prénoms de tous les membres actuels, suivie des noms et prénoms de tous les anciens membres.

Selon la manière dont vos données sont organisées, il se peut que des noms soient dupliqués. Rien n'interdit par exemple qu'une personne après avoir démissionné du club (elle peut alors figurer dans la table *AncienMembre*) reprenne son adhésion (et voit donc son nom ajouté à nouveau dans la table `Membre`). Pour éviter une telle situation, n'employez pas le mot `ALL`. En son absence, les lignes dupliquées n'apparaîtront pas dans le résultat.

La clause `ORDER BY` décrite dans la section précédente peut être utilisée dans chacune des requêtes `SELECT`, mais aussi dans la requête `UNION` elle-même afin de trier toutes les lignes du jeu résultant. Dans ce cas, utilisez des parenthèses de regroupement comme dans l'exemple qui suit :

```
(SELECT nom FROM Membre UNION ALL
     SELECT nom FROM AncienMembre) ORDER BY nom
```

L'instruction `UNION` a été introduite dans la version 4.0 de MySQL. Elle n'est pas disponible dans MySQL 3.

JOIN

Associer (combiner) deux tables est appelé une *jointure*. Les tables sont combinées en associant les données correspondantes d'une colonne (celle qui est commune aux deux). Les résultats obtenus à partir d'une jointure contiennent les données provenant des colonnes des deux tables. Par exemple, si une table a deux colonnes, `ID` et `hauteur`, et que la seconde table a deux colonnes, `ID` et `poids`, la jointure résultera en une table à quatre colonnes : `ID` de la première table, `hauteur`, `ID` de la seconde table et `poids`.

Il existe deux types de jointures : les jointures *internes* (*inner*) et *externes* (*outer*). La différence entre ces deux types réside dans le nombre de lignes incluses dans la table qui en résulte. Dans le cas d'une jointure interne, on n'obtiendra que les lignes qui existaient dans les deux tables. Avec une jointure externe, en revanche, on trouve toutes les lignes d'une table et des vides dans les colonnes pour les lignes qui n'existent pas dans la seconde table. Par exemple, si `table1` contient une ligne pour Joseph et une pour Suzanne, et que `table2` ne contient qu'une ligne pour Suzanne, une jointure interne ne produira que la ligne de Suzanne, alors qu'une jointure externe donnera deux lignes : une pour Joseph et une pour Suzanne. Mais la colonne `poids` (pour reprendre le modèle du paragraphe précédent) de la ligne de Joseph sera vide.

Le jeu produit par une jointure externe contient toutes les lignes d'une table. Si une des lignes de cette table n'existe pas dans la seconde, les colonnes de cette dernière sont vides. En d'autres termes, le contenu renvoyé par la requête est déterminé par la table dont toutes les lignes contribuent au résultat, et la seconde table doit se conformer à cette exigence. Comment définir le maître et le valet dans une jointure externe ? En spécifiant la source principale à l'aide des mots `LEFT JOIN` et `RIGHT JOIN`.

C'est dans la requête `SELECT` qu'on spécifie la jointure. Pour une jointure interne, ce sera quelque chose comme :

```
SELECT listeCol FROM table1,table2
                WHERE table1.col2 = table2.col2
```

alors que, pour une jointure externe, on écrirait au choix :

```
SELECT listeCol FROM table1 LEFT JOIN table2
                ON table1.col1 = table2.col2
```

```
SELECT listeCol FROM table1 RIGHT JOIN table2
                ON table1.col1 = table2.col2
```

Dans ces trois requêtes, *table1* et *table2* sont les tables composant la jointure. (Il est possible de joindre plus de deux tables.) *col1* et *col2* sont les noms des colonnes à faire correspondre pour joindre les tables. Cette correspondance s'établit d'après les données présentes dans ces deux colonnes. Elles peuvent ou non avoir le même nom. Mais elles doivent contenir le même type de données.

Pour donner un exemple de jointure, nous allons prendre un court extrait de notre catalogue d'animaux. L'une des tables est `Animal`, dans laquelle nous retiendrons les colonnes `animalNom` et `animalType` contenant les informations suivantes :

```
nom      type
Licorne  Cheval
Pégase   Cheval
Lion     Chat
```

L'autre table est `Couleur`, avec deux colonnes, `animalNom` et `animalCouleur`, qui contiennent les données suivantes :

```
nom      couleur
Licorne  blanc
Licorne  argent
Poisson  Doré
```

Vous voulez trouver la réponse à une question nécessitant la jointure de ces deux tables. Si vous faites une jointure interne avec la requête suivante :

```
SELECT * FROM Animal,Couleur WHERE Animal.animalNom =
Couleur.animalNom
```

vous allez obtenir la table de résultats suivante contenant quatre colonnes : `nom` (provenant de Animal), `type`, `nom` (provenant de `Couleur`) et `couleur` :

```
nom      type    nom      couleur
Licorne  Cheval  Licorne  blanc
Licorne  Cheval  Licorne  argent
```

Remarquez que Licorne apparaît dans la table de résultat, parce que seule Licorne se trouvait dans les deux tables originales, avant la jointure.

D'un autre côté, supposons que vous fassiez une jointure externe à l'aide de la requête suivante :

```
SELECT * FROM Animal LEFT JOIN Couleur
       ON Animal.animalNom = Couleur.animalNom
```

Vous obtiendrez alors les résultats suivants avec les quatre mêmes colonnes : `nom` (provenant de `Animal`), `type`, `nom` (provenant de `Couleur`) et `couleur` :

```
nom      type    nom      couleur
Licorne  Cheval  Licorne  blanc
Licorne  Cheval  Licorne  argent
Pégase   Cheval  <NULL>   <NULL>
Lion     Chat    <NULL>   <NULL>
```

Cette table a quatre lignes. Les deux premières sont identiques à celles que nous avons obtenues avec une jointure interne. Dans les deux suivantes, les champs `nom` (provenant de `Couleur`) et `couleur` restent vides.

Essayons maintenant de voir ce que donnerait une jointure externe droite. La requête doit être légèrement modifiée :

```
SELECT * FROM Animal RIGHT JOIN Couleur
         ON Animal.animalNom = Couleur.animalNom
```

Vous obtenez alors une table qui affiche les mêmes colonnes, mais avec des lignes différentes :

```
nom      type    nom      couleur
Licorne  Cheval  Licorne  blanc
Licorne  Cheval  Licorne  argent
<NULL>   <NULL>  Poisson  Doré
```

Vous remarquerez que l'on trouve toutes les lignes de la table `Couleur` (celle de droite dans la requête), mais pas de la table `Animal`. Cette dernière ne possédant pas de ligne *Poisson*, les colonnes correspondantes sont vides.

Les jointures abordées ci-dessus servent à rechercher des entrées qui se correspondent dans des tables. Mais on peut tout aussi bien se poser la question inverse. Supposons que vous vouliez savoir qui ne s'est *jamais* connecté dans votre liste de membres privés. Vous disposez d'une table pour les noms des utilisateurs, et d'une autre pour les dates et heures de connexion. Réaliser une jointure pour afficher toutes les correspondances et retrouver les absents serait extrêmement fastidieux, si ce n'est impossible avec une base de données importante. Mais une simple astuce vous aidera à contourner la difficulté. Il suffit en effet de sélectionner uniquement les noms *vides* dans la jointure, comme ceci :

```
SELECT login from Membre LEFT JOIN Login
       ON Membre.login=Login.login
       WHERE Login.login IS NULL
```

Cette requête vous donne une liste de tous les noms d'utilisateurs de la table `Membre` qui ne figurent pas dans la table `Login`.

Mise à jour des informations

Mettre à jour des informations consiste à modifier les données contenues dans une ligne. Par exemple, vous pouvez souhaiter modifier l'adresse d'un membre parce qu'il a déménagé, ou ajouter un numéro de fax pour un membre qui n'était pas équipé de cet appareil auparavant.

Pour effectuer une mise à jour, on utilise une requête `UPDATE` dont la forme générale est :

```
UPDATE nomTable SET nomCol1=valeur1,nomCol2=val2... WHERE clause
```

Dans la clause `SET`, on fait figurer des couples de la forme *nom=valeur* pour les colonnes dont on veut modifier la valeur. Sans clause `WHERE`, toutes les lignes de la table seront modifiées. Cette clause permet de limiter la portée de la mise à jour aux seules lignes à modifier. Considérez, par exemple, la mise à jour d'une adresse de la table `Membre` :

```
UPDATE Membre SET rue="45 rue de la Cloche",
                  téléphone="0456789012"
              WHERE login="monToto"
```

Suppression d'informations

Les informations périmées doivent être supprimées si vous voulez que votre base de données soit le reflet de l'existant. Pour effectuer une suppression, vous pouvez utiliser la requête `DELETE` :

```
DELETE FROM nomTable WHERE clause
```

N'usez de cette requête qu'avec la plus grande prudence, car les informations ainsi supprimées sont irrécupérables. Pis, si vous omettez la clause `WHERE`, vous allez supprimer définitivement **toutes** les informations contenues dans la table. Aucune récupération n'est possible. C'est le genre de commande qui se trouve au premier rang de la liste à-ne-jamais-essayer-pour-voir-surtout-le-soir.

Vous pouvez supprimer une colonne dans une table au moyen de la requête `ALTER` :

```
ALTER TABLE nomTable DROP nomCol
```

Pour supprimer la totalité des éléments d'une table, vous devez utiliser la requête `DROP` :

```
DROP TABLE nomTable
```

ou, plus globalement :

```
DROP DATABASE nomBase
```

Chapitre 5

Protection de vos données

Dans ce chapitre :

- Comment fonctionne la sécurité avec MySQL.
- Ajout de nouveaux comptes MySQL.
- Modification des comptes existants.
- Modification des mots de passe.
- L'art de la sauvegarde.
- Réparation des données.
- Restauration des données.

Vos données sont essentielles au bon fonctionnement de votre application de base de données sur le Web. Vous avez passé beaucoup de temps à développer votre base de données, et maintenant elle contient d'importantes informations que vous ou vos utilisateurs y avez placées. Il est temps d'assurer leur protection. Dans ce chapitre, vous allez apprendre comment procéder.

Contrôle des accès à vos données

MySQL propose un système de sécurisation pour protéger vos données. Personne ne peut y accéder sans être titulaire d'un compte. Chaque compte MySQL a les attributs suivants :

- Un nom.
- Un nom d'hôte (celui de la machine à partir de laquelle le compte permet d'accéder à vos données sur le serveur MySQL).

- Un mot de passe.
- Un jeu de permissions (droits d'accès ou privilèges).

Celui ou celle qui veut accéder à vos données doit montrer patte blanche, c'est-à-dire utiliser un compte MySQL associé à un mot de passe, tous deux en état de validité. En outre, cette personne doit se connecter à partir d'un ordinateur ayant également la permission de se connecter à votre base de données avec ce compte et ce mot de passe.

Une fois qu'un utilisateur s'est vu accorder l'accès à la base de données, ce qu'il va être autorisé à faire dépend des droits d'accès qui ont été définis pour ce compte. Chaque compte a ou non la permission d'exécuter sur votre base de données des opérations telles que `SELECT`, `DELETE`, `INSERT`, `CREATE`, `DROP`, etc. Vous pouvez accorder tous les droits (également appelés *privilèges* ou *permissions*) à n'importe quel compte, ne lui en accorder aucun ou seulement quelques-uns. Par exemple, pour protéger votre catalogue en ligne, s'il est normal qu'un utilisateur puisse le consulter, mais il vaut mieux qu'il ne soit pas autorisé à le modifier.

Lorsque quelqu'un tente de se connecter à MySQL et d'exécuter une requête, MySQL contrôle son accès à deux niveaux :

- **Vérification de la connexion**. MySQL teste la validité du compte et du mot de passe associé, et vérifie que la connexion provient bien d'une machine autorisée à se connecter avec ce couple d'identificateurs. Si ces vérifications sont concluantes, la connexion est autorisée.
- **Vérification de la requête**. Une fois la connexion acceptée, MySQL contrôle les droits d'accès du compte avant d'exécuter une quelconque requête.

Toute requête soumise à MySQL peut échouer pour peu que l'une des deux vérifications ci-dessus échoue. Un message est alors affiché pour expliquer la cause de cet échec.

Les sections qui suivent décrivent plus en détail les comptes et les droits d'accès.

Comptes et noms d'hôtes

Le couple "*nom de compte/nom d'hôte*" (le nom de l'ordinateur autorisé à se connecter à la base de données) identifie un compte unique. Deux comptes de même nom peuvent coexister pour peu que leurs noms d'hôtes soient différents. Ils peuvent, dans ce cas, avoir des mots de passe et des droits d'accès différents. En revanche, il est impossible d'avoir deux comptes ayant le même nom et le même hôte.

Lorsque vous exécutez une requête `GRANT` ou `REVOKE` (voir plus loin dans ce chapitre), vous devez être identifié par le couple compte/nom d'hôte sous la forme suivante : *compte@nom_d'hôte* (par exemple : *root@localhost*).

Un compte MySQL n'a absolument aucun lien avec le compte utilisateur Linux/UNIX ou Windows, parfois appelé *nom de login*. Si votre compte MySQL est *root*, il n'a aucun rapport avec le nom de login Linux/UNIX *root*. Modifier un nom de compte MySQL n'affecte en rien le nom de login et réciproquement.

Les noms de comptes MySQL sont ainsi définis :

- **Un nom de compte peut comporter 16 caractères au plus**. Vous pouvez utiliser des caractères spéciaux tels qu'un tiret (-) ou un blanc souligné (_). Vous ne pouvez pas utiliser de caractère joker.
- **Un nom de compte peut être vide**. Dans ce cas, tout nom de compte non vide sera reconnu comme valable ; ainsi, n'importe qui pourra se connecter sous son propre nom, pour peu que son nom d'hôte et son mot de passe (si nécessaire) soient reconnus comme valides. Un nom de compte vide permet à des utilisateurs anonymes de se connecter à votre base de données.
- **Le nom d'hôte peut être soit un nom, soit une adresse IP**. Par exemple : `thor.monserveur.com` ou `192.163.2.33`. La machine sur laquelle est installé MySQL a pour nom `localhost`, ce qui correspond à l'adresse IP `127.0.0.1`.
- **Des caractères jokers peuvent être utilisés dans le nom d'hôte**. Le caractère pour-cent (`%`) correspond à n'importe quel nom d'hôte. Si le nom de compte `georges@%` existe, le nom `georges` sera reconnu comme valide, quel que soit l'ordinateur à partir duquel la connexion est établie.
- **Le nom d'hôte peut être vide**. Un nom d'hôte vide est l'équivalent de `%`.

Un compte dont le nom d'utilisateur et le nom d'hôte associé sont tous deux vides peut exister. N'importe qui peut alors se connecter à la base de données, sous n'importe quel nom et à partir de n'importe quel ordinateur. C'est la même chose si le nom d'hôte est `%`. En dehors de l'utilisation **locale** d'un serveur personnel pour la mise au point d'une base de données et de scripts PHP (comme c'est le cas avec

EasyPHP), cette situation est extrêmement dangereuse. Un tel compte est parfois installé automatiquement avec MySQL, mais il ne possède aucun droit d'accès et ne peut donc rien faire.

Quelques mots sur les mots de passe

Tout compte est normalement complété par un *mot de passe*. Dans le cas contraire (mot de passe vide), le compte ne dispose d'aucune protection. En ce qui concerne MySQL, un mot de passe peut comporter un nombre quelconque de caractères. Toutefois, certains systèmes d'exploitation introduisent une limite de 8 caractères. Dans ce cas, les caractères excédentaires sont ignorés.

Pour augmenter la sécurité, les mots de passe sont conservés sous forme cryptée. Malheureusement, des petits malins parviennent à les reconstituer. Pour cela, ils utilisent des moyens plus ou moins évolués dont le plus simple consiste à utiliser un logiciel qui essaie à grande vitesse une multitude d'expressions. On les appelle *hackers* ou *crackers*. Pour déjouer (dans la limite du possible) leurs tentatives, voici quelques recommandations à suivre dans le choix d'un mot de passe :

- Adoptez un mot de passe de 6 à 8 caractères.
- Utilisez un mélange de caractères : majuscules, minuscules, chiffres, caractères spéciaux...
- N'utilisez ni votre nom de login, ni votre nom de compte MySQL ni aucune variante de ces noms.
- Ne prenez pas un mot qui se trouve dans le dictionnaire.
- Ne choisissez pas un nom propre (celui de l'élu(e) de votre cœur ou de votre animal favori, par exemple).
- N'utilisez ni numéro de téléphone ni date.

Un bon mot de passe est difficile à deviner. Il ne doit contenir aucun mot se trouvant dans un dictionnaire quelconque (national ou étranger), mais rester cependant facile à mémoriser. Mission impossible ? Peut-être ! Si votre mot de passe est difficile à retenir, vous allez éprouver le besoin de l'écrire quelque part, ce qui risquera de le rendre visible par un malveillant. Un moyen souvent employé consiste à prendre les initiales des premiers mots d'une phrase ou d'un vers connu (de préférence pas *trop* connu). Par exemple : "L'œil était dans la tombe et regardait Caïn" (Dernier vers de *La Conscience* de Victor Hugo) donnera : `LédlterC` (le caractère "e dans l'o" ne figurant pas sur les claviers, on le supprime franchement).

Ce mot de passe ne contient aucun chiffre. Toutefois, rien ne vous empêche de remplacer une des lettres par un chiffre quelconque. Mais alors peut-être allez-vous avoir du mal à vous souvenir de la substitution ? Vous pouvez aussi décider de remplacer la lettre "i" par "1" et la lettre "o" par "0" (zéro). Mais ce "truc" est trop évident pour assurer une réelle protection supplémentaire.

Dites-vous bien que, de toute façon, aucune protection par mot de passe n'est inviolable. Son seul effet est de *retarder* les accès illicites, pas de les *empêcher*. (*N.d.T.*)

Les droits d'accès

MySQL utilise un système de droits pour contrôler les accès aux bases de données. Ces *permissions* restreignent les actions nuisibles que peut tenter un utilisateur sur une base de données. Ils sont définis de manière spécifique pour tel ou tel compte.

A chaque base de données, table ou même colonne est attaché un jeu de droits d'accès particulier. Par exemple, un compte MySQL peut être défini de façon que son titulaire puisse lire des données à partir des tables de la base, mais n'être autorisé à modifier qu'une seule colonne d'une certaine table, nommément désignée, et à insérer des données dans une autre, également spécifiée.

Les droits d'accès sont accordés par la requête `GRANT` (*accorder*) et supprimés par la requête `REVOKE` (*révoquer*). Ces requêtes ne peuvent être lancées qu'à partir d'un compte ayant le droit de les utiliser. Toute tentative non autorisée entraînera l'affichage d'un message d'erreur. Par exemple, si vous essayez de vous accorder le droit d'utiliser une requête qui vous est normalement "interdite" à partir d'un compte qui n'est pas autorisé à utiliser ces commandes, vous obtiendrez comme seul résultat le message :

```
grant command denied
```

Les droits d'accès peuvent être accordés ou révoqués un par un ou globalement. Le Tableau 5.1 donne une vue des principaux droits que vous pouvez accorder ou révoquer.

Il n'est pas recommandé d'accorder le droit d'accès `ALL` qui est bien trop permissif. En particulier, cela autorise l'utilisateur à fermer le serveur MySQL. Un tel privilège ne doit échoir qu'à vous-même, divin administrateur de la base de données.

Tableau 5.1 : Droits d'accès attachés aux comptes MySQL.

Droit d'accès	Description
`ALL`	Tous les droits.
`ALTER`	Modifier la structure des tables.
`CREATE`	Créer de nouvelles bases et/ou de nouvelles tables.
`DELETE`	Supprimer des lignes dans une table.
`DROP`	Supprimer des bases et/ou des tables.
`FILE`	Lire et écrire des fichiers sur le serveur.
`GRANT`	Modifier les droits d'accès d'un compte MySQL.
`INSERT`	Insérer de nouvelles lignes dans une table.
`SELECT`	Lire les données d'une table.
`SHUTDOWN`	Fermer le serveur MySQL.
`UPDATE`	Modifier les données d'une table.
`USAGE`	Aucun droit d'accès.

Création de comptes MySQL

Pour créer un nouveau compte, vous devez spécifier le mot de passe, le nom de l'ordinateur ou des ordinateurs autorisés à accéder à la base de données et les droits d'accès accordés (en sachant que vous pourrez toujours les modifier ultérieurement). Toutes ces informations d'identification sont placées dans la base de données `mysql`, automatiquement créée lors de l'installation de MySQL. Pour faire ces opérations, vous devez vous-même avoir les droits d'accès nécessaires sur la base de données `mysql`.

Vous avez besoin d'au moins un compte MySQL pour accéder au serveur. Lorsque MySQL est installé, il crée automatiquement quelques comptes, y compris le compte appelé `root` qui possède tous les droits d'accès. Si vous utilisez les bons offices du département informatique de votre entreprise ou si vous accédez à MySQL via un hébergeur ou un fournisseur d'accès, c'est l'administrateur du système hôte qui devra vous ouvrir ce compte. Dans ces conditions, ce dernier a peu de chances de s'appeler `root` et ses droits d'accès seront limités.

Dans le reste de cette section, nous verrons comment ajouter et supprimer des comptes, et modifier les mots de passe et les droits d'accès qui y sont attachés. Excepté dans le cas où vous utiliseriez un serveur Web personnel sur votre propre machine, vous ne pourrez pas lancer les requêtes `GRANT` et `REVOKE`. Vous devrez alors demander à l'administrateur du site hôte de bien vouloir vous accorder des droits d'accès vous permettant d'effectuer les opérations que vous envisagez de faire. Il n'est pas certain qu'il vous les accordera, préférant, pour des raisons de sécurité, se charger lui-même d'effectuer l'opération.

Identification des comptes existants

Pour savoir quels sont les comptes qui existent déjà, vous devez disposer vous-même d'un compte ayant les permissions nécessaires. Essayez d'exécuter la requête suivante sur la base de données `mysql` :

```
SELECT * FROM user
```

Vous devriez voir s'afficher la liste de tous les comptes. Cependant, si vous accédez à MySQL via le département informatique de l'entreprise, un hébergeur ou un fournisseur d'accès, vous n'aurez probablement pas les droits d'accès suffisants pour afficher cette liste. Vous obtiendrez alors le message suivant :

```
No Database Selected
```

(ou un autre avertissement vous apprenant que vous ne disposez pas du privilège d'employer la commande `SELECT`). Ce message signifie que vous n'êtes pas autorisé à afficher la liste des comptes MySQL existants. Il est rassurant dans la mesure où c'est une preuve de sécurité : n'importe qui ne peut pas accéder à n'importe quel compte. Par contre, cette situation est assez désagréable car vous ne pouvez même pas savoir quelles permissions vous sont accordées. Vous devez pour cela vous renseigner auprès de votre administrateur MySQL ou tenter d'envoyer diverses requêtes afin de trouver celles dont l'issue est positive.

Ajout de nouveaux comptes et modification des droits d'accès

La meilleure façon d'accéder à MySQL à partir de PHP est de définir un compte créé spécifiquement dans ce but et pourvu du minimum de droits d'accès nécessaires. Dans cette section, nous allons voir ce qu'il faut faire pour y parvenir. Si vous accédez à MySQL autrement que par l'intermédiaire d'un serveur personnel, vous n'aurez probablement pas les droits d'accès suffisants pour créer un nouveau compte et modifier vos droits d'accès. Dans ce cas, vous ne pourrez pas exécuter la requête GRANT pour ajouter vous-même un compte. Il vous faudra alors un second point d'entrée pour vos scripts PHP.

Si vous avez besoin de demander un nouveau compte, choisissez-le pourvu de droits d'accès restreints (si c'est possible). De cette façon, votre application sera plus sécurisée.

Certains fournisseurs d'accès ne vous autorisent à créer qu'une seule base de données. Et encore ne le font-ils qu'à la suite d'une demande que vous devez formuler sur une page spécialisée de leur site Web. (*N.d.T.*)

En supposant que vous ayez la possibilité de faire ce que vous voulez (ce sera presque toujours le cas avec un serveur personnel, EasyPHP, par exemple), c'est la requête GRANT que vous allez utiliser pour créer un nouveau compte ou modifier les droits d'accès d'un compte existant. Si le compte n'existe pas encore, GRANT va le créer.

Voici la forme générale de cette requête :

```
GRANT permission (colonnes) ON nomTable TO
    compte@nom_d'hôte IDENTIFIED BY 'mot de passe'
```

et la signification de ses paramètres :

- `permission (colonnes)` : Vous devez lister ici au moins un droit d'accès. Vous pouvez le restreindre aux seules colonnes énumérées à la suite, entre parenthèses. Si cette liste est vide, le droit d'accès s'applique à toutes les colonnes de la table. Vous pouvez faire figurer autant de couples permission/colonne(s) que vous le souhaitez, en les séparant par des virgules. La liste des droits d'accès figure Tableau 5.1. Voici un exemple montrant le début d'une telle requête :

```
GRAND SELECT (prénom,nom), UPDATE, INSERT(date_naissance) ...
```

- `nomTable` : Liste des tables concernées par cette requête. Il en faut au moins une, évidemment. Si vous énumérez plusieurs tables dans cette liste, séparez-les par des virgules. Vous pouvez faire porter la requête GRANT sur toutes les tables de la base de données couramment sélectionnée en indiquant un astérisque (*) comme valeur pour ce paramètre. Si aucune base n'est à ce moment sélectionnée, la requête concernera toutes les tables de toutes les bases de données existantes.

Pour faire porter cette requête sur une certaine table d'une base de données particulière, *database*, donnez à ce paramètre la valeur : `database.nomTable`. L'utilisation d'un astérisque donne la valeur *tout* soit à la base, soit à la table. Par conséquent, la syntaxe `*.*` concernera toutes les tables de toutes les bases de données existantes.

- `compte@nom_d'hôte` : Le nom du compte intéressé. S'il existe déjà, c'est lui qui sera destinataire des droits d'accès spécifiés. S'il n'existe pas, il sera créé. L'identification exacte et complète du compte nécessite la présence des deux champs et de l'arobase qui les relie. S'il existe un compte portant le nom indiqué, mais pour un autre hôte, il n'est pas changé. Par contre, un nouveau compte est créé.
- `mot de passe` : Représente le mot de passe que vous ajoutez ou modifiez. Cette option est facultative si vous ne voulez rien changer au mot de passe.

La requête `GRANT` permettant de créer un nouveau compte pour la base de données `AniCata` pourrait être :

```
GRANT SELECT ON AniCata.* TO jules@localhost
     IDENTIFIED BY '5Feza37'
```

Ajout et modification de mots de passe

C'est toujours la requête `GRANT` qui va servir à cette fin. Pour changer le mot de passe attaché à un compte existant, vous pouvez écrire :

```
GRAND permission ON * TO compte@nom_d'hôte IDENTIFIED
     BY 'mot de passe'
```

Voici la signification des paramètres de cette requête :

- `permission` : Vous devez lister ici au moins un droit d'accès. S'il existe déjà, il n'est pas modifié.
- `compte@nom_d'hôte` : Le nom du compte intéressé. S'il existe déjà, c'est lui qui sera le destinataire des droits d'accès et du mot de passe spécifiés. S'il n'existe pas, il sera créé. L'identification exacte et complète du compte nécessite la présence des deux champs et de l'arobase qui les relie. S'il existe un compte

portant le nom indiqué, mais pour un autre hôte, il n'est pas changé. Par contre, un nouveau compte est créé.

- `mot de passe` : Remplace le mot de passe qui existait. Si vous n'écrivez rien entre les apostrophes (`IDENTIFIED BY ''`, deux apostrophes consécutives), ce mot de passe est remplacé par une chaîne vide, ce qui laisse un compte non protégé. Des indications sur le choix d'un "bon" mot de passe ont été données plus haut, dans ce même chapitre.

Suppression de droits d'accès

En supposant que vous ayez la liberté de faire ce que vous voulez (ce sera presque toujours le cas avec un serveur personnel, EasyPHP, par exemple), c'est la requête `REVOKE` que vous allez utiliser pour supprimer des droits d'accès sur un compte existant.

Voici la forme générale de cette requête :

```
REVOKE permission (colonnes) ON nomTable FROM compte@nom_d'hôte
```

et la signification de ses paramètres :

- `permission (colonnes)` : Vous devez lister ici au moins un droit d'accès. Vous pouvez le supprimer pour une ou plusieurs colonnes, en énumérant ces colonnes entre parenthèses, séparées par des virgules. Si cette liste est vide, le droit d'accès est supprimé pour toutes les colonnes de la table. Vous pouvez faire figurer autant de couples permission/colonne(s) que vous le souhaitez, en les séparant par des virgules. La liste des droits d'accès figure dans le Tableau 5.1. Exemple de cette requête :

```
REVOKE SELECT (prénom,nom), UPDATE, INSERT(date_naissance) ...
```

- `nomTable` : Liste des tables concernées par cette requête. Il en faut au moins une, évidemment. Si vous énumérez plusieurs tables dans cette liste, séparez-les par des virgules. Vous pouvez faire porter la requête `REVOKE` sur toutes les tables de la base de données couramment sélectionnée, en indiquant un astérisque (*) comme valeur pour ce paramètre. Si aucune base n'est à ce moment sélectionnée, la requête concernera toutes les bases de données existantes.

  Pour faire porter cette requête sur toutes les tables d'une base de données particulière, `database`, donnez à ce paramètre la valeur : `database.nomTable`. L'utilisation d'un astérisque donne la valeur *tout* soit à la base, soit à la table. Par conséquent, la syntaxe `*.*` concernera toutes les tables de toutes les bases de données existantes.

- `compte@nom_d'hôte` : Le nom du compte intéressé. Il doit évidemment exister déjà. L'identification exacte et complète du compte nécessite la présence des deux champs et de l'arobase qui les relie. S'il existe un compte de même nom, mais pour un hôte différent, la requête `REVOKE` échouera et vous recevrez un message d'erreur.

Suppression de comptes

Il est généralement inutile de supprimer un compte. Si vous en créez un doté de permissions non nécessaires, contentez-vous de modifier ces droits d'accès. Si vous ne voulez plus utiliser un compte, supprimez tous les droits d'accès attachés à ce compte. Pour cela, vous pouvez écrire :

```
REVOKE ALL ON *.* FROM compte@nom_d'hôte
```

Si vous voulez quand même supprimer un compte, vous devez naturellement avoir vous-même les droits d'accès nécessaires sur la base `mysql`. C'est alors la requête `DELETE` que vous devrez lancer. Reportez-vous plus haut à la section "La base de données de sécurité de MySQL". Attention, cette requête ne doit être utilisée qu'avec prudence. Un mauvais emploi, et vous risquez de supprimer le mauvais compte, voire même tous les comptes ! La commande `DELETE` est aussi présentée à la fin du Chapitre 4.

Sauvegarde de vos données

Pour des raisons de sécurité évidentes, vous devez posséder au moins une copie de sauvegarde de vos données. Les désastres sont rares mais pas inexistants. L'ordinateur sur lequel se trouve votre base de données peut tomber en panne et perdre vos données, les fichiers peuvent s'abîmer, l'immeuble prendre feu, etc. Une bonne copie de sauvegarde vous prémunira contre ces désastres.

Pour plus de sécurité, conservez cette sauvegarde en un lieu autre que celui où est installée votre base de données. Si vous êtes un peu parano, n'hésitez pas à faire deux, voire trois copies.

- Placez une copie à un endroit où vous pourrez facilement mettre la main dessus, éventuellement sur le site même de votre base de données, afin de minimiser le temps de restauration.
- Placez la deuxième copie sur un autre ordinateur, de façon à ne pas mettre tous vos œufs dans le même panier.
- Enfin, pour éliminer tout risque lié à des phénomènes tels que tremblements de terre, incendies, inondations, cyclones (heureusement très rares en France), placez la troisième copie en un endroit éloigné de celui où réside votre base de données.

Si votre base de données est située chez un hébergeur, celui-ci pourra généralement prendre en charge (éventuellement moyennant un surcoût) la réalisation de copies de sauvegarde périodiques. Chez un fournisseur d'accès, n'y comptez pas. Sur le site informatique de votre entreprise, cela devrait pouvoir se négocier facilement avec le département informatique. Enfin, sur votre serveur personnel, vous êtes libre d'adopter la tactique qui vous semblera la meilleure.

Dans ce cas, je vous signale l'existence d'un utilitaire, `mysqldump`, fourni en même temps que MySQL, qui peut créer un fichier texte contenant toutes les commandes MySQL nécessaires à la restauration de votre base, de toutes ses tables et de chaque ligne de donnée (grâce aux requêtes `CREATE` et `INSERT`). Vous pouvez ainsi restaurer la base de données sur le site même où elle se trouvait ou sur un autre ordinateur (pour peu que ce dernier ait une configuration MySQL compatible avec celle de l'ancien site).

Voici comment procéder pour effectuer une copie de sauvegarde sous Linux/UNIX/Mac :

1. **Placez-vous dans le sous-répertoire** `bin` **du répertoire dans lequel est installé MySQL.**

   Par exemple, tapez la commande :

   ```
   cd /usr/local/mysql/bin
   ```

2. **Tapez ensuite :**

   ```
   mysqldump --user=compte --password=mpasse
             nomBase > chemin_d'accès/fichier_sauvegarde
   ```

   avec :

   - compte : Nom du compte MySQL que vous utilisez pour sauvegarder votre base de données.

- `mpasse` : Mot de passe de ce compte.
- `nomBase` : Nom de la base de données que vous voulez sauvegarder.
- `chemin_d'accès/fichier_sauvegarde` : Chemin d'accès et nom du fichier destinataire de la sauvegarde qui sera produite par la sortie SQL.

Le compte que vous utilisez doit avoir le droit d'accès `SELECT`. S'il ne demande pas de mot de passe, ignorez le paramètre `--password`.

Une fois la commande tapée sur une seule ligne, appuyez sur <Entrée>. Si vous avez besoin de plusieurs lignes pour saisir la totalité de la commande, terminez chaque ligne intermédiaire par un antislash (\) suivi de <Entrée>.

Voyons comme exemple la commande permettant de faire une copie de sauvegarde du fichier `AniCata` :

```
mysqldump --user=root --password=bigsecret AniCata \
            >/usr/local/mysql/backups/AniCataCopie
```

Le compte Linux/UNIX sous lequel vous êtes logé doit disposer de la permission d'écrire un fichier dans le répertoire de sauvegarde.

Voici comment procéder pour effectuer une copie de sauvegarde sous Windows :

1. **Ouvrez une fenêtre MS-DOS (ou d'invite de commandes).**

   Sous Windows 98, par exemple, cliquez sur Démarrer/Exécuter puis, dans la boîte de saisie qui vous est proposée, tapez la commande :

   ```
   dosprmpt
   ```

   Terminez en cliquant sur le bouton OK. Sous Windows XP/2000, il vous suffit d'ouvrir cette fenêtre à partir du groupe de programmes Accessoires.

2. **Dans la fenêtre MS-DOS, placez-vous dans le répertoire où est installé MySQL.**

   Par exemple, tapez la commande :

   ```
   CD C:\MYSQL\BIN
   ```

3. **Tapez ensuite :**

```
mysqldump --user=compte --password=mpasse
        nomBase > chemin_d'accès/fichier_sauvegarde
```

avec :

- `compte` : Nom du compte MySQL que vous utilisez pour sauvegarder votre base de données.
- `mpasse` : Mot de passe de ce compte.
- `nomBase` : Nom de la base de données que vous voulez sauvegarder.
- `chemin_d'accès/fichier_sauvegarde` : Chemin d'accès et nom du fichier destinataire de la sauvegarde qui sera produite par la sortie SQL.

Le compte que vous utilisez doit avoir le droit d'accès `SELECT`. S'il ne demande pas de mot de passe, ignorez le paramètre -`password`.

Une fois tapée la commande (obligatoirement sur une seule ligne), appuyez sur <Entrée>.

Voyons comme exemple la commande permettant de faire une copie de sauvegarde du fichier `AniCata` :

```
mysqldump --user=root AniCata>/AniCataCopie
```

Pour bien faire, il est nécessaire d'effectuer périodiquement des copies de sauvegarde : au moins une fois par jour si votre site Web est fréquemment consulté ; plus souvent, s'il l'est davantage.

A la limite, faites une copie toutes les heures et une copie sur un autre ordinateur une fois par jour.

Restauration de vos données

Si, à un moment quelconque et pour un motif imprévisible (problème lié au matériel, arrêt inopiné de l'ordinateur), les données d'une de vos bases de données sont endommagées, vous recevez un message de ce genre :

```
Incorrect key file for table: "XXXXX'
```

Dans certains cas, il est possible de réparer ce dommage au moyen d'un utilitaire fourni en même temps que MySQL. Si cela ne suffit pas, rien n'est perdu : vous pouvez toujours remplacer les tables endommagées par une copie de sauvegarde récente. La situation est différente si c'est toute la base qui est perdue (suite à une panne grave du disque dur, à l'effondrement du bureau sur lequel se trouvait l'ordinateur, ou encore à un lâche attentat). Vous devrez alors remplacer la machine avant de restaurer votre base à partir d'une sauvegarde.

Réparation de tables

Souvent, les dommages causés à une table peuvent être réparés. Toutefois, sachez que, en dehors de l'utilisation d'un serveur personnel, vous devrez faire appel aux bons offices de votre hébergeur ou de votre fournisseur d'accès, selon l'endroit où est installée votre base de données. Lorsque vous êtes le propre administrateur de MySQL, vous pouvez tenter la réparation vous-même. Voici comment procéder :

Sous Linux/UNIX

1. **Placez-vous dans le sous-répertoire** `bin` **du répertoire où est installé MySQL en tapant par exemple :**

   ```
   cd /usr/local/mysql/bin
   ```

2. **Arrêtez le serveur MySQL en entrant cette requête :**

   ```
   mysqladmin -u compte -p shutdown
   ```

   où *compte* est le nom d'un compte ayant le droit d'accès `SHUTDOWN` nécessaire pour arrêter le serveur. Si ce compte n'est pas protégé par un mot de passe, ne tapez pas `-p`. Lorsque vous mentionnez ce paramètre, votre mot de passe vous est demandé.

3. **Tapez maintenant :**

   ```
   myisamchk -r chemin_d'accès/nomBase/nomTable.MYI
   ```

   Spécifiez bien le chemin d'accès complet à votre répertoire de données, le nom de la base et celui de la table suivi du suffixe `MYI`. Pour restaurer toutes les tables, remplacez *nomTable* (nom de la table à restaurer) par un astérisque (*). Par exemple, pour réparer toutes les tables de la base `AniCata`, tapez la commande :

```
myisamchk -r ../data/AniCata/*.MYI
```

L'option `-r` lance la récupération. La liste des tables de la base qui vont être vérifiées s'affiche à l'écran.

4. **Relancez le serveur MySQL en tapant la commande :**

```
mysqladmin -u compte -p start
```

Sous Windows

1. **Ouvrez une fenêtre d'invite de commandes (ou MS-DOS).**
2. **Dans cette fenêtre, placez-vous dans le dossier où est installé MySQL.**

   Par exemple, tapez la commande :

```
CD C:\MYSQL\BIN
```

3. **Arrêtez le serveur MySQL en tapant cette requête :**

```
mysqladmin -u compte -p shutdown
```

   où *compte* est le nom d'un compte ayant le droit d'accès `SHUTDOWN` nécessaire pour arrêter le serveur. Si ce compte n'est pas protégé par un mot de passe, ne tapez pas `-p`. Lorsque vous mentionnez ce paramètre, votre mot de passe vous est demandé.

4. **Tapez maintenant :**

```
myisamchk -r chemin_d'accès/nomBase/nomTable.MYI
```

   Spécifiez bien le chemin d'accès complet à votre répertoire de données, le nom de la base et celui de la table suivi du suffixe `MYI`. Pour restaurer toutes les tables, remplacez *nomTable* (nom de la table à restaurer) par un astérisque (*). Par exemple, pour réparer toutes les tables de la base `AniCata`, tapez la commande :

```
myisamchk -r ../data/AniCata/*.MYI
```

   La liste des tables de la base qui vont être vérifiées s'affiche à l'écran.

5. **Relancez le serveur MySQL en tapant la commande :**

```
mysqladmin -u compte -p start
```

Si cette réparation se révèle inefficace, essayez le paramètre -o au lieu de -r. C'est plus lent mais susceptible de résoudre des difficultés dont -r ne sait pas venir à bout.

Restauration de tables

Si la réparation détaillée à la section précédente ne donne pas les résultats escomptés, il vous reste la solution de la restauration complète à partir de votre copie de sauvegarde. Bien évidemment, les modifications intervenues entre le moment où cette sauvegarde a été effectuée et l'instant où est survenu l'incident seront perdues et vous devrez —si possible —les recréer manuellement.

Comme toujours, en dehors de l'utilisation d'un serveur personnel, vous devrez faire appel aux bons offices de votre hébergeur ou de votre fournisseur d'accès, selon l'endroit où est installée votre base de données. Lorsque vous êtes le propre administrateur de MySQL, vous pouvez procéder à la restauration vous-même. Ainsi que nous l'avons vu à propos de l'utilitaire `mysqldump`, la copie de sauvegarde est un fichier texte qui se compose de requêtes `CREATE` et `INSERT` recréant la base à partir de zéro.

Il n'existe malheureusement pas de logiciel livré avec MySQL qui soit le pendant de `mysqldump`, et qui puisse donc recréer une base de données à partir de sa copie de sauvegarde. Aussi allez-vous devoir vous armer de patience et suivre la fastidieuse procédure décrite ci-après.

1. **Si la table existe encore, supprimez-la en lançant la requête MySQL :**

   ```
   DROP TABLE nomTable
   ```

   où *nomTable* est le nom de la table à supprimer.

2. **Chargez le document HTML `mysql_envoi.php` que nous avons créé au Chapitre 4 dans votre navigateur.**

3. **D'un autre côté, ouvrez la copie de sauvegarde dans un éditeur de texte.**

4. **Copiez la commande `CREATE` de la table à partir du fichier de sauvegarde dans la grande boîte de saisie affichée dans le navigateur.**

Par exemple, par Edition/Copie de l'éditeur de texte puis (sous Windows : <Ctrl>+<V>) dans le navigateur.

5. **Tapez dans la petite boîte de saisie le nom de la base de données que vous allez créer pour placer la restauration de la base de données.**

6. **Cliquez sur le bouton** `Envoyez la requête`.

   Une nouvelle page s'affiche dans le navigateur montrant le résultat de la requête et proposant deux boutons.

7. **Cliquez sur** `Nouvelle requête`.

8. **Copiez une requête** `INSERT` **(pour recréer une table) depuis l'éditeur de texte vers la grande boîte de saisie du navigateur.**

   Par exemple, par Edition/Copie de l'éditeur de texte puis (sous Windows : <Ctrl>+<V>) dans le navigateur.

9. **Tapez dans la petite boîte de saisie le nom de la base de données que vous allez créer pour restaurer votre table.**

10. **Cliquez sur le bouton** `Envoyez la requête`.

    Une nouvelle page s'affiche dans le navigateur montrant le résultat de la requête et proposant deux boutons.

11. **Cliquez sur** `Nouvelle requête`.

12. **Répétez les étapes 8 à 11 jusqu'à ce que toutes les requêtes** `INSERT` **aient été envoyées.**

S'il y a vraiment trop de requêtes `INSERT` et `CREATE` pour que cette procédure soit réellement applicable, vous pouvez envoyer toutes les requêtes d'un seul coup en suivant les étapes ci-après :

1. **Si la ou les tables présentes dans le fichier de sauvegarde existent encore, supprimez-les en lançant autant de requêtes MySQL du type suivant qu'il y a de tables à supprimer :**

   ```
   DROP TABLE nomTable
   ```

   nomTable est le nom de chacune des tables à supprimer.

2. **Placez-vous dans le sous-répertoire** `bin` **du répertoire où est installé MySQL.**

   Sous Linux/UNIX, tapez :

   ```
   cd /usr/local/mysql/bin
   ```

Sous Windows, ouvrez une fenêtre d'invite de commandes. Placez-vous dans le répertoire où est installé MySQL. Pour cela, tapez la commande :

```
CD C:\MYSQL\BIN
```

3. **Tapez la commande suivante qui va transférer le contenu du fichier de sauvegarde dans la base de données maintenant vide :**

   Sous Linux/UNIX/Mac, ce sera :

```
mysql -u compte -p nomBase < chemin_d'accès/nomSauve
```

   où `compte` est le nom du compte MySQL, `nomBase` celui de la base à restaurer, et `chemin_d'accès/nomSauve` le nom du fichier de sauvegarde précédé de son chemin d'accès complet. L'option `-p` est facultative. Si elle figure, le mot de passe associé au compte vous sera demandé. Par exemple, pour restaurer la base `AniCata`, la commande devrait se présenter ainsi :

```
mysql -u root -p  AniCata < /usr/backupfiles/AniCata.bak
```

   L'équivalent sous Windows sera :

```
mysql -u compte -p nomBase < chemin_d'accès\nomSauve
```

   où `compte` est le nom du compte MySQL, `nomBase` celui de la base à restaurer, et `chemin_d'accès\nomSauve` le nom du fichier de sauvegarde précédé de son chemin d'accès. L'option `-p` est facultative. Si elle figure, le mot de passe associé au compte vous sera demandé. Par exemple, pour restaurer la base `AniCata`, la commande devrait se présenter ainsi :

```
mysql -u root -p  AniCata < c:\mysql\back\AniCata.bak
```

Attention au sens du caractère de redirection ! Pour une *sauvegarde* avec `mysqldump`, c'est ">" ; alors qu'ici, pour une *restauration*, c'est le sens contraire : "<".

La restauration des tables peut demander un certain temps. En cas de problème, un message d'erreur sera affiché. En revanche, si tout se passe bien, aucun message ne vous en avisera. En fin de commande, l'invite réapparaît.

Pour effectuer une restauration partielle et non une restauration de toutes les tables sauvegardées, éditez le fichier texte de restauration en ne conservant que les commandes concernant la création (CREATE et INSERT) des tables à restaurer. Sauvegardez-le sous un nouveau nom. Après quoi, vous n'avez plus qu'à suivre les étapes 1 à 3 ci-dessus. Au cours de l'étape 3, tapez le chemin d'accès et le nom du fichier contenant le sous-ensemble de commandes que vous venez de sauvegarder.

Si la base de données à restaurer a disparu, il est nécessaire de la recréer avant de la restaurer. Pour cela, procédez ainsi :

1. **Chargez le fichier de sauvegarde dans un éditeur de texte.**
2. **Ajoutez les deux lignes suivantes en tête du fichier :**

   ```
   CREATE DATABASE nomBase;
   USE nomBase;
   ```

   Pour le fichier AniCata, par exemple, cela donnerait :

   ```
   CREATE DATABASE AniCata;
   USE AniCata;
   ```

   N'oubliez pas les points-virgules (;) en fin de ligne.

3. **Exécutez maintenant les étapes 2 et 3 de la procédure exposée ci-dessus.**

Bien entendu, toutes les modifications qui ont pu être opérées depuis la dernière sauvegarde seront perdues ! Vous devrez donc éventuellement, et si cela est possible, terminer le travail de récupération manuellement.

Troisième partie

PHP

"Votre base de données est en cours de réparation. Cependant, avant que je vous fasse quelques recommandations concernant les sauvegardes, permettez-moi de vous poser une question. Combien de fiches cartonnées pensez-vous pouvoir ranger dans votre salle machine ?"

Dans cette partie...

Dans cette partie, vous allez apprendre comment utiliser PHP pour réaliser votre application de base de données sur le Web. Voici quelques-uns des sujets qui seront abordés :

- Comment incorporer du PHP dans un document HTML.
- Quelles sont les fonctionnalités de PHP qui peuvent servir à construire une application de base de données sur le Web ?
- Comment tirer le meilleur parti des spécificités de PHP.
- Comment utiliser des formulaires pour collecter des informations provenant des utilisateurs.
- Comment afficher des informations provenant de bases de données dans une page Web.
- Comment enregistrer des informations dans une base de données.
- Comment passer des informations d'une page Web à une autre.

Vous allez trouver ici tout ce que vous devez savoir pour écrire les programmes PHP dont vous avez besoin.

Chapitre 6

A la découverte de PHP

Dans ce chapitre :

- Comment ajouter des sections écrites en PHP dans un document HTML.
- Ecriture des instructions PHP.
- Utiliser des variables PHP.
- Comparaison de valeurs contenues dans des variables PHP.
- Mettez des commentaires dans vos programmes.

Dans ce chapitre, nous verrons les règles générales qui s'appli quent à la rédaction des instructions PHP. Comme pour l'écriture des phrases du langage, il existe des règles de grammaire et de ponctuation pour les instructions. Dans les chapitres suivants, je vous parlerai des instructions PHP proprement dites et vous montrerai comment les utiliser pour accomplir des tâches spécifiques.

Comment ajouter des sections écrites en PHP dans un document HTML

PHP est un partenaire de HTML (*Hypertext Markup Language*) dont il accroît les possibilités. Il permet à une page Web de faire plus de choses qu'avec le seul recours à HTML. Par exemple, les programmes HTML sont capables d'afficher des pages Web formatées. Ces pages peuvent contenir des images, et même jouer de la musique. Mais ils ne vous servent à rien pour interagir avec les personnes qui visualisent ces pages.

L'interactivité de HTML est donc faible. Les formulaires permettent bien aux utilisateurs de taper des informations qui seront collectées par la page Web. Cependant, vous ne pouvez pas accéder à ces informations sans recourir à un autre langage que HTML. De son côté, PHP est capable de traiter les informations contenues dans un formulaire sans avoir besoin du secours d'un autre programme.

Certaines balises HTML servent à séparer ce qui est PHP de ce qui est HTML. Le fichier qui contient l'ensemble possède une extension spécifique, généralement `.php` (du moins, normalement). Les instructions PHP sont encadrées par deux balises particulières : `<?php` (balise initiale) et ?> (balise terminale).

Il existe plusieurs variantes de ces balises, certaines plus longues, d'autres plus courtes. Parmi ces dernières, citons `<?` et ?>. Pour qu'elles soient reconnues, l'option `SHORT_TAGS` doit être active.

C'est l'interpréteur PHP qui va traiter tout ce qui se trouve entre ces deux balises, puis la section PHP disparaît, remplacée par le résultat de ce traitement. Lorsque ce traitement produit des sorties destinées à être affichées, ce sont elles qui remplacent le code PHP initial. De la sorte, le navigateur ne voit jamais la section PHP, mais seulement le résultat obtenu par son traitement.

A titre d'exemple, considérons le petit document HTML du Listing 6.1 qui, traditionnellement, affiche "Hello World!" sur l'écran du navigateur.

Listing 6.1 : Document HTML affichant *Hello World!*.

```
<html>
<head>
<title>Affichons Hello World</title>
</head>
<body>
<p>Hello World!
</body>
</html>
```

Si vous chargez ce document HTML dans votre navigateur, vous affichez dans sa fenêtre les deux mots :

```
Hello World!
```

Le Listing 6.2 vous présente un programme PHP qui fait exactement la même chose.

Listing 6.2 : Document HTML affichant *Hello World!* avec l'aide de PHP.

```
<html>
<head>
<title>Affichons Hello World</title>
</head>
<body>
<?php>
  echo "<p>Hello World!";
?>
</body>
</html>
```

Ne chargez pas directement ce fichier dans votre navigateur à l'aide de la commande Ouvrir du menu Fichier. Vous devez entrer son nom et son emplacement exacts dans la barre d'adresses, comme dans `http://localhost/hello.php`. Si la fenêtre affiche du code PHP, vous avez choisi la mauvaise méthode !

La section PHP de ce document HTML est constituée par :

```
<?php>
  echo "<p>Hello World!"
?>
```

Les balises PHP encadrent une seule instruction PHP : `echo`. Celle-ci demande à PHP d'afficher ce qui suit le mot "echo" dans la fenêtre du navigateur. Ici, il s'agit de ce qui se trouve entre les guillemets.

Il n'existe aucune règle vous obligeant à écrire les balises PHP sur une ligne séparée. Vous pouvez fort bien réécrire les trois lignes ci-dessus de la façon suivante :

```
<?php>  echo "<p>Hello World!"?>
```

L'interpréteur PHP remplace l'instruction `echo` par le texte placé entre guillemets et renvoie ce texte (privé de ses guillemets) au serveur Web, lequel, à son tour, l'envoie au navigateur. Pour vous en convaincre, regardez le code du document HTML renvoyé au navigateur en cliquant sur la commande Source dans le menu Affichage.

Ecriture des instructions PHP

Dans un fichier HTML, une section PHP contient une série d'instructions écrites dans le langage de PHP. A chaque instruction correspond une certaine action. C'est ce que nous venons de voir sur un exemple très simple.

Toute instruction PHP doit être terminée par un point-virgule (;). En dehors des chaînes de caractères (placées entre guillemets ou entre apostrophes, comme nous le verrons un peu plus loin), PHP ignore tout ce qui est "espace blanc", c'est-à-dire les espaces vrais, les tabulations, les alinéas et les retours chariot. Il continue à lire ce qui lui est envoyé jusqu'à ce qu'il rencontre un point-virgule ou la balise PHP terminale. L'oubli du point-virgule à la fin d'une instruction est une erreur très fréquente chez les débutants. Il en résulte un message du genre de celui-ci :

```
Parse error: parse error in c:\program files\easyphp\www\hello.php
on line 7
```

Remarquez le numéro de ligne indiqué dans le message pour vous aider à localiser l'erreur. En général, il désigne la ligne qui suit l'instruction à laquelle manque son point-virgule final.

Des instructions peuvent être regroupées pour former un *bloc*. Elles sont alors placées entre une paire d'accolades (`{ }`). Un bloc d'instructions est une sorte de "superinstruction" qu'on doit considérer comme un tout. L'un des usages fréquents d'un bloc est le *bloc conditionnel* dont les instructions ne sont exécutées que si une certaine condition est satisfaite. En voici un exemple symbolique :

```
si (le ciel est bleu)
{ passez la laisse au dragon;
  emmenez le dragon en promenade dans le parc;
}
```

Si "le ciel est bleu", la condition est vérifiée et le bloc qui suit est alors exécuté. Ce bloc comprend les deux "instructions" : "passez sa laisse au dragon;" et "emmenez le dragon en promenade dans le parc;" qui sont toutes deux exécutées, l'une après l'autre. Si le ciel était gris, la condition ne serait pas vérifiée et le dragon resterait dans sa niche.

Les instructions PHP qui font appel à des blocs sont dites *complexes* (nous en verrons d'autres dans le Chapitre 7). PHP lit le bloc en entier, sans s'arrêter au premier point-virgule qu'il rencontre. Il sait reconnaître la présence d'un bloc (ou de plusieurs blocs imbriqués), et il recherche donc l'accolade terminale. Remarquez aussi la présence d'un point-virgule juste avant cette accolade. Elle est indispensable. Par contre, le symbole de fin de bloc n'a pas à être suivi de ce caractère.

Il n'est pas impossible d'écrire la totalité d'une section PHP sous la forme d'une seule longue ligne dans laquelle chaque instruction est séparée de la suivante par un point-virgule. Mais il faut être réaliste : un tel programme serait quasiment impossible à relire. C'est la raison pour laquelle on prend en général la sage habitude de n'écrire qu'une instruction par ligne. Toutefois, des "dérogations peuvent être accordées" lorsqu'il s'agit de très courtes instructions.

Messages d'erreur et avertissements

Afin de vous faciliter la mise au point des programmes, PHP distingue plusieurs classes d'erreurs qu'on peut diviser en deux grands groupes : les messages d'erreur (*error messages*) et les avertissements (*warnings* et *notices*).

- Messages d'erreur. Ce message annonce la découverte d'une erreur suffisamment grave pour empêcher l'exécution du programme. Il contient des éléments permettant de localiser la source de l'erreur. L'un des messages les plus fréquents est le suivant :

  ```
  Parse error: parse error in c:\program files\easyphp\www\hello.php
  on line 7
  ```

  Vous verrez généralement s'afficher ce message chaque fois que vous aurez oublié un point-virgule, une parenthèse, une accolade ou un guillemet.

- Avertissement. C'est un message qui est affiché lorsque l'interpréteur PHP détecte une erreur "bénigne" qui ne risque pas, en principe, d'empêcher l'exécution du programme. Il signifie qu'il y a quelque chose d'anormal dans l'écriture d'une instruction, et que vous devriez y regarder de plus près pour vous assurer qu'il s'agit là de bien ce que vous vouliez écrire.

- Remarque. C'est un avertissement bénin, qui ne bloque pas le script, et qui indique que PHP est incapable de savoir si l'instruction est ou non correcte. Cela signifie simplement que vous avez dû faire quelque chose d'inhabituel et que vous devriez vérifier.

  C'est ce qui se passe, par exemple, lorsque vous tentez d'afficher le contenu d'une variable qui n'existe pas. Vous verrez alors s'afficher le message reproduit sur la Figure 6.1.

Quel que soit le type de l'erreur, le message contient toujours le nom du fichier et le numéro de la ligne qui a provoqué l'erreur.

Il existe plusieurs niveaux de gravité dans les erreurs. On peut spécifier à l'interpréteur qu'il ne doit afficher que les messages dont la gravité se situe à partir d'un certain niveau (par exemple, les remarques sont utiles en phase de développement, mais elles peuvent devenir gênantes lorsque le site est mis en ligne).

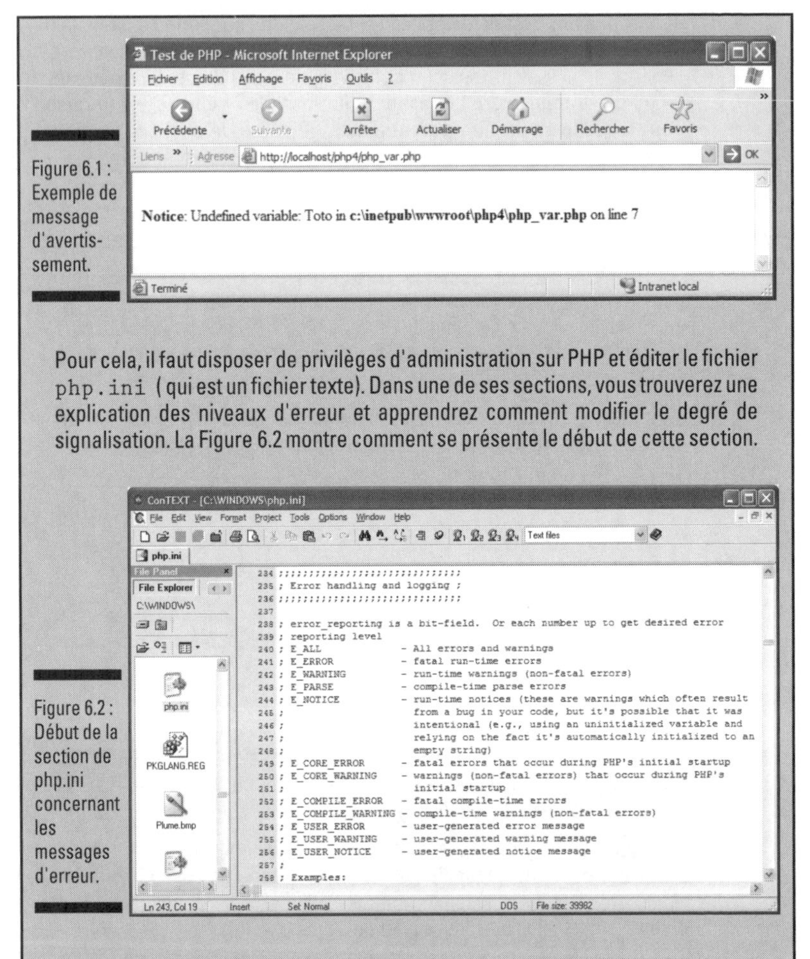

Figure 6.1 : Exemple de message d'avertissement.

Pour cela, il faut disposer de privilèges d'administration sur PHP et éditer le fichier `php.ini` (qui est un fichier texte). Dans une de ses sections, vous trouverez une explication des niveaux d'erreur et apprendrez comment modifier le degré de signalisation. La Figure 6.2 montre comment se présente le début de cette section.

Figure 6.2 : Début de la section de php.ini concernant les messages d'erreur.

Effectuez la modification que vous souhaitez et sauvegardez le fichier. En général, il faudra relancer le serveur Web pour que cette modification soit prise en compte. Autrement dit, il n'y a que dans le cas d'un serveur personnel que vous pourrez effectuer cette modification.

Si vous n'êtes pas administrateur PHP pour votre système et que vous n'avez pas accès à `php.ini`, vous pouvez ajouter une instruction particulière afin de définir le niveau des rapports d'erreur dans le programme où elle est insérée. Placez simplement la ligne suivante au début de votre fichier :

```
error_reporting(options)
```

options désigne un code définissant le niveau de signalisation des erreurs. Les valeurs possibles sont celles qui apparaissent sur la Figure 6.2. Pour voir toutes les erreurs, utilisez le format ci-dessous :

```
error_reporting(E_ALL);
```

Pour afficher toutes les erreurs, sauf les remarques, la ligne deviendra :

```
error_reporting(E_ALL & -E_NOTICE);
```

Les variables PHP

Une variable est un conteneur utilisé pour renfermer une certaine information, pas nécessairement numérique. Elle a un nom. Par exemple, la variable `$age` peut contenir le nombre `12`. Une fois placée à l'intérieur d'une variable, une information peut être utilisée dans tout le programme. L'une des utilisations les plus fréquentes d'une variable est de recevoir les informations saisies par l'utilisateur.

Ecriture des noms de variables

Pour donner un nom à une variable, vous devez respecter les règles suivantes :

- Toutes les variables doivent avoir un caractère dollar ($) comme initiale.
- Un nom de variable peut comporter n'importe quel nombre de caractères.
- Un nom de variable peut comporter des lettres, des chiffres ou des traits de soulignement (_).
- A la suite du $ initial, on ne peut trouver qu'une lettre ou un soulignement. Jamais un chiffre.
- Dans un nom de variable, PHP tient compte de la casse. `$Toto` et `$toto` représentent deux variables distinctes.

Pour appeler une variable, essayez de trouver un nom évocateur qui vous donne des indications sur ce qu'elle contient. A ce titre, évitez des noms comme `$var1`, `$var2`, `$A`, `$b`. La relecture et la maintenance de vos programmes en seront grandement facilitées. Préférez donc des noms comme `$age`, `$prix`, `$totalHT`...

Affectation d'une valeur à une variable

Une variable peut contenir un nombre ou une chaîne de caractères. On range de l'information dans une variable au moyen de l'*opérateur d'affectation* : le signe égal (=). En voici quelques exemples :

```
$age = 12;
$prix = 2.55;
$nombre=-2;
$nom ="Goliath Smith"
```

Remarquez que les chaînes sont écrites entre guillemets. Pas les nombres. Nous y reviendrons dans la suite de ce chapitre.

Ces variables peuvent figurer dans le corps d'une instruction `echo` si on veut en afficher le contenu. Ainsi, l'instruction suivante :

```
echo $age;
```

affiche le nombre 12. Si vous la placez dans un document HTML en écrivant :

```
<p>Vous avez <?php echo $age ?> ans.
```

vous affichez :

```
Vous avez 12 ans.
```

Lorsque vous placez de l'information dans une variable qui n'existait pas encore, cette variable est créée. Considérons l'instruction suivante :

```
$nom = "Dupont";
```

Si c'est la première fois que la variable `$nom` apparaît dans le programme, l'exécution de cette instruction va créer cette variable et lui affecter la chaîne de caractères "Dupont". Si, précédemment, il existait une instruction :

```
$nom = "Marie";
```

l'ancienne valeur, "Marie", de la variable va être écrasée par la nouvelle valeur, "Dupont".

Vous pouvez supprimer le contenu dans une variable en le remplaçant par une autre valeur, éventuellement d'un autre type, car PHP n'est pas sectaire. Si, par exemple, vous écrivez :

```
$age = "";
```

vous ne faites qu'affecter à la variable `$age` une chaîne de caractères vide. Ce n'est pas l'équivalent de zéro (qui est une valeur). Cela signifie simplement que `$age` ne contient plus rien du tout.

Pour vous débarrasser définitivement d'une variable, il faut utiliser une fonction spécialisée de PHP et écrire, par exemple :

```
unset($age);
```

Une fois cette instruction exécutée, la variable `$age` n'existe plus.

Une variable conserve sa valeur pour tout un programme et pas seulement pour l'une des sections PHP d'un document HTML. Si, au début d'un fichier, une variable prend la valeur "oui", à la fin du fichier, elle aura toujours cette valeur. Supposons que, dans un document HTML, vous ayez les instructions suivantes :

```
<p>Hello World!
<?php
    $age = 15;
    $nom = "Jules";
?>
<br>Encore une fois : Hello World!<br>
<?php
    echo $nom;
?>
```

Voici ce qui va être affiché :

```
Hello World!
Encore une fois : Hello World!
Jules
```

Comment maîtriser les avertissements

Si vous tentez d'exécuter une instruction dans laquelle figure une variable qui n'existe pas, vous obtiendrez ou non un avertissement selon le niveau de signalisation des erreurs fixé dans `php.ini`, ce qui n'empêchera pas votre programme de tourner (voir plus haut l'encadré "Messages d'erreur et avertissements").

Si, par exemple, vous écrivez :

```
unset($age);
echo $age;
$age2 = $age;
```

les deux messages d'avertissement reproduits sur la Figure 6.3 s'affichent.

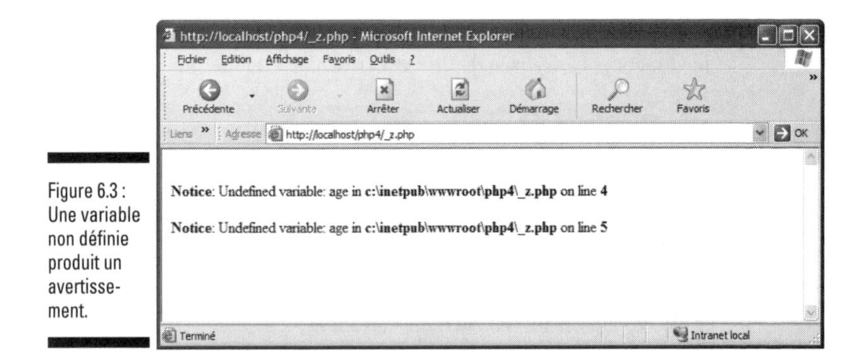

Figure 6.3 : Une variable non définie produit un avertissement.

Supposons maintenant que vous vouliez malgré tout continuer à utiliser ces instructions parce que le programme fait exactement ce que vous souhaitez. Il existe un moyen de vous débarrasser de ces ennuyeux affichages : préfixer le nom de la variable fautive par un arobase (@), ce qui donne :

```
unset($age);
echo @$age;
$age2 = @$age;
```

Si vous avez les droits d'accès d'administrateur PHP, vous pouvez modifier le niveau de signalisation des erreurs dans `php.ini` de la façon indiquée dans l'encadré "Messages d'erreur et avertissements", plus haut dans ce chapitre.

Les constantes PHP

Une *constante* est assez semblable à une variable. Elle possède un nom, mais se contente d'avoir une valeur fixée. Mais il est évident que cette valeur ne peut être modifiée : la valeur d'une constante est...

constante ! Une fois définie, elle ne peut donc plus être modifiée par le programme. Vous n'avez jamais rêvé d'avoir 20 ans toute votre vie ?

Pour définir une constante, on utilise l'instruction `define` sous la forme suivante :

```
define ("nom", "valeur");
```

Pour prendre un exemple simple, on pourrait écrire :

```
define ("MARIGNAN", "1515");
```

Mais si vous souhaitez effectuer des calculs de dates, la variante suivante est parfaitement licite :

```
define ("MARIGNAN", 1515);
```

Si, maintenant, on entre :

```
echo MARIGNAN;
```

on affichera bien 1515.

Pour afficher le contenu d'une constante, ne la placer pas entre des guillemets. Sinon, vous ne verrez que son *nom* (MARIGNAN) et pas sa *valeur* (1515).

L'usage veut qu'on écrive les noms de constantes en lettres capitales (ce qui permet de les identifier plus facilement dans le programme), mais ce n'est pas une obligation.

Une constante peut prendre n'importe quel nom, comme une variable, à cet important détail près que ce nom **ne doit pas** commencer par un caractère dollar ($).

Les nombres

Avec PHP, vous pouvez *aussi* faire des calculs, grâce aux opérateurs arithmétiques usuels auxquels vient se joindre un petit nouveau : l'opérateur *modulo* qui se note %. Les opérations arithmétiques associent deux valeurs numériques au moyen d'un opérateur, comme dans :

```
1 + 2
```

Ces opérations peuvent être réalisées à partir de variables contenant des valeurs numériques. Par exemple :

```
$n1 = 1;
$n2 = 2;
$somme = $n1 + $n2;
```

Le Tableau 6.1 vous présente les cinq opérateurs reconnus par PHP.

Tableau 6.1 : Les cinq opérateurs arithmétiques reconnus par PHP.

Opérateur	Description
+	Addition
-	Soustraction
*	Multiplication
*	Division
%	Modulo : reste de la division entière du premier terme par le second. 13 % 5 a pour valeur 3.

Vous pouvez enchaîner plusieurs opérations arithmétiques. Ainsi, l'instruction suivante effectue trois opérations :

```
$resultat = 1 + 2 * 4 + 3;
```

Les opérations s'effectuent dans un ordre précis qui dépend de leur ordre d'écriture (par défaut : de gauche à droite) et de leurs priorités respectives. Multiplication et division ont la même priorité et celle-ci est supérieure à celle de l'addition et de la soustraction, toutes deux de même priorité. Dans notre exemple, voici comment vont être exécutées les opérations :

```
2 * 4                           multiplication (8)
1 + résultat partiel précédent  addition        (9)
3 + résultat partiel précédent  addition       (12)
```

A la fin de ces opérations, `$resultat` contient donc la valeur 12.

Vous pouvez modifier l'ordre d'exécution des opérations au moyen de parenthèses. Les opérations placées entre parenthèses ont une plus forte priorité que celles qui sont à l'extérieur. Transformons notre précédente instruction en :

```
$resultat = (1 + 2) * 4 + 3;
```

Les opérations vont maintenant s'effectuer dans cet ordre :

```
1 + 2                           addition       (3)
4 * résultat partiel précédent  multiplication (12)
3 + résultat partiel précédent  addition       (15)
```

En cas de doute, n'hésitez pas ! Mettez des parenthèses : abondance de bien ne nuit pas ! (Mais ça peut alourdir la relecture du programme.)

Lorsque vous manipulez des valeurs réelles, des prix, par exemple, les nombres ont une partie entière et une partie fractionnaire. Pour que l'utilisateur puisse plus facilement comprendre ce que représente un prix, il faut l'afficher avec deux décimales. Sans précaution spéciale, vous risqueriez d'en afficher beaucoup trop. Ce serait le cas, par exemple, si ce prix résultait d'un calcul. D'un autre côté, si le prix était un nombre dépourvu de partie fractionnaire, il serait affiché sous forme d'un entier. Pour unifier ces affichages, on peut utiliser la *fonction* `sprintf()` qui transforme un nombre en une chaîne de caractères toute prête pour l'affichage. En voici un exemple :

```
$prixHT = 27;
$prixTTC = $prixHT * 1.196;
$affichage = sprintf ("%01.2f", $prixTTC);
echo "$affichage<br>";
```

Vous verrez alors s'afficher :

```
32.39
```

Vous pouvez aussi séparer les grands nombres en tranches de trois chiffres, Pour cela, les Anglo-Saxons utilisent le point (.) et nous l'espace. La fonction qui fait ce travail s'appelle `number_format()` et demande quatre arguments. En voici un exemple d'application :

```
$prix = 7123450.67891;
$affichage = number_format($prix, 2, ",", " ");
echo "$affichage<p>";
```

1. **Le premier argument représente le nombre à traiter.**

2. **Le deuxième argument indique le nombre de chiffres à conserver pour la partie fractionnaire. Un arrondi est effectué sur la première décimale perdue.**

3. **Le troisième argument représente le séparateur à insérer entre la partie entière et la partie fractionnaire.**
4. **Le quatrième argument représente le séparateur à insérer entre chaque tranche de trois chiffres de la partie entière.**

Dans l'exemple précédent, on affichera :

```
7 123 450,68
```

Les chaînes de caractères

Une chaîne de caractères est encadrée par deux caractères particuliers, appairés : guillemets ou apostrophes. Si l'un de ces caractères se trouve déjà dans la chaîne, on choisit l'autre comme délimiteur. Exemples :

```
"Il m'a dit qu'il m'aimait."
'"Le Misanthrope" est une pièce de Molière.'
```

Lorsque la chaîne comporte une apostrophe **et** des guillemets, on choisit l'un d'eux comme délimiteur et on *l'échappe* avec un antislash à l'intérieur de la chaîne. Exemples :

```
"Il m'a dit : \"Je t'aime.\""
'Il m\'a dit : "Je t\'aime"'
```

Une chaîne de caractères peut être affectée à une variable, tout comme un nombre. Exemple :

```
$message = "Caïn, ne dormant pas, songeait au pied des monts.";
echo "$message<br>";
```

affichera :

```
Caïn, ne dormant pas, songeait au pied des monts.
```

Guillemets et apostrophes

Bien qu'en tant que délimiteurs de chaîne de caractères guillemets et apostrophes semblent se comporter de façon identique, dans certains cas, ils sont interprétés différemment. Voici quelques cas à retenir :

- **Manipulation de variables.** Si vous placez le nom d'une variable entre guillemets, c'est sa valeur qui va être utilisée par PHP. Si vous la placez entre apostrophes, c'est son nom. Les quatre instructions suivantes :

```
$age = 12;
$result1 = "$age";
$result2 = '$age';
echo $result1;
echo "<br>";
echo $result2;
```

  vont afficher ces deux lignes :

```
12
$age
```

- **Retour à la ligne.** L'association des deux caractères `\n` est appelée *caractère d'alinéa*, parce que c'est un *caractère de contrôle* indiquant à PHP de commencer ce qui suit sur une nouvelle ligne. Si une chaîne de caractères délimitée par une paire de guillemets comporte ce doublet, PHP l'affichera sur deux lignes. Si elle est délimitée par un couple d'apostrophes, une seule ligne sera affichée, car le doublet `\n` ne sera pas interprété comme un caractère d'alinéa mais conservé tel quel. Considérez, par exemple, les deux chaînes suivantes :

```
$chaîne1 = "Chaîne entre \nguillemets";
$chaîne2 = 'Chaîne entre \napostrophes';
```

  Pour PHP, la première ligne se présentera ainsi :

```
Chaîne entre
guillemets
```

  et la seconde ainsi :

```
Chaîne entre \nguillemets
```

- **Insertion d'une tabulation.** Le caractère spécial `\t` dit à PHP d'insérer une tabulation. Quand vous utilisez des guillemets, PHP insère réellement une tabulation à cet endroit, alors qu'avec des apostrophes il considérera `\n` comme un littéral de type chaîne de caractères. Par exemple, avec les instructions suivantes :

```
$chaine1 = "Chaîne entre \tguillemets;
$chaine2 = 'Chaîne entre \tapostrophes';
```

$chaine1 est affichée sous la forme :

```
Chaine entre     guillemets
```

et ^chaine2 sous la forme :

```
Chaîne entre \tapostrophes
```

La délimitation des chaînes détermine également le traitement des variables et des caractères spéciaux, y compris si un autre jeu de délimiteurs est présent. Regardons par exemple les instructions suivantes :

```
$nombre = 10;
$chaine1 = "Il y a '$nombre ' personnes en ligne.";
$ chaine2 = 'Il  y a "$nombre " personnes  en attente.';
echo $chaîne1;
echo "<br>";
echo $chaîne2;
```

Vous allez obtenir l'affichage suivant :

```
Il y a '10' personnes en ligne.
Il y a "$nombre" personnes en attente.
```

Concaténation de chaînes de caractères

On peut former une chaîne à partir d'autres chaînes en les plaçant bout à bout, les unes à la suite des autres. Il faut spécifier ce "chaînage" au moyen de l'opérateur de concaténation qui est le point (.). Exemple :

```
$s1 = "Hello";
$s2 = "World!";
$s = $s1.$s2;
```

affichera :

```
HelloWorld!
```

Aucune des deux chaînes ne comporte d'espace, ni à son début ni à sa fin. Elles seront donc collées l'une derrière l'autre. Il est facile d'insérer un espace entre les deux mots en écrivant :

```
$s = $s1." ".$s2;
```

On réalise ainsi la concaténation de trois chaînes : deux sont représentées par une variable et celle du milieu par une constante.

Vous pouvez utiliser les caractères .= pour compléter une chaîne existante. La séquence précédente pourrait donc être remplacée par celle-ci :

```
$s1 = "Hello";
$s1 .= " World!";
echo $s1;
```

Bien d'autres manipulations de chaînes sont possibles : les partager, chercher une sous-chaîne, etc. Nous en étudierons quelques-unes au Chapitre 7.

Dates et heures

Les dates et les heures constituent un élément important dans une application de base de données sur le Web. Comme nous l'avons vu à propos de MySQL, ces entités forment une classe de variables à part. Un groupe date/heure est désigné par PHP au moyen d'un terme emprunté au vocabulaire UNIX : *timestamp*. Sous cette forme, nous ne pouvons pas l'interpréter, mais PHP sait le reconnaître et le convertir sous diverses formes, et le rendre ainsi aisément compréhensible.

Mise en forme d'une date

La fonction la plus utilisée pour mettre en forme une date est... `date()`. Elle convertit un timestamp selon les directives que vous lui communiquez. Sa forme générale est :

```
$unedate = date ("format", $timestamp);
```

`"format"` est une chaîne de caractères spécifiant quelles sont les conversions à effectuer et `$timestamp` une date sous forme de timestamp. Si ce second argument est omis, c'est la date de l'instant où cette instruction est exécutée qui sera prise par défaut (plus exactement, celle de l'horloge de l'ordinateur). Avant d'être à même de donner un exemple, nous devons voir quels sont les principaux caractères de conversion qui peuvent intervenir dans le format. Le Tableau 6.2 vous en donne un aperçu. Pour en avoir la liste complète, consultez la documentation officielle de PHP à l'URL `http://www.php.net`.

Tableau 6.2 : Symboles des formats de date.

Symbole	Signification
`a`	*am* ou *pm*
`A`	*AM* ou *PM*
`d`	Jour du mois sur deux chiffres (01 à 31)
`D`	Jour de la semaine sur trois lettres (abréviations anglaises)
`F`	Mois en toutes lettres (noms de mois anglais)
`g`	Heure au format 12 heures sans zéro en tête
`G`	Heure au format 24 heures sans zéro en tête
`h`	Heure au format 12 heures avec zéro en tête
`H`	Heure au format 24 heures avec zéro en tête
`i`	Minutes (00 à 59)
`j`	Jour du mois (1 à 31)
`m`	Numéro du mois (01 à 12)
`M`	Nom du mois sur trois lettres (noms de mois anglais)
`n`	Numéro du mois (1 à 12)
`s`	Secondes (00 à 59)
`y`	Année sur deux chiffres (70 à 99)
`Y`	Année sur quatre chiffres (1970 à 9999)
`w`	Jour de la semaine (0 à 6 en partant du dimanche)

Tous les autres caractères seront conservés tels quels, sans être interprétés. Pour que certains caractères du format spécifié ne soient pas interprétés comme un format de date, il suffit de les "échapper" avec un antislash, ce qui donnera quelque chose de cette forme :

```
$auj = date("j m Y \e\\t \i\l \e\s\\t H \h i \m\\n.");
echo "Nous sommes le $auj<br>";
```

On affichera ainsi, par exemple :

```
Nous sommes le 24 02 2004 et il est 12 h 04 mn.
```

Et pour prendre une formule beaucoup plus simple, l'instruction :

```
echo date("d/m/Y");
```

renverra la date du jour selon les spécifications françaises, par exemple :

```
24/02/2004
```

Rangement d'un timestamp dans une variable

Rien n'empêche de ranger la valeur d'un timestamp dans une variable comme le fait l'instruction suivante :

```
$aujourdhui = date();
```

Vous pouvez aussi ranger un groupe date/heure particulier sous forme de timestamp au moyen de la fonction `mktime()` :

```
$bonnedate = mktime(h, m, s, M, J, A);
```

où `d`, `m` et `s` représentent respectivement les heures, les minutes et les secondes et `J`, `M` et `A` le jour, le mois et l'année. Exemple :

```
$bonnedate = mktime(15, 45, 23, 02, 24, 2004);
```

Attention ! La date est représentée "à l'américaine", les mois précédant les jours.

Si vous voulez savoir combien de secondes se sont écoulées depuis `$bonnedate` jusqu'à aujourd'hui, écrivez :

```
$nb_secondes = $bonnedate - $aujourdhui;
```

Si vous préférez avoir cette valeur en heures et fractions d'heure, ajoutez une division par 3600 (nombre de secondes dans une heure) :

```
$nb_heures = ($bonnedate - $aujourdhui)/3600;
```

Une autre façon de spécifier un timestamp fait appel à la fonction `strtotime`. Celle-ci peut prendre comme paramètres divers mots clés et abréviations anglo-saxonnes. Pour mémoriser par exemple la date du 24 février 2004, vous pourriez par exemple écrire :

```
$DateImportante = strtotime("February 24 2004");
```

La fonction `strtotime` reconnaît les formats suivants :

- **Noms des mois :** Il peut s'agir des noms entiers ou abrégés (en anglais).
- **Jours de la semaine :** Les sept jours (toujours en anglais) et certaines abréviations.
- **Unités de temps :** Un certain nombre de termes classiques dans ce domaine : year, month, fortnight, week, date, hour, minute, second, am, pm.
- **Certains mots utiles :** ago, now, last next, this, tomorrow, yesterday.
- **Les signes plus et moins.**
- **Tous les nombres.**
- **Des fuseaux horaires.** Exemple type : gmt (Greenwich Mean Time).

Voilà de quoi réviser son anglais ! Ces mots et abréviations peuvent être combinés de différentes manières. Toutes les instructions qui suivent sont licites :

```
$DateImportante = strtotime("tomorrow");         #dans 24 heures
$DateImportante = strtotime("now + 24 hours");   #idem
$DateImportante = strtotime("last saturday");    #samedi dernier
$DateImportante = strtotime("8pm + 3 days");     #A 8h du matin
                                                 #dans 3 jours
$DateImportante = strtotime("2 weeks ago");      #il y a 2 semaines
$DateImportante = strtotime("next year gmt");    #dans 1 an exactement
$DateImportante = strtotime("this 4am");         #à 4h de l'après midi
```

Toutes ces dates peuvent ensuite être affichées ou manipulées à l'aide d'opérateurs arithmétiques.

Les dates et MySQL

Vous aurez souvent besoin de ranger une date dans votre base de données MySQL. Ce sera, par exemple, celle où un client aura passé une commande ou bien le moment où un membre d'une association s'est enregistré. Comme nous l'avons vu dans la deuxième partie (Chapitre 4), MySQL, de même que PHP, considère les dates comme étant des entités particulières. Cependant, ils les manipulent différemment. Nous allons voir comment se manifestent ces différences.

- `DATE` : Sous MySQL, l'ordre des éléments d'une date est le suivant : année, mois, jour. L'année peut être exprimée par `aaaa` ou `aa`, le mois par `mm` ou `m` et le jour par `jj` ou `j`. Chaque partie peut être séparée de la suivante par un tiret (-), un slash (/), un point (.) ou un espace.
- `DATETIME` : Les champs ainsi définis dans MySQL doivent contenir la date et l'heure. La date est formatée comme dans le paragraphe ci-dessus et suivie par l'heure sous la forme `hh:mm:ss`.

Pour pouvoir être placés dans une base de données MySQL, ces éléments doivent avoir le format correct. Pour effectuer la transformation nécessaire, on peut faire usage des fonctions PHP. En voici un premier exemple :

```
$ojourdui = date("Y-m-d");
```

La date est bien ici dans l'ordre année, mois, jour. Autre exemple :

```
$DateImportante = date("Y-m-d", strtotime("March 04 2004));
```

A la suite de la date, on ajoute l'heure. Il ne reste plus qu'à ranger cette valeur dans la base de données au moyen d'une requête de ce genre :

```
INSERT Membre SET date="$ojourdui"
```

Comparaison de valeurs

Dans un programme, on trouve de nombreuses *instructions conditionnelles* qui permettent de choisir, à la suite d'une comparaison, entre deux instructions ou entre deux blocs d'instructions. Selon que la comparaison donne comme résultat VRAI ou FAUX, on exécutera l'un ou l'autre des blocs. Voici deux exemples d'instructions conditionnelles :

```
si l'utilisateur est un enfant
   afficher le catalogue des jouets
si l'utilisateur n'est pas un enfant
   afficher le catalogue des produits électroniques
```

Pour choisir la voie à suivre, le programme doit (se) poser des questions en fonction des éléments dont il dispose ou qui lui ont été fournis. Voici quelques questions possibles :

- L'utilisateur est-il un enfant ? Si oui, afficher le catalogue des jouets.
- Quels sont les produits les plus vendus ? Afficher les résultats, le plus vendu en tête.
- Est-ce que l'utilisateur a donné un bon mot de passe ? Si oui, afficher la page dont l'accès est réservé aux membres de l'association.
- Est-ce que le client réside dans le Doubs ? Si c'est le cas, affichez la liste des vendeurs de ce département.

Pour poser une question dans un programme, vous devez écrire une instruction qui compare deux valeurs. Le programme teste le résultat pour voir s'il est vrai ou faux. En reprenant la première question, on pourrait la détailler ainsi :

- Le client a moins de 13 ans. Vrai ou faux ? Si c'est vrai, afficher le catalogue des jouets.
- Les ventes du produit 1 sont supérieures à celles du produit 2. Vrai ou faux ? Si c'est vrai, afficher le produit 1 avant le produit 2. Si c'est faux, afficher le produit 2 avant le produit 1.
- Le client a donné comme mot de passe : *secret*. Vrai ou faux ? Si c'est vrai, afficher la page réservée aux membres de l'association.
- Le client réside dans le Doubs. Vrai ou faux ? Si c'est vrai, afficher la liste des vendeurs situés dans ce département.

Comparaisons simples

Une comparaison simple évalue une valeur par rapport à une autre. PHP propose plusieurs moyens pour effectuer ce genre de comparaisons. Le Tableau 6.3 vous en présente le catalogue.

Tableau 6.3 : Comparaison de deux valeurs.

Comparaison	Signification
==	Les deux valeurs sont-elles égales ?
>	La première valeur est-elle supérieure à la seconde ?
>=	La première valeur est-elle supérieure ou égale à la seconde ?
<	La première valeur est-elle inférieure à la seconde ?
<=	La première valeur est-elle inférieure ou égale à la seconde ?
!=	Les deux valeurs sont-elles différentes ?
<>	Les deux valeurs sont-elles différentes ?

On peut comparer des nombres ou des chaînes de caractères. Ces dernières sont comparées alphabétiquement, les majuscules étant supérieures aux minuscules : la chaîne "SUzanne" est supérieure à la chaîne "Suzanne". Les caractères de ponctuation ont, eux aussi, une place dans l'ordre "alphabétique". Cependant, il faut bien reconnaître que comparer un point à une virgule n'a guère d'intérêt.

En règle générale, les comparaisons servent à exécuter des instructions (ou des blocs d'instructions) sous certaines conditions Voyons un petit exemple (sachant qu'en anglais, *si* se dit *if*) :

```
if ( $meteo == "pluie" )
{
    prendre le prarapluie;
    annuler le pique-nique;
}
```

PHP compare la valeur contenue dans la variable `$meteo` à la valeur *pluie*. Il pleut ? Il va exécuter les deux instructions du bloc qui suit. Le soleil brille ? Ces deux lignes ne seront pas traitées.

Attention au comparateur d'égalité ! Il s'écrit avec deux signes "égal" rigoureusement consécutifs (==), et il ne faut surtout pas le confondre avec l'opérateur d'affectation qui, lui, ne s'écrit qu'avec un seul (=). Si vous écrivez `if ($meteo = "pluie")`, vous donnez à `$meteo` la valeur `"pluie"` au lieu de la comparer à cette valeur.

Revenons à l'exemple donné en tête de cette section. Il se présente ainsi :

```
si l'utilisateur est un enfant
   afficher le catalogue des jouets
si l'utilisateur n'est pas un enfant
   afficher le catalogue des produits électroniques
```

Pour déterminer si l'utilisateur est un adulte, vous devez choisir l'âge à compter duquel un enfant est supposé ne plus s'intéresser aux jouets et préférer les catalogues de produits électroniques grand public. Prenons 13 ans comme âge de référence. Dans ce cas, notre comparaison peut se formaliser ainsi :

```
$age < 13      (est-ce que la personne a moins de 13 ans ?)
$age >= 13     (est-ce que la personne a au moins 13 ans ?)
```

Une façon de programmer ces conditions consiste à utiliser les instructions ci-dessous :

```
if ($age < 13)
     $etat = "enfant";
if ($age >= 13)
     $etat = "adulte";
```

PHP compare alors le contenu de la variable `$age` à la constante *13* au moyen du comparateur "<". Si la réponse est VRAI, la proposition est vérifiée, l'utilisateur est un enfant et on enregistre la valeur *enfant* dans la variable `$etat`. La seconde condition réalise un travail semblable avec l'opérateur de comparaison ">=". Si la réponse est VRAI, l'utilisateur est un adulte, ce que l'on enregistre également dans la variable `$etat`. Il ne reste plus qu'à repartir de cette variable pour prendre la bonne décision. Certes, ces instructions pourraient être écrites plus efficacement, mais cela marche. Nous reviendrons plus en détail sur cette question dans le Chapitre 7.

Chaînes de caractères et profils de recherche

Il peut arriver que vous ayez besoin de rechercher dans une chaîne de caractères la présence de certaines caractéristiques et non de la comparer globalement à une autre. Par exemple, vous pouvez vouloir identifier toutes les chaînes commençant par un "S" ou toutes celles contenant des chiffres. Pour cela, on explore la chaîne avec un *profil de recherche* appelé *expression rationnelle* (en anglais : *regular expression*).

Les *caractères de substitution* (ou *jokers*) comme * ou ? qu'on rencontre dans certains systèmes d'exploitation (MS-DOS ou UNIX, par exemple) constituent une forme élémentaire de profil de recherche. Par exemple, `*.txt` représente tous les fichiers, quel que soit leur nom, dont l'extension est `.txt`. Plus restrictif, `c*.txt` représente tous les fichiers dont l'extension est `.txt` et dont le nom commence par un "c", comme `charles.txt` ou `copie.txt`. Les véritables expressions rationnelles permettent de raffiner considérablement cette approximation.

Dans une page Web, l'usage le plus courant d'une expression rationnelle est la vérification des saisies effectuées par un utilisateur à l'aide d'un formulaire. Cela évite de ranger dans une base de données des informations dépourvues de sens. Dans le cas d'un nom propre, par exemple, vous pourrez ainsi déceler des anomalies telles que la présence de chiffres ou de caractères de ponctuation inhabituels. Un nom consiste, en effet, en une suite de lettres parmi lesquelles on peut trouver (sauf aux extrémités) un tiret, une apostrophe ou un espace comme c'est le cas dans "Goujon-Duval", "d'Hauteville" ou "De La Rue". Si une recherche par expression rationnelle décèle la présence de caractères autres que a à z, A à Z, lettres accentuées, -, ' ou espace, il y a sûrement une erreur.

Un profil de recherche se compose de caractères *littéraux* et de caractères *spéciaux*. Les premiers sont des caractères ordinaires n'ayant pas de signification particulière. Les caractères spéciaux sont des caractères ordinaires qui, dans une expression rationnelle, prennent une signification particulière. Le Tableau 6.4 vous présente un échantillon des principaux caractères spéciaux utilisés dans les profils de recherche.

Littéraux et caractères spéciaux sont associés pour créer un profil de recherche dont la complexité peut parfois être déroutante. La chaîne de caractères examinée est alors explorée selon les spécifications de ce profil de recherche. Si la recherche est couronnée de succès, le résultat est VRAI. On peut dès lors choisir entre deux chemins dans la suite du programme. Voici quelques exemples simples de profils de recherche :

- **[^A-Z].* — Chaîne de caractères commençant par une majuscule**
  - **[^A-Z]** — La chaîne doit commencer par une majuscule
  - **.*** — Elle doit continuer par un nombre quelconque de caractères

Tableau 6.4 : Caractères spéciaux les plus fréquemment utilisés dans un profil de recherche.

Caractère	Signification	Exemple	Correspond à	Ne correspond pas à
^	Début d'une ligne	^c	chat	mon chat
$	Fin d'une ligne	t$	chat	chatte
.	N'importe quel caractère	f.ire	faire, foire	foirer, défaire
?	Le précédent caractère est facultatif	lapine?s	lapins	lapons
( )	Groupement de littéraux dans une chaîne qui doit correspondre exactement	lap(ine)s	lapines	lapins
[ ]	Définit un ensemble de caractères facultatifs	lapin[es]	lapin, lapine, lapines	lapons
-	Tous les caractères entre deux caractères	lap[i-u]n	lapin, lapon	lapen
+	Un ou plusieurs exemplaires des caractères précédents	beta[1-3]+	beta2, beta22, beta132	beta, beta45
*	Aucun ou plusieurs exemplaires des caractères précédents	beta[1-3]*	beta2, beta, beta132	betax, beta45
&{ , }	Nombre de répétitions possibles	[0-9]{2,5}	123, 145	1, xx3
\	Le caractère suivant est un littéral	m*n	m*n	mon, man
(| |)	Plusieurs groupes possibles	(Marcel| Michel)	Marcel, Michel	Manuel

Correspondance :

- Une fois encore
- A

Pas de correspondance :

- une fois encore

  - a

- **Chère (Julie|Sandra) — Choix entre deux chaînes de caractères**
  - **Chère** — Caractères littéraux
  - **(Julie|Sandra)** — "Julie" ou "Sandra"

  Correspondance :

  - Chère Julie
  - Chère Sandra

  Pas de correspondance :

  - Chère Madeleine
  - Sandra

- **^[0-9]{5,5}(\-[0-9]{4,4})?$ — N'importe quel code zip (code postal américain)**
  - **^[0-9]{5,5}** — N'importe quelle chaîne de 5 chiffres
  - \- — un littéral
  - **[0-9]{4,4}** — Une chaîne composée de 4 chiffres
  - ( )? — Regroupe les deux dernières parties du profil et le rend optionnel

  Correspondance :

  - 90001
  - 90002-4232

  Pas de correspondance :

  - 9001
  - 12-4321

- **^.+@.+\.com$ — Une chaîne de caractères se terminant par ".com" et contenant un arobase (@)**
  - ^.+ — N'importe quelle suite de un ou plusieurs caractères
  - @ — Un arobase (@) littéral
  - .+ — N'importe quelle chaîne de un ou plusieurs caractères
  - \. — Un point littéral (.)

- **com$** — La chaîne ".com" à la fin

Correspondance :

- marie@monserveur.com

Pas de correspondance :

- marie@monserveur.net
- marie@com
- @marie.com

Pour faire une recherche dans une chaîne de caractères au moyen d'un profil de recherche, vous pouvez utiliser la fonction `ereg()` dont la forme générale est :

```
ereg("profil", chaîne à explorer);
```

Par exemple, pour vérifier le nom saisi par un utilisateur dans la boîte de saisie d'un formulaire, vous pouvez écrire :

```
ereg("^[A-Za-z' -]+$",$nom)
```

- La présence des caractères ^ et $ délimite le début et la fin de la chaîne. Cela signifie que tous les caractères de celle-ci doivent vérifier le profil.
- Les crochets délimitent les caractères autorisés dans la chaîne. Tous les autres sont refusés. Il s'agit donc ici des lettres minuscules et majuscules, de l'apostrophe, de l'espace et du tiret. Remarquez que ce dernier sert aussi à définir une plage, comme dans `A-Z`. Pour éviter toute confusion, le tiret ne doit pas être placé entre deux autres caractères. En l'insérant tout à la fin, il sera normalement intégré au profil.
- Enfin, le signe + indique que la chaîne doit contenir au moins un caractère pour pouvoir vérifier le profil. Une chaîne vide sera donc automatiquement rejetée.

Insistons un peu. Lorsque vous utilisez un tiret littéral (-) dans un groupe placé entre crochets, ce tiret doit être le premier ou le dernier caractère du groupe. Faute de quoi, s'il se trouve entre deux caractères, il sera interprété comme un caractère spécial spécifiant la suite de caractères se trouvant entre ces deux caractères.

Association de comparaisons

Souvent, une simple comparaison n'est pas suffisante pour vérifier une condition et il faut en associer plusieurs. Supposez, par exemple, que votre entreprise propose plusieurs catalogues pour différents produits et en différentes langues. Vous devez savoir quel produit intéresse l'utilisateur et dans quelle langue il veut qu'il soit affiché. Voici comment se présente une association de comparaisons :

```
comparaison1 and|or|xor comparaison2
             and|or|xor comparaison2
             and|or|xor ...
```

avec :

- **and :** Les deux comparaisons doivent répondre VRAI.
- **or :** L'une ou l'autre des deux comparaisons doit répondre VRAI.
- **xor :** Une seule des deux comparaisons doit répondre VRAI (et donc l'autre FAUX).

La liste suivante vous montre quelques exemples d'associations de comparaisons :

- `$client == "Dupont" or $client == "Dupond"` — Le nom du client doit être Dupont ou Dupond.
- `$client == "Dupont" and $ville == "Blois"` — Le nom du client doit être Dupont et il doit habiter Blois.
- `$client == "Dupont" or $ville == "Blois"` — Le nom du client doit être Dupont ou bien il doit habiter Blois.
- `$client == "Dupont" xor $ville == "Blois"` — Le nom du client doit être Dupont ou bien il doit habiter Blois, mais pas les deux à la fois.
- `$client == "Dupont" and $age < 13` — Le nom du client doit être Dupont et il doit avoir moins de 13 ans.

Vous pouvez ainsi associer autant de comparaisons que vous le souhaitez. Le groupe contenant `and` est testé en premier. Vient ensuite celui contenant `xor`, puis celui contenant `or`. Dans l'exemple qui suit, il y a trois comparaisons associées :

```
$age == 20 or $age == 30 and $nom == "Jules"
```

Si le nom du client est Jules et qu'il est âgé de 30 ans, le résultat est VRAI. Le résultat est également VRAI si, quel que soit son nom, le client a 20 ans. Le résultat est FAUX si le client a 30 ans et qu'il ne s'appelle pas Jules. Ces résultats découlent de l'ordre d'exploration que nous venons d'énoncer :

- **Association par and**. Le programme teste `$age` pour voir s'il contient la valeur 30, puis il teste `$nom` pour voir s'il est égal à "Jules". Si les deux conditions sont remplies, il est inutile de comparer `$age` à 20, puisqu'il suffit qu'une des deux conditions associées par un `or` soit vraie pour que la proposition soit vraie.
- **Association par or**. Lorsque la condition `and` a répondu FAUX, le programme teste `$age` pour voir s'il contient la valeur 20. Si c'est vrai, le résultat vaut VRAI. Dans le cas contraire, le résultat est FAUX.

Vous pouvez modifier l'ordre de l'évaluation par l'usage de parenthèses qui forcent l'évaluation prioritaire des comparaisons ainsi encadrées. Dans l'exemple précédent, si on écrit :

```
($age == 20 or $age == 30) and $nom == "Jules"
```

C'est la condition `or` qui va être testée en premier et la condition `and` en dernier. Voici ce que cela va donner :

- **Association par or**. Le programme compare la valeur de `$age` à 20 puis à 30. Si la réponse à l'une des questions ou aux deux est VRAI, le résultat est VRAI. Si le résultat vaut VRAI, il est nécessaire de faire le test suivant. Si ce n'est pas le cas, il n'est pas nécessaire de tester l'association par `and`.
- **Association par and**. Le programme teste `$age` pour voir s'il contient la valeur 20. Si c'est vrai, le résultat est VRAI.

Mettez des commentaires dans vos programmes

Les *commentaires* sont des notes incluses à l'intérieur d'un programme pour documenter telle ou telle section ou même telle ou telle instruction. Ils facilitent grandement la relecture et la maintenance des programmes, surtout si cette dernière doit être effectuée par quelqu'un qui n'est pas celui ou celle qui a écrit le programme.

Usez avec libéralité des commentaires. PHP les ignore car ils n'intéressent que les humains. Mais, bien entendu, vous devez dire à PHP que ce sont des commentaires. Pour cela, il y a deux façons de procéder selon l'endroit où vous allez les placer et le nombre de lignes qu'ils contiennent.

Commentaires longs

Au début du commentaire, vous devez placer le couple /* et à la fin le couple */ (dans les deux cas, sans espace entre les deux caractères). Tout ce qui se trouve entre ces deux délimiteurs sera considéré comme du commentaire par PHP. Exemples :

```
/* Le calcul suivant
   détermine le montant
   des frais de port */

$prixTTC = $prixHT * 1.196;  /* Calcul du prix TTC */
```

En tête d'un programme, il est bon de placer un assez long commentaire indiquant le nom et l'objet du programme, le nom de son auteur, la date de son écriture et les dates de ses modifications ultérieures, comme dans l'exemple ci-dessous :

```
/* nom :          catalogue.php
   description : Ce programme affiche les descriptions des produits.
                 Celles-ci sont conservées dans une base de données.
                 La description à afficher est choisie par le client
                 dans la base de données d'après la catégorie que
                 l'utilisateur a saisie dans un formulaire.
   écrit par :   Jules Martin
   créé le :     23 mars 2004
   modifié le :  15 avril 2004
                 4 juin 2004
*/
```

Ajoutez des commentaires partout où il est nécessaire de préciser ce que fait le programme. C'est un conseil gratuit et particulièrement important lorsque les séquences d'instructions sont compliquées. Par exemple :

```
/* Retrouve l'information dans la base de données */
/* Vérifie que le client a plus de 18 ans */
/* et ajoute les frais de port au montant de la commande */
```

Commentaires courts

Lorsque le commentaire a moins d'une ligne, par exemple à la suite d'une instruction, vous pouvez utiliser une forme particulière qui ne demande qu'un délimiteur de début (// ou # en l'occurrence). Dans ce cas, la remarque se termine en même temps que la ligne sur laquelle elle figure. Exemple :

```
// Nous allons calculer le prix TTC
$prixTTC = $prixHT * 1.196;  // Calcul du prix TTC
```

Pour mettre en valeur un commentaire (comme le titre donné à un bloc d'instructions ou une note particulièrement importante), vous pouvez l'encadrer en totalité, comme ceci :

```
######################################
##  CETTE SECTION EST A VERIFIER DE PRES ##
######################################
```

Cela ne vous empêche pas d'écrire de longs commentaires, à condition, bien sûr, que chacune des lignes qu'ils contiennent soit précédée du délimiteur spécial. Mais il faut reconnaître que c'est fastidieux et moins facile à relire. Voici comment pourrait se présenter alors l'exemple de description de programme que nous avons donné dans la section précédente :

```
// nom :          catalogue.php
// description : Ce programme affiche les descriptions des produits.
//               Celles-ci sont conservées dans une base de données.
//               La description à afficher est choisie par le client
//               dans la base de données d'après la catégorie que
//               l'utilisateur a saisie dans un formulaire.
// écrit par :   Jules Martin
// créé le :     23 mars 2004
// modifié le :  15 avril 2004
//               4 juin 2004
```

Bien entendu, les commentaires sont éliminés par PHP de ce qu'il envoie au navigateur de l'utilisateur. Ce dernier ne les voit donc jamais.

Chapitre 7

Briques de base pour l'écriture de programmes en PHP

Dans ce chapitre :

- Envoi de sorties vers une page Web.
- Affectation de valeurs aux variables.
- Incrémentation/décrémentation de variables.
- Arrêt et interruption d'un programme.
- Création et usage de tableaux.
- Emploi des instructions conditionnelles.
- Réalisation de boucles pour les traitements répétitifs.
- Les fonctions.

Les briques de base constituant le programme PHP sont des blocs d'instructions où chacune est terminée par un point-virgule. Nous en avons eu un exemple au Chapitre 6 avec le programme qui affichait "Hello world!". Dans la réalité, les programmes qui réalisent une application de base de données sur le Web ne sont pas aussi simples. Ils doivent dialoguer des deux côtés : avec l'utilisateur, d'une part, et une base de données, d'autre part. En conséquence, leurs briques de base se compliquent notablement.

Dans ce chapitre, vous allez apprendre à créer les briques de base des programmes PHP. Nous verrons les instructions et les structures les plus utilisées et la façon de les construire. Ensuite, au Chapitre 8, nous apprendrons à les employer pour manipuler les informations contenues dans les bases de données.

Instructions simples mais utiles

Une instruction se termine toujours par un point-virgule. (Je ne le dirai jamais assez tant cette ponctuation est souvent oubliée !) Voici quelques-unes des instructions simples mais fréquemment utilisées qu'on rencontre dans un programme PHP :

- **Instruction** `echo` : Elle génère une sortie à destination du navigateur.
- **Instruction d'affectation** : Elle affecte une valeur à une variable.
- **Instruction d'incrémentation/décrémentation** : Elle augmente ou diminue le contenu d'une variable d'une valeur entière.
- **Instruction** `exit` : Elle met fin à l'exécution du programme.
- **Appel de fonction** : Elle permet de réutiliser des blocs d'instructions écrits spécialement pour effectuer une certaine tâche.

Nous allons voir de plus près ces instructions dans les sections qui suivent.

echo

Cette instruction génère une sortie à destination du navigateur. Ce dernier l'interprète comme s'il s'agissait de HTML.

Sa forme générale est :

```
echo élément,élément,élément... ;
```

où *élément* est une constante (numérique ou chaîne de caractères) ou une variable. Leur liste n'est pas limitée en nombre, chacune étant séparée de la suivante par une virgule. Toute chaîne de caractères, quelle qu'elle soit (un espace, par exemple), doit être enclose entre guillemets ou entre apostrophes.

Un nom de variable encadré par des guillemets affiche le contenu de la variable, alors qu'encadré par des apostrophes il affiche le *nom* de la variable. Si `$string` contient "Hello" :

- **echo "$string";** Affichera : `Hello`

- **echo '$string';** Affichera : `$string`

En supposant que $string1 contienne "Hello" et $string2 "World!", voici quelques exemples d'utilisation de cette instruction :

- **echo Hello;** Produit le diagnostic (avertissement) : "Use of undefined constant Hello in ...". Affiche : `Hello`.
- **echo Hello,World!;** Produit le diagnostic (erreur) : "**Parse error**: parse error, expecting `','' or `';'' in ...". Rien n'est affiché, l'exécution du programme n'ayant pas lieu.
- **echo Hello World!;** Produit le diagnostic (erreur) : "**Parse error**: parse error, expecting `','' or `';'' in ...". Rien n'est affiché, l'exécution du programme n'ayant pas lieu.
- **echo 'Hello World!';** Affiche : `Hello World!`
- **echo $string1;** Affiche : `Hello`.
- **echo $string1,$string2;** Affiche : `HelloWorld!`
- **echo "$string1 $string2";** Affiche : `Hello World!`
- **echo "Hello",$string2;** Affiche : `HelloWorld!`
- **echo "Hello", "$string2";** Affiche : `HelloWorld!`
- **echo '$string1',"$string2";** Affiche : `HelloWorld!`

Un nom de variable peut être composé à partir du nom d'une variable qui existe et d'un suffixe formé d'une simple chaîne de caractères, à condition de placer le nom de la variable entre accolades, comme dans l'exemple suivant :

```
$préfixe = "géo";
echo "La {$préfixe}graphie est enseignée ici";
```

L'exécution de ces deux instructions affiche :

```
La géographie est enseignée ici
```

Si vous omettez les parenthèses, PHP recherchera une variable du nom de `$préfixegraphie`, qu'il ne trouvera évidemment pas. Il enverra donc un message d'avertissement à ce sujet, puis affichera simplement le reste de la phrase :

```
La est enseignée ici
```

Lorsque vous voulez afficher une page Web (ou une partie de page Web), vous devez tenir compte des trois éléments suivants :

- **Le programme PHP.** Les instructions PHP `echo` que vous écrivez.
- **Le code source HTML.** C'est celui que vous pouvez voir lorsque vous cliquez sur le menu Affichage/Source de votre navigateur. Ce *code source* est celui qui est produit par les instructions `echo`.
- **La page Web.** C'est ce que vont voir vos utilisateurs. Elle est produite par le code source HTML.

N'OUBLIEZ PAS

L'instruction `echo` envoie exactement ce que vous y avez mis. Ni plus ni moins. S'il ne s'y trouve pas de balise HTML, le navigateur n'en recevra aucune.

Les caractères de contrôle (tabulation, retour chariot, alinéa...) présents dans une chaîne de caractères qui figure dans une instruction `echo` **ne sont pas** des balises HTML. En conséquence, ils n'ont aucune action sur les sorties affichées par le navigateur et ne font que modifier la façon dont se présente ce qu'il reçoit avant traitement. Si vous voulez par exemple provoquer un saut de ligne dans la sortie produite par PHP, vous devez inclure un caractère spécial (`\n`). Mais cette syntaxe n'envoie *pas* une balise HMTL de saut de ligne sur la page Web.

Les Figures 7.1 et 7.2 en montrent un exemple, obtenu à l'aide du Listing 7.1.

Listing 7.1 : Exemple permettant de voir les différences entre ce que reçoit le navigateur et ce qu'il affiche.

```
<?php
echo "Hello World!";
echo "Hello World!";
echo "Here I am!";
echo "Hello World!\n";
echo "Here I am!";
echo "Hello World!<br>";
echo "Here I am!";
echo "Hello World!<br>\n";
echo "Here I am!";
?>
```

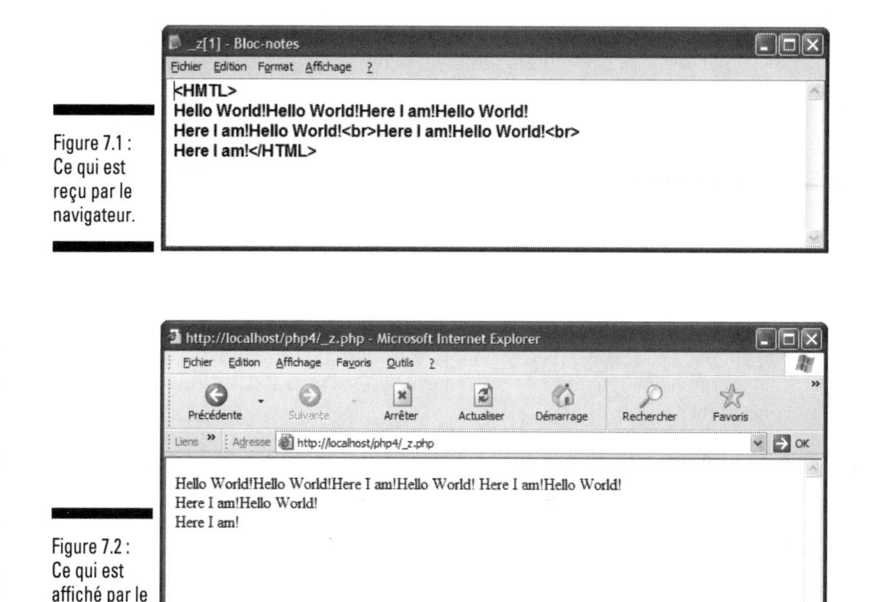

Figure 7.1 : Ce qui est reçu par le navigateur.

Figure 7.2 : Ce qui est affiché par le navigateur.

Vous pouvez constater que le code `\n` provoque bien un changement de ligne dans la sortie, c'est-à-dire dans le code source HTML. Ce qui se traduit dans la page Web par l'insertion d'un espace. Si vous voulez changer de ligne dans cette page elle-même, il vous faut envoyer une balise HTML adaptée, comme `<br>`. C'est ce que montre le listing précédent.

Instructions d'affectation

C'est au moyen des instructions d'affectation qu'on peut donner des valeurs aux variables. L'opérateur d'affectation est le signe égal (=). Le nom de la variable s'écrit à sa gauche et la valeur à donner à cette variable à sa droite. Exemple :

```
$maVariable = 345.76;
```

Au lieu d'une simple constante, on peut utiliser une variable ou une *expression*, c'est-à-dire une combinaison de constantes et de variables au moyen d'opérateurs du même type. On ne peut pas, en effet, mélanger des éléments de nature différente (valeurs numériques et chaînes de caractères). Voici quelques exemples d'affectations correctement écrites :

```
$nombre = 2;
$nombre = 2+1;
$nombre = (2 - 1) * (4 * 5) -17;
$nombre2 = $nombre + 3;
chaîne = "Hello World";
chaîne2 = chaîne." encore !";
```

Il faut savoir que, si vous mélangez les deux types, vous n'obtiendrez pas de message d'erreur, mais le résultat ne sera presque jamais celui que vous attendiez. Voici des exemples d'instructions incorrectement écrites :

```
$nombre = 2;
$chaîne = "Hello";

$res1 = $nombre + $chaîne;
$res2 = $nombre.$chaîne;
echo $res1;
echo $res2;
```

Voici ce qui sera affiché :

```
2        ($chaîne est considérée comme valant 0)
2Hello   ($nombre est considérée comme un caractère)
```

Incrémentation et décrémentation

On utilise souvent une variable comme *compteur.* Par exemple, pour être sûr que le visiteur voit bien le logo de votre entreprise dans sa page Web, vous décidez de l'afficher trois fois. Vous mettez une variable à zéro puis, chaque fois que vous affichez le logo, vous ajoutez 1 à cette variable. Lorsque cette valeur atteint 3, vous savez qu'il est temps d'arrêter cet affichage. Voici ce que vous pourriez écrire :

```
$compteur = 0;
$compteur = $compteur + 1;
echo $compteur;
```

La première fois, vous afficherez 1, les fois suivantes 2, puis 3. Mais il y a moyen d'adopter une forme d'écriture plus concise :

```
$compteur = 0;
$compteur++;
echo $compteur;
```

La suite des deux signes "+" sans espace entre eux est appelée *opérateur d'incrémentation*. Cet opérateur a pour effet d'ajouter 1 à la variable sur laquelle il porte (qui est écrite à sa gauche).

Symétriquement, il existe un *opérateur de décrémentation* qui se note "--" et qui a pour effet de soustraire 1 à la variable écrite à sa gauche :

```
$compteur--;
```

Il existe une variante de ces deux opérations qui permet d'ajouter ou de soustraire une valeur quelconque à une variable. En voici quelques exemples :

- `$compteur=+2;` on ajoute 2 à `$compteur`.
- `$compteur=-3;` on soustrait 3 de `$compteur`.
- `$compteur=*2;` on multiplie la valeur de `$compteur` par 2.
- `$compteur=/3;` on divise la valeur de `$compteur` par 3.

exit

Cette instruction a pour effet d'arrêter l'exécution d'un programme à un endroit quelconque, par exemple à la suite d'une erreur ou d'une donnée invalide. Plus aucune instruction n'est exécutée ensuite. Sa forme générale est :

```
exit ("message");
```

message est le message qui sera affiché sur l'écran au moment de l'arrêt. Par exemple :

```
exit ("Le calcul est terminé.");
```

Sa présence est facultative et on peut écrire tout simplement :

```
exit;
```

Il existe une autre instruction pour arrêter un programme, l'instruction `die` qui s'utilise absolument de la même façon que `exit`.

Appels de fonctions

Les *fonctions* sont des blocs d'instructions destinés à accomplir telle ou telle tâche. Elles sont écrites de façon à pouvoir être *appelées* autant de fois que nécessaire, sans qu'il soit besoin de réécrire les instructions qu'elles contiennent. On parle quelquefois à ce propos de *sous-programmes*. Une fonction doit être *déclarée* et recevoir un *nom* (sans cela, comment feriez-vous pour l'appeler ?). Voici un exemple d'appel de fonction :

```
maFonction();
```

Supposons que vous ayez écrit une fonction qui affiche, en les extrayant d'une base de données, les noms et prénoms de tous les clients qui résident dans un certain département. Vous écrivez cette tâche sous forme de fonction et lui donnez le nom `afficheClients()`. Pour utiliser cette fonction en pratique, vous devrez lui indiquer le nom du département auquel vous vous intéressez. Vous écrirez par exemple :

```
afficheClients("Val de Marne");
```

Pour distinguer les noms de fonctions des noms de variables, il est d'usage de les faire suivre d'une paire de parenthèses.

Ce qui se trouve à l'intérieur des parenthèses est appelé *argument* de la fonction. Sa valeur est *passée* à la fonction. Il est possible de passer plusieurs arguments dans un appel de fonction, pourvu que cela ait été prévu lors de l'écriture de celle-ci.

Il existe un très grand nombre de fonctions natives dans PHP (environ 2 800 !). Nous en avons déjà rencontré quelques-unes : `unset()`, `date()`, `strtotime()`, etc. Nous ne décrirons évidemment pas toutes ces fonctions, mais nous aurons l'occasion d'en rencontrer bien d'autres dans les chapitres suivants.

Les tableaux

Les tableaux sont des structures de variables complexes. Dans un *tableau* (*array*, en anglais), on peut ranger un ensemble de variables ordinaires (dites *scalaires*) sous un nom unique. C'est un excellent moyen de conserver un groupe de variables de même nature ou concernant le même objet. Par exemple, vous pouvez conserver dans un tableau trois éléments concernant des chemises : leur taille, leur couleur et leur prix, et appeler le tableau qui les contiendra `$chemisesInfo`. Ce tableau, vous pourrez ensuite le manipuler de diverses façons. Le trier, par exemple. Pour cette dernière tâche, vous verrez plus loin que PHP propose plusieurs fonctions.

Création d'un tableau

La façon la plus simple de créer un tableau est d'ajouter une paire de crochets à la suite d'un nom de variable et de lui affecter une valeur. Pour créer un tableau contenant les différents types d'animaux du premier de nos deux exemples, on pourrait écrire :

```
$animaux[1] = "dragon";
```

Dès lors, il existe un tableau `$dragon[]` qui ne contient pour l'instant qu'une seule valeur.

De même qu'on écrit une paire de parenthèses à droite du nom d'une fonction pour indiquer qu'il s'agit d'un nom de fonction, on a l'habitude d'écrire une paire de crochets à droite d'un nom de tableau pour marquer qu'il s'agit d'un tableau et non d'une variable scalaire (ordinaire).

Pour ajouter d'autres valeurs dans ce tableau, on peut ensuite écrire :

```
$animaux[1] = "chat";
$animaux[2] = "licorne";
```

D'un autre côté, un tableau peut être considéré comme une liste de couples (ou *paires*) *de clés et de valeurs.* Dans l'exemple que nous venons de donner, les clés sont des nombres (1, 2, 3). Plus simplement, on peut écrire :

```
$animaux[] = "dragon";
$animaux[] = "chat";
$animaux[] = "licorne";
```

En l'absence d'*indice* (le nombre placé entre crochets), la première valeur adoptée est 0 et les valeurs suivantes sont les entiers 1, 2, 3... Si, ensuite, vous écrivez :

```
echo $animaux[1];
```

vous afficherez bien :

```
chat
```

Au lieu de donner des valeurs numériques aux indices, on peut leur attribuer des *noms* écrits sous forme de chaînes de caractères, comme dans l'exemple suivant qui concerne une liste des chefs-lieux de départements :

```
$cheflieu["Oise"] = "Beauvais";
$cheflieu["Yvelines"] = "Versailles";
$cheflieu["Val de Marne"] = "Créteil";
```

`Yvelines` est ici la clé du second élément du tableau `$cheflieu[]`, et la valeur qui correspond à cette clé est `Versailles`.

Il existe un moyen encore plus simple de créer un tableau et de le garnir de quelques valeurs :

```
$cheflieu = array("Beauvais", "Versailles", "Créteil");
```

Si on utilisait des clés alphabétiques à la place des indices numériques, il faudrait écrire :

```
$cheflieu = array("Oise" => "Beauvais",
                  "Yvelines"] => "Versailles",
                  "Val de Marne"] => "Créteil");
```

S'il n'y a pas ambiguïté, on peut parfaitement utiliser comme délimiteur de chaîne l'apostrophe à la place des guillemets.

Afficher le contenu d'un tableau

Un élément de tableau peut être affiché à l'aide de la commande `echo`, comme ceci :

```
$cheflieu["Yvelines"];
```

Pour inclure cet élément dans une longue instruction `echo` comportant une chaîne placée entre guillemets, vous devrez le délimiter à l'aide d'accolades. Par exemple :

```
echo "La préfecture des Yvelines est {$cheflieu["Yvelines"]}<br>";
```

Vous pouvez visualiser la structure et les valeurs d'un tableau en faisant appel à l'instruction `print_r`. Voici comment afficher le tableau `$cheflieu` :

```
print_r($cheflieu);
```

La sortie va alors indiquer :

```
Array
(
    [Oise] => Beauvais
    [Yvelines] => Versailles
    [Val de Marne] => Créteil
)
```

Pour chaque élément, vous obtenez sa clé et sa valeur.

Suppression d'éléments dans un tableau

Pour supprimer un élément d'un tableau, il ne suffit pas de lui donner la valeur 0 (dans le cas d'un tableau de valeurs numériques) ou "" (dans le cas d'un tableau de chaînes de caractères), il faut utiliser la fonction native `unset()` que nous avons déjà rencontrée et écrire, par exemple :

```
unset($animaux[2]);
```

En procédant autrement, vous obtiendriez simplement un élément nul ou vide, mais le tableau contiendrait toujours le même nombre d'objets !

Tri de tableaux

Trier un tableau signifie réordonner son contenu selon un certain critère, par exemple, en ordre alphabétique ascendant. (Par défaut, les éléments sont présentés dans l'ordre où ils ont été créés.) Pour cela, PHP propose plusieurs fonctions. La plus simple est `sort()`. Exemple :

```
sort($animaux);
```

Cette fonction trie le tableau selon les valeurs qu'il contient et réassigne de nouvelles valeurs aux clés selon le résultat du tri. S'il s'agit d'un tableau de chaînes de caractères, celles dont l'initiale est un chiffre apparaîtront en tête, suivies par celles dont l'initiale est une majuscule, puis par celles dont l'initiale est une minuscule. Reprenons notre exemple du tableau des animaux créé par :

```
$animaux = array("dragon", "chat", "licorne");
```

Après avoir exécuté l'instruction :

```
sort($animaux);
```

le tableau contiendra :

```
$animaux[0] = "chat";
$animaux[1] = "dragon";
$animaux[2] = "licorne";
```

Prenons maintenant le cas d'un tableau doté de clés alphanumériques comme le tableau `$cheflieu[]`. Trions-le au moyen de l'instruction :

```
sort($cheflieu);
```

Nous allons obtenir :

```
$cheflieu[0] = "Beauvais";
$cheflieu[1] = "Créteil";
$cheflieu[2] = "Versailles";
```

Les clés ont donc été converties en pointeurs numériques, ce qui n'est sans doute pas ce que nous voulions obtenir. Pour effectuer correctement le tri, il faut utiliser la variante `asort` :

```
asort($cheflieu);
```

Le tableau devient alors :

```
$cheflieu("Oise") =  "Beauvais";
$cheflieu("Val de Marne") =  "Créteil";
$cheflieu("Yvelines") =  "Versailles";
```

Les valeurs sont classées dans l'ordre alphabétique croissant, et la correspondance avec les clés est parfaitement conservée. Par contre, la situation serait différente si les clés étaient numériques. Supposons que le tableau soit défini ainsi :

```
$cheflieu[0] = "Créteil";
$cheflieu[1] = "Versailles";
$cheflieu[2] = "Beauvais";
```

Exécutons alors l'instruction :

```
asort($cheflieu);
```

Nous allons obtenir le résultat suivant :

```
$cheflieu[2] = "Beauvais";
$cheflieu[0] = "Créteil";
$cheflieu[1] = "Versailles";
```

Les valeurs sont bien triées avec les clés, mais le tableau ainsi produit sera difficilement exploitable !

Le Tableau 7.1 donne une liste d'autres fonctions de tri proposées par PHP.

Tableau 7.1 : Fonctions de tri proposées par PHP.

Fonction de tri	Rôle
`sort($tableau)`	Tri par valeurs en assignant de nouvelles valeurs aux clés.
`asort($tableau)`	Tri par valeurs, les clés étant conservées.
`rsort($tableau)`	Tri par valeurs en ordre inverse, en assignant de nouvelles valeurs aux clés.
`arsort($tableau)`	Tri par valeurs en ordre inverse, les clés étant conservées.
`ksort($tableau)`	Tri sur les clés.
`krsort($tableau)`	Tri en ordre inverse sur les clés.
`usort($tableau, fonc)`	Tri au moyen de la fonction utilisateur `fonc()` (voir plus loin, dans ce même chapitre).

Extraction de valeurs à partir d'un tableau

Vous pouvez accéder directement à n'importe quelle valeur d'un tableau en écrivant, par exemple :

```
$cheflieu_Yvelines = $cheflieu["Yvelines"];
echo $cheflieuYvelines;
```

Ce qui affichera :

```
Versailles
```

Plus simplement, vous pouvez condenser ces deux instructions en une seule :

```
echo $cheflieu["Yvelines"];
```

Dans `echo`, si le nom du tableau se trouve à l'intérieur d'une autre chaîne de caractères, vous devez le placer entre une paire d'accolades, de cette façon :

```
echo "Le chef-lieu des Yvelines est {$cheflieu['Yvelines']}<br>";
```

Si vous placez dans une instruction un élément de tableau qui n'existe pas, un message d'avertissement sera émis (voir à ce sujet le Chapitre 6). Essayons ceci :

```
$Préfecture = $cheflieu["Ivelines"];
```

Le nom du tableau est valide, mais il y a une faute de frappe dans la clé. PHP va réagir en indiquant :

```
Notice: Undefined index: Ivelines in…
```

Cela ne bloque pas l'exécution du script. Les instructions qui suivent continueront à s'exécuter. Par contre, toute occurrence suivante de la variable `$Préfecture` n'affichera qu'un espace vide. Vous pouvez éviter l'apparition du message en plaçant le caractère @ devant le nom de la variable :

```
@$Préfecture = $cheflieu["Ivelines"];
```

Vous pouvez extraire en une seule fois plusieurs valeurs d'un tableau au moyen de l'instruction `list` qui permet de les ranger dans une suite de variables scalaires. Exemple :

```
$infoChemises = array ("XL", "bleu", 12.0);
sort ($infoChemises);
list($valeur1,$valeur2) = $infoChemises;
echo $valeur1,"<br>";
echo $valeur2,"<br>";
```

La première instruction crée le tableau `$infoChemises[]`. La deuxième trie le tableau. La troisième affecte les première et deuxième valeurs du tableau aux variables scalaires `$valeur1` et `$valeur2`, de la même façon que si on avait écrit :

```
$valeur1 = $infoChemises[0];
$valeur2 = $infoChemises[1]
```

La troisième valeur du tableau, `$infoChemises[2]`, n'est pas utilisée dans cet exemple, puisqu'il n'y a que deux variables dans l'appel de `list`. Ce qui sera affiché est :

```
XL
bleu
```

En effet, "XL" commence par une majuscule, laquelle a priorité sur l'initiale bas de casse de "bleu", à la suite du tri par la fonction `sort()`.

Dans certains cas, vous vous intéressez aux clés, non aux valeurs, comme dans l'exemple suivant :

```
$infoChemises = array ("taille" => "XL",
                       "couleur" => "bleu",
                       "prix" => 12.0);
$valeur = $infoChemises['taille'];
$clé = key($infoChemises);
echo "$clé: $valeur<br>";
```

Vous verrez s'afficher :

```
taille: XL
```

Vous pouvez extraire toutes les valeurs d'un tableau au moyen de la fonction `extract()`. Chaque valeur est recopiée dans une variable ayant pour nom la valeur de la clé précédée du caractère $. Par exemple, les instructions qui suivent extraient toutes les informations du tableau `infoChemises[]` et les affichent :

```
$infoChemises = array ("taille" => "XL", "couleur" => "bleu", "prix"
          => 12.0);
extract($infoChemises);
echo "taille : $taille<br>couleur : $couleur<br>prix : $prix<br>";
```

On obtient :

```
taille : XL
couleur : bleu
prix : 12
```

N'oubliez surtout pas de nommer les clés. Sinon, PHP sera incapable de construire les variables correspondantes lors de l'extraction.

Parcours des éléments d'un tableau

Vous aurez souvent à effectuer un certain traitement sur tous les éléments d'un tableau : afficher chaque valeur, la placer dans une base de données ou y ajouter une constante. C'est ce qu'on appelle une *itération*. On dit aussi quelquefois *parcourir* le tableau (en anglais : *traversing the array*). Pour exécuter cette tâche, PHP vous propose les deux moyens suivants :

- **Manuellement :** Déplacer un pointeur d'un élément à un autre.
- **Avec** `foreach` : Cette instruction est conçue pour faire automatiquement le travail, du début à la fin du tableau, valeur par valeur.

Procédure manuelle

Pour extraire un élément d'un tableau, vous pouvez utiliser un pointeur. Représentez-vous votre tableau sous la forme d'une liste et imaginez un pointeur désignant l'un des éléments de cette liste. Il reste immobile tant que vous ne le déplacez pas. Pour le déplacer, vous disposez des fonctions suivantes, qui portent sur le tableau dont le nom est placé à l'intérieur des parenthèses :

- `current()` : Désigne l'élément sur lequel est dirigé le pointeur. Celui-ci ne change pas de valeur.
- `next()` : Déplace le pointeur vers l'avant. Il désigne maintenant l'élément suivant son ancienne position.
- `previous()` : Déplace le pointeur vers l'arrière. Il désigne maintenant l'élément précédant son ancienne position.
- `end()` : Déplace le pointeur et le place sur le dernier élément du tableau.
- `reset()` : Déplace le pointeur et le place sur le premier élément du tableau.

Le Listing 7.2 vous présente quelques exemples d'utilisation de ces fonctions.

Listing 7.2 : Exemples de déplacements manuels d'un pointeur dans un tableau.

```
<?PHP
$cheflieu["Oise"] = "Beauvais";
$cheflieu["Yvelines"] = "Versailles";
$cheflieu["Val de Marne"] = "Créteil";
$valeur = current ($cheflieu);
echo "$valeur<br>";
$valeur = next ($cheflieu);
echo "$valeur<br>";
$valeur = next ($cheflieu);
echo "$valeur<br>";
?>
```

Vous obtiendrez ainsi l'affichage suivant :

```
Beauvais
Versailles
Créteil
```

A moins d'avoir été déplacé auparavant, le pointeur désigne le premier élément du tableau lorsque vous commencez à parcourir celui-ci. Si vous n'êtes pas certain de l'emplacement courant, ou si la réponse obtenue n'est pas conforme à votre attente, réinitialisez le pointeur avant de parcourir le tableau, comme ceci :

```
reset($cheflieu);
```

Pour utiliser cette méthode sur l'ensemble d'un tableau, vous devez avoir une instruction d'affectation et une autre pour l'affichage, et ce pour chacun des éléments (en l'occurrence, les 96 départements de la France métropolitaine).

Cette méthode vous apporte une grande souplesse, puisque vous pouvez naviguer à votre guise dans le tableau, dans l'ordre souhaité. Vous avez la possibilité de revenir en arrière, de vous placer directement à la fin, d'éviter certaines valeurs, et ainsi de suite. Par contre, un parcours systématique du début vers la fin sera réalisé plus efficacement en faisant appel à la structure `foreach`.

Utilisation de foreach ( )

Cette instruction permet, à chaque exécution, d'accéder à l'élément suivant du tableau et de répéter, pour chacune de ces valeurs, le bloc d'instructions qui la suit. Sa forme générale est la suivante :

```
foreach ($nomTableau as $nomClé => $nomValeur)
{
        bloc d'instructions
}
```

avec :

- `$nomTableau` : Nom du tableau à explorer.
- `$nomClé` : Nom de la variable dans laquelle vous voulez placer la clé de l'élément. Cette valeur est facultative. Si vous l'omettez, la valeur sera rangée dans la variable `$nomValeur`.
- `$nomValeur` : Nom de la variable dans laquelle sera placée la valeur.

Par exemple, les instructions suivantes parcourent le tableau des chefs-lieux et en affichent chaque élément :

```
ksort($cheflieu);

foreach($cheflieu as $dept => $ville)
{ echo "$ville : $dept<br>";
}
```

ce qui affichera :

```
Beauvais : Oise
Créteil : Val de Marne
Versailles : Yvelines
```

Si vous aviez écrit :

```
foreach($cheflieu as $ville)
{ echo "$ville<br>";
}
```

vous auriez obtenu :

```
Beauvais
Créteil
Versailles
```

Initialement, `foreach` place le pointeur en tête du tableau. Il n'est donc pas nécessaire d'appeler la fonction `reset()`.

Tableaux à plusieurs dimensions

Dans les sections précédentes, je vous ai parlé des tableaux à une seule dimension : ceux qui ne représentent qu'une seule liste d'éléments (paires clé/valeur). Cependant, il faut savoir qu'il est possible de construire et d'utiliser des tableaux à plusieurs dimensions. Par exemple, supposez que vous vouliez placer ces prix de produits dans une variable :

- chemise, 20.0
- pantalon, 22.5
- nappe, 25.6
- dessus de lit, 50.0
- lampe, 44.0
- carpette, 75.0

Vous pouvez procéder ainsi :

```
$prixProduit['chemise'] = 20.;
$prixProduit['pantalon'] = 22.5;
$prixProduit['nappe'] = 25.6;
$prixProduit['dessus de lit'] = 50.0;
$prixProduit['lampe'] = 44.;
$prixProduit['carpette'] = 75.;
```

Un programme pourra facilement parcourir cette liste pour savoir le prix de chaque article. Mais supposez que vous ayez 3 000 produits. Votre programme devra alors les passer en revue pour trouver celui dont *chemise* ou *carpette* est la clé.

Remarquez que cette liste comporte un mélange d'articles de nature différente : habillement, linge de maison, meubles. Si vous classiez ces produits par catégorie, le tableau à explorer serait de plus petite taille. Pour cela, vous pouvez écrire :

```
$prixProduit['habillement']['chemise'] = 20.;
$prixProduit['habillement']['pantalon'] = 22.5;
$prixProduit['linge de maison']['nappe'] = 25.6;
$prixProduit['linge de maison']['dessus de lit'] = 50.0;
$prixProduit['meubles']['lampe'] = 44.;
$prixProduit['meubles']['carpette'] = 75.;
```

Vous avez ainsi créé ce qu'on appelle un *tableau à plusieurs dimensions*, parce qu'il est en réalité un tableau de tableaux. La Figure 7.3 vous en montre la structure.

$prixProduits	**Clé**	**Valeur**	
		clé	*valeur*
	habillement	chemise	20.0
		pantalon	22.5
	linge de maison	nappe	30.0
		dessus de lit	50.0
	meubles	lampe	44.0
		carpette	75.0

Figure 7.3 : Structure d'un tableau à deux dimensions.

La valeur de chacun des éléments du premier rang du tableau `$prixProduit` (habillement, linge de maison, meubles) est un couple clé/valeur. On peut concevoir des tableaux avec 3, 4, 5... dimensions ou plus encore. Mais il est difficile de se représenter intellectuellement la signification de tableaux à plus de trois dimensions. Le risque de confusion s'accroît exponentiellement avec le nombre de dimensions !

On extrait les valeurs des tableaux à plusieurs dimensions de la même façon que celles de tableaux simples. Pour accéder directement à une valeur, vous écrirez, par exemple :

```
$prixChemise = $prixProduit['habillement']['chemise'];
```

ou :

```
echo $prixProduit['habillement']['chemise'];
```

Si vous associez une de ces valeurs à une chaîne de caractères entre guillemets dans une instruction `echo`, vous devez la placer entre accolades comme le montre l'exemple suivant :

```
echo "Le prix d'une chemise est
    {$prixProduit['habillement']['chemise']} &#8364;<br>";
```

Le signe $ qui signale le début d'un nom de variable doit être placé immédiatement derrière l'accolade, sans espace intermédiaire.

Vous pouvez parcourir les éléments d'un tableau à plusieurs dimensions au moyen de `foreach()`, de la même façon que pour un tableau simple. Mais, bien entendu, il faut un `foreach()` pour chacune des dimensions, ce qui conduit à les *imbriquer* comme dans cet exemple :

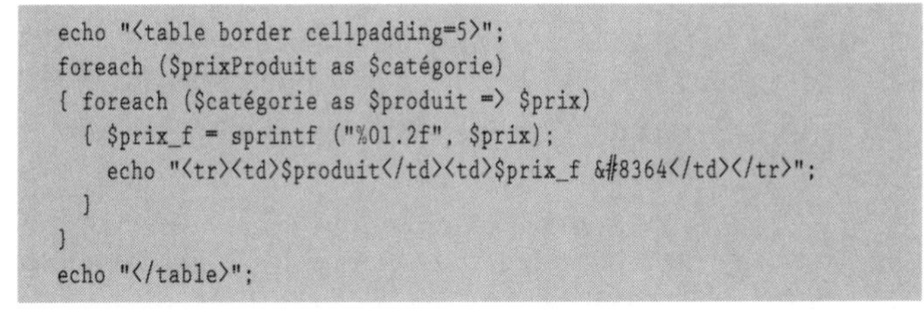

```
echo "<table border cellpadding=5>";
foreach ($prixProduit as $catégorie)
{ foreach ($catégorie as $produit => $prix)
  { $prix_f = sprintf ("%01.2f", $prix);
    echo "<tr><td>$produit</td><td>$prix_f &#8364</td></tr>";
  }
}
echo "</table>";
```

L'entité de caractère représentant le symbole de l'euro (¤) est `€`.

Vous pouvez voir le résultat sur la Figure 7.4.

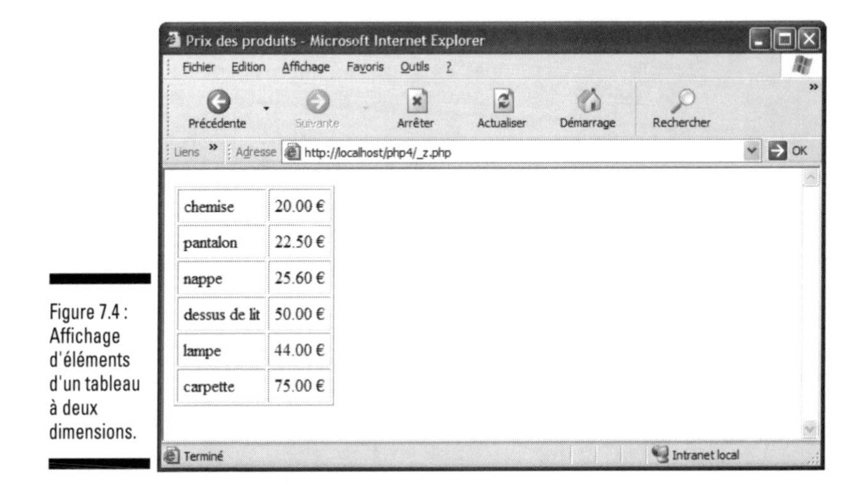

Figure 7.4 : Affichage d'éléments d'un tableau à deux dimensions.

Voici comment s'exécute ce court programme :

1. La balise `<table border cellpadding=5>` est envoyée au navigateur pour créer un tableau HTML.
2. On extrait la première paire clé/valeur du tableau `$prixProduit` et on place la valeur dans la variable `$catégorie`.
3. On extrait la première paire clé/valeur du tableau `$catégorie`, on place la clé dans la variable `$produit` et la valeur dans la variable `$prix`.
4. Le prix est mis en forme par l'instruction `sprintf()`.
5. On envoie au navigateur une ligne du tableau constituée par les balises appropriées et les deux variables précédentes.
6. On extrait la paire clé/valeur suivante du tableau `$prixProduit`.
7. Le prix est mis en forme et on envoie au navigateur une nouvelle ligne du tableau constituée par les balises appropriées et les deux variables extraites de `$prixProduit`.
8. Comme il n'y a plus rien dans le tableau `$catégorie`, la boucle interne se termine et on en sort.
9. On extrait la paire clé/valeur suivante du tableau `$prixProduit` et on place la valeur dans la variable `$catégorie`, qui est un tableau.
10. On répète les étapes 1 à 9 jusqu'à ce que la dernière paire clé/valeur du tableau `$prixProduit` soit utilisée.
11. On sort de la boucle la plus externe et on envoie la balise `</table>` au navigateur pour refermer le tableau HTML.

Autrement dit, le `foreach` externe traite les éléments du premier rang de `$prixProduit`, tandis que le `foreach` interne s'occupe des éléments du second rang correspondant à chaque élément du premier rang.

Instructions conditionnelles usuelles

Une *instruction conditionnelle* est une instruction qui permet d'exécuter ou non l'instruction ou le bloc d'instructions qui la suit lorsque certaines conditions sont remplies. Voici deux types d'instructions conditionnelles courantes :

- **if :** Définit une condition et en teste le résultat. S'il vaut VRAI, le bloc qui suit est exécuté.
- **switch** : Définit une suite de conditions possibles et les teste une par une. Les instructions qui suivent celles qui répondent VRAI sont exécutées.

if

Une instruction `if` teste une certaine condition. Si sa valeur est VRAI, le bloc d'instructions qui la suit est exécuté. Sa forme générale est la suivante :

```
if (condition)
{
    bloc d'instructions ...
}
elseif (condition)
{
    bloc d'instructions ...
}
else
{
    bloc d'instructions ...
}
```

Cette instruction comprend trois sections :

- **if :** Cette section est obligatoire. Elle teste une certaine condition.
  - **Si la condition vaut VRAI** : Le bloc d'instructions qui suit est exécuté. Le programme se déplace ensuite vers l'instruction qui suit cette instruction conditionnelle. Les sections else ou elseif éventuelles sont ignorées.
  - **Si la condition ne vaut pas VRAI :** Le bloc d'instructions qui suit n'est pas exécuté. Le programme se déplace alors vers l'instruction qui suit. Il peut s'agir d'un `else` ou d'un `elseif`, ou encore de l'instruction qui suit le bloc conditionnel.

  Quel que soit le résultat du test, le programme passe donc ensuite à l'instruction qui suit ce bloc.
- **elseif :** Cette section est facultative. Elle aussi teste une condition. Vous pouvez écrire autant de sections `elseif` que vous le souhaitez, mais au-delà de deux vous courez le danger de ne plus très bien savoir où vous en êtes de vos tests.

- **Si la condition vaut VRAI** : Le bloc d'instructions qui suit est exécuté.
- **Si la condition ne vaut pas VRAI :** Le bloc d'instructions qui suit n'est pas exécuté.

Le déroulement est identique au traitement de `if`.

- **else :** Cette section, elle aussi, est facultative. Si elle existe et que la condition du `if` ou du `elseif` qui la précède renvoie FAUX, elle est exécutée. Si elle vaut VRAI, cette section est ignorée.

Chacune des conditions peut consister en une simple comparaison ou en une association de comparaisons. Nous avons vu en quoi consistaient ces deux formes dans la section "Comparaisons" du Chapitre 6. Le Listing 7.3 vous propose un exemple d'emploi d'instructions conditionnelles. Supposons que vous ayez quatre versions de votre catalogue en français, anglais, allemand et italien. Vous voulez afficher la langue qui convient en fonction de la nationalité du client. Le listing qui suit définit un message adapté à la langue appropriée à partir d'une variable appelée `$pays`.

Listing 7.3 : Exemple d'une cascade d'instructions if.

```
<?PHP
if ($pays == "Allemagne" )
{ $version = "allemande";
  $message = " Sie sehen unseren Katalog auf Deutsch";
}
elseif ($pays == "France" )
{ $version = "française";
  $message = " Vous verrez notre catalogue en français";
}
elseif ($pays == "Italie" )
{ $version = "italienne";
  $message = " Vedrete il nostro catalogo in Italiano";
}
else
{ $version = "anglaise";
  $message = "You will see our catalog in English";
}
echo "Version $version : $message<br>";
?>
```

Voici comment fonctionne cette séquence :

1. La variable `$pays` est comparée à `"Allemagne"`. S'il y a égalité, `$version` prend la valeur `"allemande"` et `$message` reçoit un

texte en allemand. S'il n'y a pas égalité, ce bloc est ignoré et on passe au test suivant.

2. La variable `$pays` est comparée à `"France"`. S'il y a égalité, `$version` prend la valeur `"française"` et `$message` reçoit un texte en français. S'il n'y a pas égalité, ce bloc est ignoré et on passe au test suivant.

3. La variable `$pays` est comparée à `"Italie"`. S'il y a égalité, `$version` prend la valeur `"italienne"` et `$message` reçoit un texte en français. S'il n'y a pas égalité, ce bloc est ignoré et on passe au test suivant.

4. Si aucune des conditions précédentes n'a été remplie, `$version` prend la valeur `"anglaise"` et `$message` reçoit un texte en anglais.

Quel qu'ait été le résultat des tests précédents, l'instruction `echo` est alors exécutée pour afficher le type de version et le message dans cette langue.

Lorsque le bloc d'instructions "protégé" par une instruction conditionnelle ne contient qu'une seule instruction, on peut se dispenser des accolades, voire, si l'instruction est suffisamment courte, l'écrire sur la même ligne. Ainsi, au lieu de :

```
elseif ($pays == "France" )
{ $version = "française";
}
```

on pourrait écrire :

```
elseif ($pays == "France" ) $version = "française";
```

Bien que le programme ainsi écrit permette d'éviter quelques fautes de frappe, il est moins facile à relire lorsque plusieurs instructions conditionnelles se succèdent.

Vous pouvez imbriquer plusieurs `if`. Supposez, par exemple, que vous vouliez prendre contact avec vos clients de Lozère : par e-mail, pour ceux qui utilisent l'Internet ; par courrier postal, pour les autres. Voici comment vous pourriez procéder :

```
if (departClient == "Lozère")
{ if ($email != "")
    $méthodeContact = "lettre";
  else
    $méthodeContact = "e-mail";
}
```

```
else
  $méthodeContact = "aucune";
```

Si le client n'habite pas la Lozère, tout le bloc suivant le premier `if` est ignoré et on exécute la toute dernière instruction. S'il habite la Lozère, on regarde si son adresse e-mail existe. (S'il n'en a pas, c'est une chaîne de caractères vide.) Selon la réponse à ce test, on choisit la méthode de contact.

switch

Cette instruction permet de traiter le cas des choix multiples avec plus d'élégance qu'une cascade de `if`. Nous allons reprendre le précédent exemple et le traiter avec un `switch`. Le Listing 7.4 vous présente le programme résultant.

Listing 7.4 : Exemple d'une succession de tests dans une instruction switch.

```
<?PHP
switch ($pays)
{ case "Allemagne" :
      $version = "allemande";
      $message = " Sie sehen unseren Katalog auf Deutsch";
      break;

  case "France" :
     $version = "française";
     $message = " Vous verrez notre catalogue en français";
     break;

  case "Italie" :
     $version = "italienne";
     $message = " Vedrete il nostro catalogo in Italiano";
     break;

  default:
    $version = "anglaise";
    $message = "You will see our catalog in English";
}
echo "Version $version : $message<br>";
?>
```

Dans l'instruction `switch`, on commence par indiquer entre parenthèses le nom de la variable qui va être testée à la suite du `switch` proprement dit (ici : `$pays`). On trouve ensuite une succession de blocs `case` dont chacun indique avec quelle constante sera comparée la variable du `switch`. Cette comparaison s'effectue toujours par un test d'égalité. Vient alors le bloc d'instructions à exécuter si le résultat de la comparaison est VRAI.

Ce bloc doit nécessairement se terminer par une instruction `break` qui fait sortir du `switch`, sauf si c'est le dernier de ce bloc d'instruction. Le programme reprend à l'instruction suivant l'accolade refermant le `switch`. Si on omettait le `break`, on "tomberait" dans le bloc suivant qui serait systématiquement exécuté.

La clause `default` commande un bloc d'instructions qui sera exécuté lorsque aucune des comparaisons précédentes (les clauses `case`) n'aura été satisfaite. Elle est facultative et se place généralement à la fin du bloc. Le `break` suivant la dernière section `case` n'est pas non plus obligatoire, mais il est vivement conseillé pour des raisons de clarté et de prudence.

Les boucles

Les boucles sont fréquemment utilisées dans les programmes. Une *boucle* est la répétition d'un bloc d'instructions. Dans certains cas, la boucle se répète un nombre de fois fixé à l'avance. Par exemple, une boucle qui afficherait la liste des départements français métropolitains se répéterait 95 fois. Dans d'autres cas, une boucle est exécutée jusqu'à ce qu'une certaine condition soit remplie. Par exemple, une boucle qui afficherait la liste de produits commercialisés se répéterait jusqu'à ce que la liste soit épuisée, et ce quel que soit le nombre de ces produits. Il existe trois types de boucles :

- **for :** Répétition d'un bloc d'instructions un nombre de fois fixé au moyen d'un compteur.
- **while :** Répétition d'un bloc d'instructions tant qu'une certaine condition est vérifiée. Le test d'itération est effectué au début de la boucle.
- **do ... while :** Répétition d'un bloc d'instructions tant qu'une certaine condition est vérifiée. Le test d'itération est effectué à la fin de la boucle.

for

La boucle `for` la plus élémentaire est basée sur un compteur. Vous définissez la valeur de départ du compteur, sa valeur finale et la façon dont il va être incrémenté à chaque tour. Sa forme générale est la suivante :

```
for (début; fin; incrément)
{
    ... bloc d'instructions ...
}
```

avec :

- `début` : Expression définissant la variable qu'utilisera le compteur et sa valeur initiale. On trouve fréquemment ici : `$i = 0;`. La variable du compteur sera `$i` et elle aura 0 pour valeur initiale. Mais il peut aussi s'agir d'une variable ou d'une combinaison de nombres, comme dans `2+2`.
- `fin` : Test d'arrêt de la boucle. Tant que sa valeur est égale à VRAI, la boucle continue à tourner. Lorsque l'incrément est positif, on trouve fréquemment ici : `$i < n;`, `n` étant la première valeur qui ne sera pas utilisée dans la boucle puisque celle-ci se sera arrêtée avant. Il n'est pas indispensable que la variable servant de compteur figure à cet endroit, mais c'est souvent le cas. La condition de fin peut également être définie à l'aide d'une variable.
- `incrément` : Valeur dont sera incrémentée (ou décrémentée) la variable servant de compteur. On trouve fréquemment ici : `$i++;` qui incrémente `$i` d'une unité. Au lieu de `$i++;`, on peut trouver `$i--;` dans le cas d'une boucle où le compteur voit sa valeur décroître à chaque tour.

A titre d'exemple, les instructions qui suivent montrent comment écrire une boucle `for` qui affichera trois fois "Hello World!" :

```
for ($i=0; $i<3; $i++) // on compte de 0 à 2
{ echo "Hello World!<br>";
}
```

Comme on le voit, le compteur n'intervient pas nécessairement dans le bloc d'instructions répété. On aurait également pu écrire cette boucle sous les deux formes qui suivent :

```
for ($i=1; $i<=3; $i++) // on compte de 1 à 3
{ echo "Hello World!<br>";
}
```

```
for ($i=3; $i>0; $i--) // on compte de 3 à 1
{ echo "Hello World!<br>";
}
```

Comme vous devez vous en douter si vous vous souvenez de ce qui a été dit au début du Chapitre 6, les instructions du bloc qui suit le `for` n'ont nul besoin d'être indentées. Mais il est beaucoup plus facile ainsi de relire le programme.

Les boucles `for` sont particulièrement utiles pour balayer tout un tableau. Pour afficher toute la liste de vos clients contenue dans le tableau `$clients`, vous pouvez écrire :

```
for ($i=0; $i<sizeof($clients); $i++
{ echo "$clients[$i]<br>";
}
```

La fonction `sizeof()` qui apparaît dans le test d'arrêt renvoie le nombre d'éléments contenus dans un tableau, donc, ici, le nombre de clients à afficher. Le nombre d'itérations correspondra donc exactement à la quantité d'éléments contenus dans le tableau.

Normalement, le premier indice d'un tableau est 0 (sauf spécification délibérée de votre part). La dernière valeur du compteur à utiliser est le nombre d'éléments du tableau diminué de 1. Oublier cela est une erreur courante. C'est donc l'un des tout premiers points à vérifier si vous n'obtenez pas le résultat escompté.

while

La boucle `while` continue de répéter un bloc d'instructions tant que certaines conditions sont vérifiées. Elle est organisée comme suit :

1. Vous définissez une condition.
2. La condition est testée avant d'entrer dans la boucle.
3. Si la condition est vérifiée, on exécute une fois la boucle.
4. On répète les étapes 2 et 3.

La forme générale d'une boucle `while` est la suivante :

```
while (condition)
{
    ... bloc d'instructions
}
```

condition est une expression conforme à toutes celles que nous avons vues jusqu'ici (reportez-vous si nécessaire au Chapitre 6). Elle fait intervenir une variable qui doit évoluer dans le bloc d'instructions, faute de quoi on ne pourrait jamais sortir de la boucle. Voici quelques exemples de conditions :

```
$test <= 10
$test1 == $test2
$a == "oui" and $b != "no"
$name != "Dupont"
```

Si la condition de la boucle `while` n'est pas remplie au départ, on ne passe jamais dans le bloc d'instructions qui suit.

Une erreur fréquente chez les débutants consiste à terminer la ligne sur laquelle est écrite le `while` par un point-virgule. Ce faisant, il est évident qu'on ne pourra jamais entrer dans la boucle. A plus forte raison, en sortir !

La séquence qui suit montre comment *il ne faut pas* écrire une boucle `while` regardant dans un tableau `$clients` s'il s'y trouve quelqu'un du nom de Dupont :

```
$clients = array ("Huang", "Dupont", "Martin");
$testvar = "non";
$k = 0;
while ( $testvar != "oui" )
{ if ($clients[$k] == "Dupont" )
  { $testvar = "oui";
    echo "Dupont est dans le tableau<br>";
  }
  $k++;
}
```

Si `Dupont` est dans le tableau, la variable de test `$testvar`, définie initialement comme valant "non", prend la valeur "oui" et on affiche :

```
Dupont est dans le tableau
```

La condition de la boucle n'étant plus remplie, on en sort. Si Dupont n'est pas dans le tableau, on tourne éternellement dans la boucle `while` puisque `$testvar`, la variable testée, ne change jamais de valeur.

Je vais maintenant vous donner un *bon* exemple de boucle `while` dont on est certain de sortir. Il suffit, pour cela, d'ajouter une condition exprimant qu'on est toujours dans le tableau. Cette condition va s'écrire :

```
$k < sizeof($clients)
```

Pendant que nous y sommes, nous allons ajouter un message indiquant que Dupont n'est pas dans le tableau. C'est le cas lorsqu'on est sorti de la boucle et que `$testvar` contient toujours "non". La séquence devient :

```
$clients = array ("Huang", "Dupont", "Martin");
$testvar = "non";
$k = 0;
while ($testvar != "oui" && $k < sizeof($clients))
{ if ($clients[$k] == "Dupont")
   { $testvar = "oui";
     echo "Dupont est dans le tableau<br>";
   }
   $k++;
}
if ($testvar == "non")
  echo "Dupont n'est pas dans le tableau<br>";
```

Détaillons le fonctionnement de cette boucle :

1. Initialisations : les variables `$k` et `$testvar` prennent respectivement les valeurs 0 et "non".

2. On exécute le `while`. `$testvar` ne vaut pas "oui" et `$k` est égal à 0. La condition formée par l'association de ces deux tests est vérifiée et on entre dans la boucle.

3. Est-ce que `$clients[0]` contient "Dupont" ?

   - Si c'est non, le bloc d'instructions qui suit est sauté.

   - Si c'est oui, le bloc d'instructions qui suit est exécuté. `$testvar` prend la valeur "oui" et le message "Dupont est dans le tableau" est affiché.

4. Dans les deux cas, on fait progresser le compteur : `$k++`. A la fin du premier tour, `$k` vaut 1.

5. On répète les étapes 2 à 4 tant que les deux conditions du `while` ne sont pas satisfaites.

6. Lorsqu'on sort de la boucle, il faut voir de quelle façon.

- Si `$testvar` vaut "oui", c'est que Dupont était dans le tableau et il n'y a plus rien à faire.
- Si `$testvar` ne vaut toujours pas "oui", c'est (implicitement) qu'on est sorti du tableau ; il faut alors afficher le message "Dupont n'est pas dans le tableau".

Remarquez que cet exemple aurait aussi bien pu être traité à l'aide d'une boucle `for`. C'est souvent le cas pour beaucoup de boucles, et le choix du type de boucles peut dépendre alors d'autres motivations comme la préférence du programmeur pour telle ou telle forme d'écriture de boucle. Après tout, l'essentiel n'est-il pas d'écrire un programme correct ?

do ... while

Ce type de boucle ressemble beaucoup à la boucle `while`, à ce détail près que le test de répétition est fait *à la fin* de la boucle et non à son début. On est alors certain d'exécuter au moins une fois le bloc d'instructions qui suit. La forme générale de cette boucle est la suivante :

```
do
{
    ... bloc d'instructions ...
} while (condition);
```

Nous allons réécrire l'exemple précédent avec une boucle `do ... while`. Elle se présente maintenant ainsi :

```
$clients = array ("Huang", "Dupont", "Martin");
$testvar = "non";
$k = 0;
do
{ if ($clients[$k] == "Dupont")
  { $testvar = "oui";
    echo "Dupont est dans le tableau<br>";
  }
  $k++;
}
while ($testvar != "oui" && $k < sizeof($clients));
if ($testvar == "non")
  echo "Dupont n'est pas dans le tableau<br>";
```

Nous pouvons constater que les modifications sont minimes. Nous avons déplacé la ligne contenant le `while` à la fin du bloc d'instructions, et avons écrit `do` devant l'accolade ouvrante qui débute le bloc d'instructions.

Modifions un peu notre petit programme :

```
<?
$clients = array ("Huang", "Dupont", "Martin");
$testvar = "non";
$k = 0;
do
{ if ($clients[$k] == "Dupont")
  { $testvar = "oui";
    echo "Dupont est dans le tableau<br>";
  }
  else
  {
    echo "$clients[$k], pas Dupont<br>";
  }
  $k++;
}
while ($testvar != "oui" && $k < sizeof($clients));
?>
```

Il va afficher :

```
Huang, pas Dupont
Dupont est dans le tableau
```

Une fois `Dupont` trouvé, la variable `$testvar` prend la valeur `oui`, ce qui va provoquer la sortie de la boucle. Supposons maintenant que la condition initiale soit inversée :

```
$testvar = "oui";
```

Le test est donc faux dès le départ. Dans une boucle `while`, aucune sortie ne serait produite. Avec `do..while`, le bloc est nécessairement exécuté une fois avant que la condition ne soit évaluée. Dans ce cas, la première ligne continuera à être affichée :

```
Huang, pas Dupont
```

Contrairement à ce qui se passe avec la boucle `while`, dans une boucle `do ... while`, la ligne où se trouve le `while` doit être terminée par un point-virgule.

Boucles infinies

Lors de l'étude de ces trois boucles, nous avons rencontré des cas dans lesquels on allait tourner éternellement dans la boucle. Nous avons volontairement créé une telle situation en étudiant la boucle `while` (voir ci-dessus).

En réalité, l'éternité a une valeur finie, car une minuterie incorporée à PHP, et dont la durée est modifiable, arrête l'exécution d'un programme au bout d'un "certain" temps lorsque l'interpréteur PHP ne produit plus rien (on dit alors, dans le jargon de la programmation, qu'il *tourne en rond*). Pour arrêter une boucle dans un programme PHP, il vous suffit de cliquer sur le bouton Arrêt de la barre d'outils de votre navigateur.

Par défaut, la durée est configurée pour 30 secondes, mais cette valeur peut être modifiée par l'administrateur de PHP.

En dehors des causes provenant d'un point-virgule mal placé ou de l'impossibilité d'évolution de la variable testée dans la condition d'arrêt, il y a une autre cause de blocage : la confusion de l'opérateur de comparaison "`==`" avec l'opérateur d'affectation "`=`".

Le simple fait d'écrire `$testvar = "oui"` résulte en une condition ayant la valeur VRAI, puisque "oui" est différent de zéro. En outre, on modifie ainsi la valeur de `$testvar`. Alors que si l'on écrit `$testvar == "oui"`, on ne modifie pas la valeur de `$testvar` et la condition dépendra de la valeur réelle de cette variable.

Il existe un moyen assez simple de contourner ce problème. Si vous écrivez `"oui" == $testvar`, aucune affectation ne sera possible. Certes, cette rédaction est moins logique, mais elle peut vous protéger contre ce type d'erreur. Si vous ne tapez qu'un seul signe d'égalité, une erreur fatale se produira et le programme se terminera tout de suite.

Une autre erreur classique est l'oubli de l'instruction qui incrémente le compteur. Celui-ci ne bouge pas, la condition initiale n'est donc jamais modifiée, et l'on rentre dans une boucle infinie.

Rupture d'une boucle

Dans certains cas, on peut avoir besoin de modifier le cours d'une boucle. Il y a, pour cela, deux motivations possibles :

- On veut sortir immédiatement de la boucle pour une cause différente de sa condition normale. On utilisera alors l'instruction `break`.

- On a exécuté une partie des instructions de la boucle. On veut sauter celles qui suivent, puis reprendre l'exécution normale de la boucle. On utilisera alors l'instruction `continue`.

En particulier, `break` est le plus souvent employé dans des instructions `switch` (voir plus haut).

Les instructions qui suivent illustrent les différences existant entre `break` et `continue` :

```
$compteur = 0;
while ($compteur < 5)
{ $compteur++;
  if ($compteur == 3 )
  { echo "break<br>";
    break;
  }
  echo "Fin de la boucle while : compteur=$compteur<br>";
}
echo "Sortie par le break<p>";
```

```
$compteur = 0;
while ($compteur < 5)
{ $compteur++;
  if ($compteur == 3)
  { echo "continue<br>";
    continue;
  }
  echo "Fin de la boucle while : compteur=$compteur<br>";
}
echo "Sortie après le continue<br>";
```

Ces deux groupes d'instructions réalisent deux boucles identiques, à ceci près que le premier met en œuvre un `break` alors que le second contient un `continue`. Voici ce qui est affiché :

```
Fin de la boucle while : compteur=1
Fin de la boucle while : compteur=2
break
Sortie par le break

Fin de la boucle while : compteur=1
Fin de la boucle while : compteur=2
continue
Fin de la boucle while : compteur=4
Fin de la boucle while : compteur=5
Sortie après le continue
```

La première boucle se termine par l'exécution du `break`, alors que la seconde continue après l'exécution du `continue`. Ce dernier ne fait que sauter l'affichage par l'instruction `echo` lorsque `$compteur` vaut 3, la remontée dans la boucle ayant lieu normalement.

Le `break` est une assurance contre les boucles infinies. Les instructions qui suivent peuvent arrêter une boucle à un point raisonnable :

```
$test_infini++;
if ($test_infini > 100 )
{ break;
}
```

Si vous êtes certain que votre boucle ne doit jamais être répétée plus de 100 fois, ces instructions l'arrêteront avant qu'elle ne devienne infinie. Adoptez n'importe quelle valeur qui vous semblera raisonnable pour la boucle que vous écrirez.

Les fonctions

Dans une application, on a souvent l'occasion d'exécuter la même tâche à plusieurs reprises. Par exemple, afficher le logo de l'entreprise à plusieurs endroits d'une même page Web ou dans différentes pages Web. Supposons qu'on utilise pour cela la séquence d'instructions suivantes :

```
echo '<hr width="50" align="left">',"\n";
echo '<img src="/images/logo.jpg" width="50" height="50"><br>',"\n";
echo '<hr width="50" align="left"><br>',"\n";
```

On peut alors créer une fonction utilisateur contenant ces trois instructions et l'appeler `afficheLogo()`. Lorsque le programme aura besoin d'afficher le logo, il suffira alors d'écrire :

```
afficheLogo();
```

Remarquez les parenthèses qui suivent le nom de la fonction. C'est ce qui permet à PHP de savoir qu'il s'agit d'une fonction et non d'une variable.

Contrairement à ce qui se passe pour les variables, le nom d'une fonction **ne doit pas** commencer par un caractère dollar ($).

Voici quelques-uns des avantages offerts par les fonctions :

- **Moins de frappe.** Vous n'avez pas à retaper toutes les instructions composant le corps de la fonction, mais seulement son nom.
- **Relecture plus facile.** On comprend plus facilement ce que signifie `afficheLogo()` que la suite des trois instructions qui composent cette fonction.
- **Moins d'erreurs.** Une fois que votre fonction est au point, vous ne risquerez plus de faire d'erreurs en la réécrivant chaque fois que vous en aurez besoin.
- **Plus grandes facilités de changement.** Si vous décidez de modifier la façon dont une tâche est accomplie, il vous suffit de faire ces modifications en un seul endroit sans avoir besoin de rechercher dans un ou plusieurs programmes chacune de ses utilisations. Si, par exemple, vous décidez de modifier le nom de l'image qui constitue le logo, il vous suffit de faire ce changement une seule fois, à l'intérieur de la fonction.

Pour créer une fonction, il faut la *déclarer*, ce qui se fait sous la forme générale suivante :

```
function nomFonction()
{
   ... bloc d'instructions;
   return;
}
```

Attention ! L'instruction s'écrit bien *function* (à l'anglaise, avec un "u") et non *fonction*.

Reprenant notre exemple de l'affichage du logo de l'entreprise, voici de quelle façon vous pouvez en faire une fonction :

```
function afficheLogo()
{ echo '<hr width="50" align="left">',"\n";
  echo '<img src="/images/logo.jpg" width="50"
         height="50"><br>',"\n";
  echo '<hr width="50" align="left"><br>',"\n";
  return;
}
```

Une fois exécutée la dernière instruction du bloc qui constitue la fonction, le programme se poursuit à l'instruction du programme qui suit l'*appel* de la fonction.

On peut forcer un retour prématuré, par exemple à la suite de certaines conditions, au moyen de l'instruction `return`. Pour arrêter l'exécution lorsqu'une variable, `$âge`, par exemple, est inférieure à 13, on pourrait écrire :

```
if ($âge < 13) return;
```

Si le retour *normal* est suffisant, il est inutile de placer un `return` comme dernière instruction de la fonction.

L'instruction `return` peut être utilisée pour renvoyer **un** résultat (un seul) au programme qui l'a appelée. Pour cela, on fait suivre le mot `return` de la valeur à renvoyer exprimée par une constante, une variable ou une expression. Nous en verrons une application plus loin dans la section "Passage de valeurs entre une fonction et le programme environnant".

Vous pouvez placer la déclaration des fonctions à n'importe quel endroit du programme, mais il est d'usage de les regrouper en tête, de façon à pouvoir, si besoin, les corriger plus facilement. Il est aussi possible de regrouper dans un fichier séparé toutes les fonctions qu'utilisera votre programme (voire toutes vos applications). Nous reviendrons sur ce point au Chapitre 10.

Contrairement à ce qui se passe pour les noms de variables, les noms de fonctions sont insensibles à la casse. `mafonction()` est identique à `MAFONCTION()` et à `maFonction()`.

L'exemple de fonction que nous venons de donner est simple (rudimentaire, même), car il n'utilise aucune variable et ne partage aucune information avec le programme proprement dit, se contentant d'accomplir exactement la même tâche à chaque appel. Nous allons voir qu'il est possible d'aller plus loin et d'échanger des informations entre une fonction et le programme qui l'utilise.

Les variables et les fonctions

Une fonction peut utiliser des variables *locales* auxquelles elle seule peut accéder et que le programme qui l'environne ne voit normalement pas. Considérons l'exemple suivant :

```
function maFonction()
{ $nom = "Dupont";
  $prénom = "Jules";
  $nomComplet = $prénom." ".$nom;
}
```

```
maFonction();
echo $nomComplet;
```

La seule chose qui s'affichera sera un avertissement signalant que la variable `$nomComplet` n'est pas définie. Etant créée à l'intérieur de la fonction, elle n'existe pas en dehors de celle-ci.

Si on veut que la communication puisse s'établir, les variables à partager doivent être déclarées dans la fonction au moyen de l'instruction `global` selon le modèle suivant :

```
function maFonction()
{ $nom = "Dupont";
  $prénom = "Jules";
  global $nomComplet;
  $nomComplet = $prénom." ".$nom;
}

maFonction();
echo $nomComplet;
```

Le programme affiche maintenant :

```
Jules Dupont
```

La déclaration `global` doit obligatoirement précéder l'initialisation de la variable concernée, faute de quoi elle n'aurait aucun effet. Dans l'exemple ci-dessus, si elle s'était trouvée après `$nomComplet = $prénom." ".$nom;`, rien n'aurait été affiché.

C'est la même chose dans l'autre sens, à savoir que, dans une fonction, vous ne pouvez pas "voir" les variables définies et utilisées par le programme environnant. Il faut, pour cela, les déclarer comme globales dans la fonction. Exemple :

```
$nom = "Dupont";
$prénom = "Jules";

function maFonction()
{ global $nom, $prénom, $nomComplet;
  $nomComplet = $prénom." ".$nom;
}

maFonction();
echo $nomComplet;
```

On affichera bien ainsi :

```
Jules Dupont
```

Notez que cette particularité permet d'avoir dans une fonction des variables de même nom que les variables du programme environnant, mais utilisées à d'autres fins et ne contenant pas les mêmes valeurs. Tant qu'elles n'ont pas été déclarées à l'intérieur de la fonction par `global`, bien sûr.

Passage de valeurs entre une fonction et le programme environnant

On peut échanger de l'information dans les deux sens entre des fonctions et le programme dans lequel elles se trouvent appelées. Dans l'exemple précédent, les nom et prénom qui composent le nom complet auraient pu être passés à la fonction sans recourir à la déclaration `global`.

Passer des valeurs à une fonction

Pour transmettre des valeurs à une fonction, on utilise une technique consistant à placer des noms de variables à l'intérieur des parenthèses suivant le nom de la fonction dans sa déclaration. On dit que ce sont les *arguments* de la fonction. L'appel se fera alors sous la forme :

```
maFonction(valeur1, valeur2...)
```

Bien entendu, la fonction doit pouvoir récupérer ces valeurs dans des variables. Elle sera donc déclarée de la façon suivante :

```
function maFonction($variable1, $variable2...)
{
     instructions;
     return;
}
```

A titre d'exemple, la fonction présentée dans la séquence suivante détermine les frais de port d'un envoi selon son poids :

```
function FraisDePort($poids)
{ if ($poids < 100)
    return 0;
    elseif ($poids <500)
```

```
        return 2;
      else
        return 5;
}

$p = 350;
echo "Frais de port pour un envoi de $p grammes : ",
     FraisDePort($p)," &#8364;<br>";
```

On considère trois cas : si le poids est inférieur à 100 grammes, le port est gratuit. S'il est supérieur ou égal à 500 grammes, les frais de port s'élèvent à 5 euros. Entre les deux, ils sont de 2 ¤.

La variable fictive `$poids` figurant dans les parenthèses de la déclaration de la fonction reçoit la valeur passée entre les parenthèses de l'*appel* de la fonction et l'utilise pour ses tests. Elle renvoie le montant des frais de port au moyen de l'instruction `return`.

Vous pouvez passer autant d'arguments que vous le souhaitez à une fonction. Pas plus, cependant, que vous n'en avez fait figurer dans la déclaration de la fonction. Ces arguments peuvent être des constantes, des variables ou des expressions. Exemples :

```
FraisDePort(350);
FraisDePort($colis);
FraisDePort($colis * $remise);
```

On peut passer des valeurs dans un tableau. En voici un exemple :

```
function ajouter($nombres)
{ for ($i=0, $s=0; $i<sizeof($nombres); $i++)
    $s = $s + $nombres[$i];
  return $s;
}

$tableau = array(1,3, 42, 67, 101);

echo ajouter($tableau);
```

La variable `$nombres` de la fonction reçoit l'*adresse* du tableau `$tableau`. Autrement dit, tout se passe comme si on avait substitué à l'étiquette `$nombres` l'étiquette `$tableau`. La fonction peut donc facilement faire la somme `$s` des nombres contenus dans ce tableau et la renvoyer au programme qui l'a appelée par l'instruction `return $s;`.

Les valeurs sont passées par position. Autrement dit, la première valeur de la liste est récupérée par le premier argument de la fonction, le seconde valeur par le second argument, et ainsi de suite. Si vos valeurs ne sont pas placées dans le bon ordre, la fonction ne pourra pas les traiter correctement. Modifions notre exemple d'envoi postal pour y ajouter comme second argument un nom de pays :

```
<?PHP
function FraisDePort($poids, $destination)
{ if ($destination == "France")
  { if ($poids < 100)
       return 0;
       elseif ($poids <500)
         return 2;
     else
       return 5;
  }
  else
  { if ($poids < 100)
       return 10;
       elseif ($poids <500)
         return 20;
     else
       return 50;
  }
}

$p = 350;
$destination="Pérou";
echo "Frais de port pour un envoi de $p grammes ($destination): ",
     FraisDePort($p, $destination)," &#8364;<br>";
?>
```

Vous allez obtenir l'affichage suivant :

```
Frais de port pour un envoi de 350 grammes (Pérou): 20 ¤
```

Imaginons alors que, pris d'étourderie, vous inversez les deux arguments :

```
FraisDePort($destination, $p)
```

Vous pourriez parfaitement obtenir un message d'erreur. Mais ici, la réponse sera :

```
Frais de port pour un envoi de 350 grammes (Pérou): 10 ¤
```

En effet, la fonction "pense" que la destination vaut *350*. Le premier test est donc FAUX. Elle compare alors le poids (qui vaut en réalité *Pérou*) avec le nombre 100. La chaîne est évaluée dans cette comparaison comme ayant une valeur numérique nulle, et le test est donc bien vérifié. La fonction retourne donc *10*.

Si le nombre d'arguments figurant dans l'appel est inférieur à celui qu'attend la fonction, les arguments manquants sont considérés par défaut comme égaux à `NULL`. Il s'agit là d'une constante PHP de nature particulière, différente de 0. En outre, un message d'erreur (avertissement) sera affiché. En supposant qu'il s'agisse de l'appel de la fonction `maFonction()` et qu'il manque le second argument, on verra s'afficher : "Missing argument 2 for maFonction() ...".

S'il y en a trop, les arguments superflus seront ignorés sans qu'aucun message d'erreur ne soit affiché.

Il est aussi possible de définir des valeurs par défaut pour les arguments qui ne sont pas passés. La déclaration se fait alors comme dans l'exemple suivant :

```
function ajoute_2_nombres($nombre1=1,$nombre2=1)
{
   $total = $nombre1 + $nombre2;
   return $total;
}
```

Si un argument est absent, la fonction se servira de la valeur par défaut. Sinon, elle effectuera le calcul avec la valeur qui lui a été transmise. Par exemple :

```
echo "Total : ";
echo ajoute_2_nombres(2,2);
echo "<br>";
echo "Total : ";
echo ajoute_2_nombres(2);
echo "<br>";
echo "Total : ";
echo ajoute_2_nombres();
```

affichera :

```
Total : 4
Total : 3
Total : 2
```

Renvoi de valeurs par une fonction

Nous avons vu plus haut que, pour renvoyer une seule valeur, il suffisait à une fonction de faire figurer cette valeur à la suite de l'instruction `return`. Exemple :

```
return $somme;
```

A la suite du `return`, on peut écrire une constante, une variable ou une expression. Reprenons l'exemple du calcul des frais de port et modifions-le ainsi :

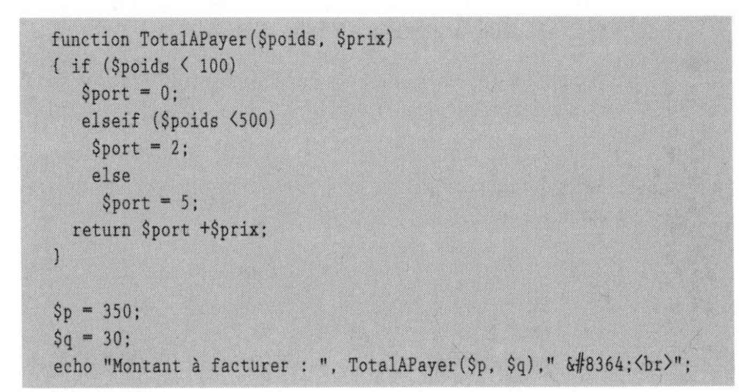

```
function TotalAPayer($poids, $prix)
{ if ($poids < 100)
    $port = 0;
    elseif ($poids <500)
     $port = 2;
     else
      $port = 5;
   return $port +$prix;
}

$p = 350;
$q = 30;
echo "Montant à facturer : ", TotalAPayer($p, $q)," &#8364;<br>";
```

Comme on le voit, le programme principal peut incorporer directement l'appel de la fonction `TotalAPayer()` dans une instruction `echo` en même temps que des constantes.

On peut avoir plusieurs instructions `return` à l'intérieur d'une fonction, par exemple dans des instructions conditionnelles ou des boucles. Nous en avons un exemple plus haut.

Une instruction `return` ne peut renvoyer qu'une seule valeur. Mais il est possible de contourner cette restriction : il suffit que cette valeur soit un tableau !

Chapitre 8

Mouvements de données

Dans ce chapitre :

- Connexion à la base de données.
- Extraction d'informations de la base de données.
- Mise en œuvre de formulaires HTML avec PHP.
- Traitement des informations saisies par les utilisateurs dans un formulaire.
- Rangement de données dans une base de données.
- Fonctions de transfert de données avec une base de données.
- Transférer des informations par fichier.

Une des fonctionnalités les plus précieuses de PHP est sa possibilité de dialoguer avec des bases de données au moyen de fonctions spécialisées qui rendent cette communication très simple. Les requêtes sont envoyées à la base de données par un simple appel de fonction. Vous n'avez pas besoin de connaître les détails de ces communications, PHP s'en charge. Il vous suffit de savoir quelles requêtes adresser à MySQL et comment appeler les fonctions PHP.

Fonctions PHP/MySQL

Pour interagir avec MySQL, vous allez utiliser des fonctions spécifiques de PHP. Ces fonctions servent à se connecter au serveur MySQL, à se connecter à la base de données voulue, à envoyer des requêtes SQL, et ainsi de suite. Vous n'avez pas besoin de connaître les détails de cette interaction, puisque c'est PHP qui gère tout cela. Il vous suffit de savoir utiliser les bonnes fonctions.

Pour anticiper sur la future version 5 de PHP, disons que les fonctions d'interaction avec MySQL peuvent se répartir en deux groupes : celles qui concernent la version 4.0 (ou plus ancienne) du SGBDR, et celles qui servent à travailler avec la version 4.1 (ou plus) de celui-ci.

Les fonctions de PHP adaptées à MySQL 4.0 possèdent le format général suivant :

```
mysql_fonction(valeur,valeur,...);
```

La seconde partie du nom spécifie une fonction particulière. Il s'agit généralement d'un mot qui décrit la nature de la fonction. Le ou les arguments dont la fonction a besoin peuvent spécifier différentes choses : la connexion à la base de données, l'emplacement de ces données, et ainsi de suite. En voici deux exemples que nous retrouverons plus loin dans ce chapitre :

```
mysql_connect($connexion);
mysql_query("instruction SQL");
```

En supposant la version 4.1 de MySQL définitivement validée, ces fonctions devront vraisemblablement subir une très légère adaptation (ce qui nécessitera tout de même une série de recherches et de remplacements). En effet, la racine du nom devrait devenir `mysqli_` au lieu de `mysql_` (sous réserve bien entendu que la syntaxe proposée actuellement pour la version 4.1 soit maintenue). Nos deux fonctions précédentes deviendraient dans ce cas :

```
mysqli_connect($connexion);
mysqli_query("instruction SQL");
```

Toujours à la date d'écriture de ce livre, les fonctionnalités et la syntaxe d'appel ne devraient pas subir d'autres changements. Evidemment, et toujours dans cette hypothèse, il vous faudra le moment venu vérifier d'éventuelles différences d'utilisation en consultant le manuel de MySQL.

Le *i* qui doit être ajouté au préfixe des noms signifie *improved* (amélioré). Cet ensemble de fonctions pour la version 4.1 de MySQL est fournie par une extension (améliorée, donc) de celui-ci. Actuellement, ce support n'est pas inclus par défaut dans PHP. Il doit être activé lorsque PHP est installé. Mais on peut supposer que, une fois la version 4.1 de MySQL livrée au grand public, la syntaxe `mysqli_` deviendra partie intégrante de PHP sans qu'il soit nécessaire de spécifier quoi que ce soit. Pour plus détails sur cette affaire, je ne peux que vous conseiller de vous reporter à la documentation en ligne de

PHP (à l'adresse `http://www.php.net/manual/en/ref.mysqli.php`).

Pour activer le mode `mysqli`, vous avez la possibilité d'ajouter l'option suivante lors de l'installation de PHP :

```
--with-mysqli=DIR
```

Ici, `DIR` représente le chemin d'accès où se trouve un fichier appelé `mysql_config`, fichier qui doit être installé en même temps que MySQL 4.1.

Etablissement de la connexion

La première chose à faire avant tout transfert de données, est de se connecter à la base de données qu'on veut utiliser. Celle-ci peut se trouver sur le même ordinateur que le programme PHP ou sur une machine différente. Vous n'avez pas besoin de connaître les détails de cette connexion, PHP se charge de tout. Tout ce que vous devez savoir est le nom et l'adresse de la base de données. Représentez-vous la connexion avec une base de données comme s'il s'agissait d'un téléphone : les mots vont d'un interlocuteur à l'autre, mais peu vous importe comment. Il suffit que vous connaissiez le numéro de téléphone de votre interlocuteur.

Une fois que vous êtes connecté à la base de données, vous envoyez une série de requêtes au moyen des fonctions PHP prévues à cet effet. Vous pouvez en envoyer autant que vous le voulez. La connexion reste établie tant que vous ne la refermez pas explicitement ou que le programme se termine. Avec le téléphone, la connexion perdure jusqu'au moment où vous raccrochez votre combiné. C'est pareil.

Connexion au serveur MySQL

Pour communiquer avec une base de données, vous devez tout d'abord vous connecter au serveur MySQL. Pour cela, vous avez besoin de connaître le nom de l'ordinateur où se trouve la base de données, le nom de votre compte MySQL ainsi que le mot de passe correspondant à ce compte. Vous appelez alors la fonction PHP `mysql_connect()` de la façon suivante :

```
$connexion = mysql_connect(adresse, compte, mpasse)
             or die ("message");
```

avec :

- `adresse` : Le nom de l'ordinateur sur lequel se trouve la base de données. Par exemple : `base.monserveur.com`. Sur un serveur personnel (et donc avec EasyPHP), ce serait tout simplement `localhost`. Dans ce cas, vous pouvez même laisser ce champ vide ("").
- `compte` : Le nom de votre compte MySQL. Revoyez à ce sujet le Chapitre 5. Si ce champ est vide (""), cela signifie que n'importe quel compte sera considéré comme valide. Pour des raisons évidentes de sécurité, ce n'est pas une bonne idée !
- `mpasse` : Le mot de passe attaché à ce compte. Si le compte utilisé n'exige pas de mot de passe, laissez ce champ vide ("").
- `message` : Le message à afficher si la connexion ne peut pas être établie (soit parce que vous n'avez pas fourni les bonnes informations, soit tout bêtement parce que le serveur n'est pas accessible). Pendant la phase de mise au point, vous avez intérêt à prévoir pour ce message un texte explicite du genre : "Connexion au serveur impossible." Plus tard, au moment de l'exploitation de la base de données par vos clients, il faudra être moins technique et dire, par exemple : "Le catalogue de l'animalerie n'est pas accessible pour le moment. Pouvez-vous réessayer plus tard ?"

Lorsque vous appelez la fonction `mysql_connect()`, celle-ci tente d'établir la connexion avec la base de données en utilisant les paramètres que vous lui avez indiqués. Si cette tentative échoue, le message d'erreur est affiché et le programme s'arrête.

L'exemple qui suit montre comment se connecter à une base de données située sur un serveur personnel :

```
$connexion = mysql_connect("localhost", "catalogue","")
             or die ("Connexion au serveur impossible.");
```

Pour des raisons de sécurité (et de maintenance), il est préférable de placer les paramètres de connexion dans des variables et de faire figurer celles-ci dans l'appel à `mysql_connect()` de la façon suivante :

```
$hôte = "localhost";
$utilisateur = "catalogue";
$mPasse = "";
```

```
$connexion = mysql_connect($hôte, $utilisateur, $mPasse)
        or die ("Connexion au serveur impossible.");
```

En fait, si vous voulez accroître la sécurité de cette connexion, vous pouvez placer les trois informations dans un fichier séparé de façon qu'elles n'apparaissent pas en clair dans le programme. Vous en saurez plus sur ce sujet au Chapitre 10.

La variable `$connexion` identifie la connexion établie. Vous pouvez ouvrir plusieurs connexions en même temps, en conservant les informations relatives à chacune dans une variable de nom différent. Une connexion reste ouverte tant que vous ne la refermez pas explicitement ou que l'exécution du programme se poursuit. Pour fermer une connexion, vous appelez la fonction `mysql_close()` en lui passant en argument le nom reçu au moment de la connexion initiale. Par exemple :

```
mysql_close($connexion);
```

Sélection de la base de données

Une fois que la connexion est établie avec le serveur MySQL, il faut sélectionner la base de données que vous voulez utiliser. Pour cela, il faut appeler la fonction `mysql_select_db()` de la façon suivante :

```
$db = mysql_select_db(nomBase, nomConnexion)
      or die (message);
```

avec :

- `nomBase` : Nom de la base de données.
- `nomConnexion` : La variable qui contient le nom de la connexion à MySQL. Si cet argument n'est pas spécifié, PHP utilise la dernière connexion ouverte.
- `message` : Message qui sera affiché si la sélection de la base de données est impossible.

Par exemple, vous pouvez sélectionner la base de données des animaux de compagnie, `AniCata`, au moyen de l'instruction suivante :

```
$db = mysql_select_db("AniCata", $connexion)
      or die ("La base de données ne peut pas être sélectionnée");
```

En cas d'échec, le message est affiché et le programme s'arrête.

Pour des raisons de sécurité, il est préférable de placer le nom de la base de données dans une variable et de faire figurer celle-ci dans l'appel à `mysql_connect()` de la façon suivante :

```
$base = "AniCata";
$db = mysql_select_db($base, $connexion)
        or die ("La base de données ne peut pas être sélectionnée");
```

La base de données reste sélectionnée tant que vous n'en choisissez pas explicitement une autre par un appel à `mysql_select_db()`.

Envoi de requêtes MySQL

Une fois que vous vous êtes connecté au serveur MySQL et que vous avez sélectionné votre base de données, vous êtes prêt à envoyer des requêtes MySQL afin de ranger, retrouver ou mettre à jour des données. (Ce qui concerne le langage SQL a été traité au Chapitre 4.)

Pour envoyer une requête SQL à un serveur, placez-la dans une variable et utilisez la fonction `mysql_query()` de la façon indiquée dans l'exemple suivant :

```
$req = "SELECT * FROM Animal";
$resultat = mysql_query($req)
            or die ("La requête ne peut pas être exécutée");
```

La requête est exécutée sur la base de données couramment sélectionnée pour la connexion ouverte en dernier. Si vous avez ouvert plusieurs connexions, vous devez indiquer celle que vous voulez utiliser au moyen d'un second argument et l'appel devient :

```
$resultat = mysql_query($req, $connexion)
            or die ("La requête ne peut pas être exécutée");
```

La variable `$resultat` contient les informations renvoyées par le serveur MySQL à la suite de l'exécution de la requête. La nature de cette information dépend du type de la requête envoyée :

- **Pour les requêtes qui ne renvoient pas d'informations** : `$resultat` vaut 1 (c'est-à-dire TRUE) si la requête a été exécutée avec succès. Sinon, il vaut FALSE, ce qui permet d'exécuter l'instruction `die()` qui suit éventuellement l'appel. Certaines requêtes, comme `INSERT` ou `UPDATE`, ne renvoient pas de données.

- **Pour les requêtes qui renvoient des informations :** `$resultat` contient un pointeur vers les informations renvoyées et non pas vers les données elles-mêmes. Parmi les requêtes qui renvoient quelque chose, on peut citer `SELECT` et `SHOW`.

Le choix entre guillemets et apostrophes dans l'écriture d'une requête sous la forme `$variable = chaîne de caractères` est délicat. En effet, il faut prendre en compte deux niveaux : l'encadrement de la chaîne de caractères représentant la requête et les délimiteurs des paramètres de la requête en langage SQL. Pour être sûr de ne pas vous tromper, tenez compte des règles suivantes :

- Employez des guillemets au début et à la fin de la chaîne de caractères définissant la requête.
- Employez des apostrophes pour encadrer les noms de variables.
- Employez des apostrophes pour encadrer les valeurs de littéraux.

L'exemple qui suit devrait contribuer à clarifier ces explications :

```
$req = "SELECT prénom from Membre";
$req = "SELECT prénom from Membre WHERE NOM = 'Dupont'";
$req = "UPDATE Membre SET nom = '$nomClient'";
```

Une requête ne doit pas se terminer par un point-virgule. Le seul qu'on puisse trouver dans l'affectation de la requête à la variable `$req` est celui qui termine la chaîne de caractères, autrement dit celui qui termine l'instruction d'affectation de PHP. (Voir les exemples ci-dessus.)

Extraction d'informations d'une base de données

L'extraction d'informations d'une base de données est une opération très courante dans une application de base de données sur le Web. Voici deux de ses principales utilisations :

- **Se servir de ces informations dans une instruction conditionnelle.** Par exemple, selon le département où réside un client, vous allez lui envoyer tel ou tel message.
- **Afficher ces informations dans une page Web.** Par exemple, afficher la description d'un produit du catalogue.

Pour effectuer ces manipulations, vous devez commencer par ranger l'information à traiter à l'intérieur d'une ou de plusieurs variables. Pour cela, deux étapes sont nécessaires :

1. **Construire une requête `SELECT` et l'envoyer à la base de données.** Quand la requête est exécutée, les données sont rangées dans un emplacement provisoire.
2. **Transférer les données depuis cet emplacement jusque dans les variables de votre programme.**

Envoi d'une requête SELECT

Les requêtes `SELECT` ont été décrites au Chapitre 4. Construisez la requête en fonction de ce que vous voulez extraire et placez la chaîne de caractères qui la représente dans une variable. A titre d'exemple, les deux instructions qui suivent vous montrent comment sélectionner des informations dans la table `Animal` de la base `AniCata` :

```
$rq = "SELECT *FROM Animal";
$res = mysql_query($req)
       or die ("Exécution de la requête impossible ");
```

La fonction renvoie dans la variable `$res` un pointeur vers l'emplacement où se trouvent les informations sélectionnées. On peut se représenter celles-ci comme un tableau formé de lignes de données et de colonnes de champs. Reste maintenant à transférer ces informations.

Transfert et utilisation des informations

C'est la fonction `mysql_fetch_array()` qui va effectuer le transfert des données à partir de l'emplacement provisoire où elles se trouvent à la suite de l'exécution de `mysql_query()`. Elle prend une ligne de données à la fois. C'est pourquoi cette fonction est normalement utilisée dans une boucle.

Lire une ligne de données

La forme générale de la fonction est la suivante :

```
$ligne = mysql_fetch_array($resptr, type_de_tableau);
```

avec :

- `$resptr` : Pointeur reçu à la suite de l'exécution de `mysql_query()`.
- `type_de_tableau` : Mot clé indiquant sous quelle forme doivent se présenter les résultats. C'est l'un des suivants :
  - `MYSQL_NUM` : Tableau organisé sous forme de paires clé/valeur pour chaque colonne. Les clés sont numériques.
  - `MYSQL_ASSOC` : Tableau organisé sous forme de paires clé/valeur pour chaque colonne. Les clés sont constituées par les noms des colonnes.
  - `MYSQL_BOTH` : Tableau organisé sous forme de deux paires clé/valeur pour chaque colonne. Les clés sont des deux types précédents. C'est la valeur par défaut.

Dans certains cas, le résultat de la requête à la base de données ne procure qu'une seule ligne ; dans d'autres, il peut y en avoir plusieurs. Par exemple, pour contrôler le mot de passe fourni par un utilisateur, il vous suffira d'extraire une seule variable de la base au moyen des instructions suivantes :

```
$passe = "secret";    // mot de passe saisi par
                      // l'utilisateur dans un formulaire
$rq  = "SELECT mPasse FROM Membre WHERE nom='jDupont'";
$res = mysql_query($rq)
     or die ("Exécution de la requête impossible");
$ligne = mysql_fetch_array($res, MYSQL_ASSOC);
if ($passe == $ligne['mPasse'] )
{ echo "Login correct<br>";
  ... instructions affichant les pages à accès réservé ...
}
else
{ echo "Mot de passe incorrect<br>";
   ... instructions invitant l'utilisateur à essayer
       un autre mot de passe ...
}
```

Dans ces instructions, notez les points suivants :

- La requête `SELECT` demande d'extraire un seul champ (`mPasse`) à partir d'une ligne de la base de données, celle repérée par `jDupont`.
- La fonction `mysql_fetch_array()` renvoie un tableau dont le nom est `$ligne` et dont les intitulés de colonnes sont les clés.

- L'instruction `if` compare le mot de passe fourni par l'utilisateur (`$passe`) à celui qui vient d'être extrait de la base (`$ligne['mPasse']`). L'opérateur utilisé (==) contrôle l'identité des deux renseignements.
- Si le résultat de cette comparaison est VRAI, les pages à accès réservé sont affichées.
- Si le résultat de cette comparaison n'est pas VRAI, les pages à accès réservé ne sont pas affichées. A leur place, un message demande à l'utilisateur d'essayer un autre mot de passe.

Il existe un raccourci pratique pour utiliser les variables renvoyées par la fonction `mysql_fetch_array()`. C'est la fonction `extract()` qui décompose le tableau en variables ayant le même nom que la clé. Nous allons réécrire la séquence précédente en utilisant cette fonction (les deux lignes modifiées sont imprimées en gras) :

```
$passe = "secret";    // mot de passe saisi par
                      // l'utilisateur dans un formulaire
$rq  = "SELECT mPasse FROM Membre WHERE nom='jDupont'";
$res = mysql_query($rq)
     or die ("Exécution de la requête impossible");
$ligne = mysql_fetch_array($res, MYSQL_ASSOC);
extract($ligne);
if ($passe == $mPasse )
{ echo "Login correct<br>";
  ... instructions affichant les pages à accès réservé ...
}
else
{ echo "Mot de passe incorrect<br>";
   ... instructions invitant l'utilisateur à essayer
       un autre mot de passe ...
}
```

Fragmentation des résultats à l'aide d'une boucle

Si l'exécution de votre requête vous a renvoyé plusieurs lignes de données, une boucle vous permettra de les extraire l'une après l'autre afin de les traiter. Cette boucle peut être de type `for` ou `while`, à votre choix (reportez-vous au Chapitre 7 pour plus d'informations). En voici des exemples :

```
while ($ligne = mysql_fetch_array($res))
{
   ... bloc d'instructions
}
```

A chaque appel, la fonction renvoie une ligne de résultat. La boucle se termine lorsqu'il n'y a plus rien à renvoyer. Si vous vous contentez d'afficher un par un les résultats obtenus, vous pouvez écrire :

```
while ($ligne = mysql_fetch_array($res))
{
    extract($ligne);
    echo "$type : $animal<br>";
}
```

Pour bien comprendre le fonctionnement de cette séquence, regardons comment se présentent les informations dans le catalogue des animaux. Supposons qu'il s'y trouve une table appelée `Animal` qui possède quatre colonnes : `animal`, `type`, `description` et `prix` selon le schéma du Tableau 8.1.

Tableau 8.1 : Exemple des données présentes dans la table Animal.

animal	type	description	prix
Licorne	Cheval	Corne en spirale sur le front	10 000
Pégase	Cheval	Cheval ailé	15 000
Poney	Cheval	Très petit cheval	500
Dragon d'Asie	Dragon	Corps de serpent	30 000
Dragon médiéval	Dragon	Corps de lézard	30 000
Lion	Chat	Grande taille, crinière	2 000
Griffon	Chat	Corps de lion, tête d'oiseau, ailes	25 000

Le programme `affAnimal.php` que présente le Listing 8.1 sélectionne tous les animaux ayant le type "cheval" et affiche les informations correspondantes dans un tableau HTML. La Figure 8.1 montre ce qu'on voit sur l'écran du navigateur.

Listing 8.1 : Affichage d'articles du catalogue des animaux.

```
<html>
<head>
<title>Catalogue des animaux</title>
</head>
<body>
```

```
<?php
  $user="catalog";
  $host="localhost";
  $password="";
  $database = "AniCata";

  $connexion = mysql_connect($host,$user,$password)
       or die ("Connexion au serveur impossible");
  $db = mysql_select_db($database,$connexion)
       or die ("Sélection de la base impossible");

  $typeAnimal = "cheval";  // ce mot a été saisi par
                           // l'utilisateur dans un formulaire
  $rq = "SELECT * FROM Animal WHERE animalType ='$typeAnimal'";
  $result = mysql_query($rq)
       or die ("Exécution de la requête impossible");

  /* Afficher les résultats dans un tableau */
  $typeAnimal = ucfirst($typeAnimal);
  echo "<h1>$typeAnimal</h1>";
  echo "<table cellspacing='15'>";
  echo "<tr><td colspan='3'><hr></td></tr>";
  while ($ligne = mysql_fetch_array($result))
  { extract($ligne);
    $prix_f = number_format($animalPrix, 2);
    echo "<tr>\n
          <td>$animalNom</td>\n
          <td>$animalDesc</td>\n
          <td align='right'>$prix_f &#8364;</td>\n
          </tr>\n";
    echo "<tr><td colspan='3'><hr></td></tr>\n";
  }
 echo "</table>\n";
?>
</body>
</html>
```

La boucle `while` balaie toutes les lignes des résultats obtenus pour en extraire les informations à afficher dans le tableau HTML. Dans certains cas, il sera plus pratique d'utiliser une boucle `for` à la place d'une boucle `while`. Par exemple, si vous devez utiliser une variable numérique dans la boucle, `for` sera plus indiqué.

La fonction `ucfirst()` sert à convertir si nécessaire le premier caractère du type de l'animal en majuscules.

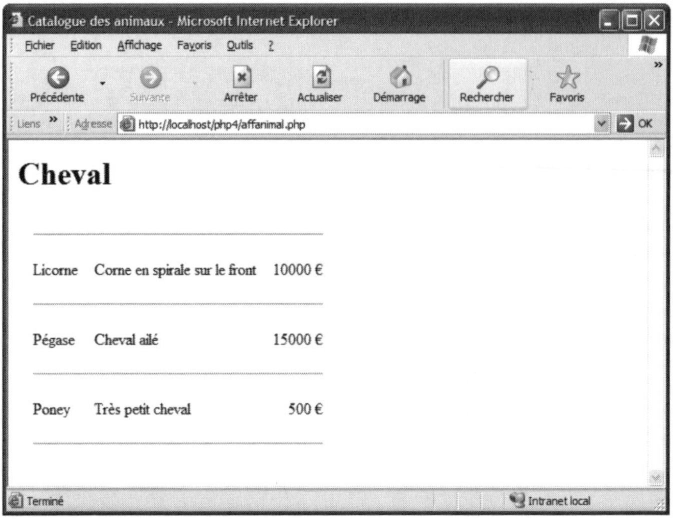

Figure 8.1 : Extraction des animaux ayant le type "cheval" de la base de données AniCata.

Dans ce but, vous devez savoir combien de lignes de données ont été extraites de la base de données à la suite de la requête `SELECT`. Vous obtiendrez cette information par un appel à la fonction `mysql_num_rows()` :

```
$nbLignes = mysql_num_rows($résultat);
```

Vous pouvez alors écrire :

```
for ($i=0; $i<$nbLignes; $i++)
{ $ligne = mysql_fetch_array($résultat);
     ... bloc d'instructions ...
}
```

Nous allons reprendre le programme du Listing 8.1 en le modifiant pour qu'il affiche, en tête de chaque ligne, le numéro de l'article. Le Listing 8.2 vous présente cette version modifiée, illustrée par la copie d'écran de la Figure 8.2.

Listing 8.2 : Affichage numéroté d'articles du catalogue des animaux.

```
<html>
<head>
<title>Catalogue des animaux</title>
```

```
</head>
<body>
<?php
  $user="catalog";
  $host="localhost";
  $password="";
  $database = "AniCata";

  $connexion = mysql_connect($host,$user,$password)
       or die ("Connexion au serveur impossible");
  $db = mysql_select_db($database,$connexion)
       or die ("Sélection de la base impossible");

  $typeAnimal = "cheval";  // ce mot a été saisi par
                           // l'utilisateur dans un formulaire
  $rq = "SELECT * FROM Animal WHERE animalType ='$typeAnimal'";
  $result = mysql_query($rq)
       or die ("Exécution de la requête impossible");
  $nbLignes = mysql_num_rows($result);

  /* Afficher les résultats dans un tableau */
  $typeAnimal = ucfirst($typeAnimal);
  echo "<h1>$typeAnimal</h1>";
  echo "<table cellspacing='15'>";
  echo "<tr><td colspan='4'><hr></td></tr>";
  for ($i=0; $i<$nbLignes; $i++)
  { $n = $i + 1; // pour commencer la numérotation à 1
    $ligne = mysql_fetch_array($result);
    extract($ligne);
    $prix_f = number_format($animalPrix, 2);
    echo "<tr>\n
          <td>$n.</td>\n
          <td>$animalNom</td>\n
          <td>$animalDesc</td>\n
          <td align='right'>$prix_f &#8364;</td>\n
          </tr>\n";
    echo "<tr><td colspan='4'><hr></td></tr>\n";
 }
 echo "</table>\n";
?>
</body>
</html>
```

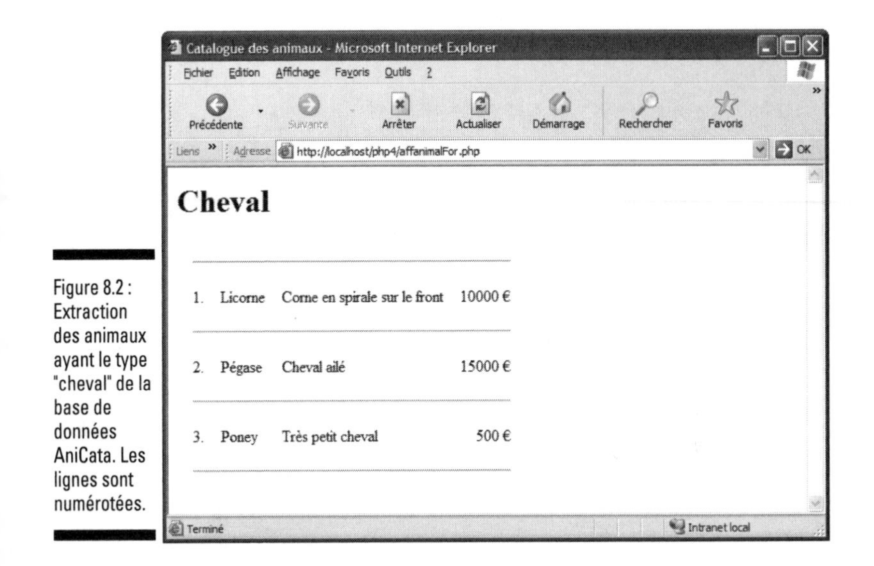

Figure 8.2 : Extraction des animaux ayant le type "cheval" de la base de données AniCata. Les lignes sont numérotées.

Extraction d'informations à l'aide de fonctions

Dans une application de base de données sur le Web, vous avez besoin d'extraire à plusieurs reprises des données dans un programme, ou dans divers programmes de l'application. Il est donc commode d'écrire une fonction à cet usage. Chaque fois que le programme a besoin de récupérer des données, il vous suffit d'appeler la bonne fonction. Non seulement vous gagnerez du temps lors de la saisie, mais de surcroît le déroulement du code sera bien plus facile à suivre.

Reportez-vous au Chapitre 7 si vous avez besoin de réviser les fonctions.

Considérez, par exemple, un catalogue comme celui des animaux `AniCata`. Le Listing 8.3 vous présente un programme dans lequel on appelle une fonction chaque fois qu'on veut extraire des informations du catalogue pour un animal particulier. Ces informations sont placées dans un tableau, lequel est renvoyé au programme appelant. Celui-ci peut alors en faire ce qu'il veut. Ici, il affichera ces informations.

Listing 8.3 : Fonction d'extraction de données de la base AniCata.

```
<html>
<head>
<title>Catalogue des animaux</title>
</head>
<body>
<?php
  $user="catalog";
  $host="localhost";
  $password="";

  $connexion = mysql_connect($host,$user,$password)
       or die ("Connexion au serveur impossible");

  $infosAnimal = extraire("Licorne");  // appel de la fonction

  $prix_f = number_format($infosAnimal['animalPrix'], 2);
  echo "<p><b>{$infosAnimal['animalNom']}</b><br>\n
        Description : {$infosAnimal['animalDesc']}<br>\n
        Prix : $prix_f &#8364;\n"
?>
</body>
</html>

<?php
function extraire($animal)
{
  $db = mysql_select_db("AniCata")
        or die ("Sélection de la base impossible");
  $rq = "SELECT * FROM Animal WHERE animalType='$animal'";
  $result = mysql_query($rq)
            or die ("Exécution de la requête impossible");
  return mysql_fetch_array($result, MYSQL_ASSOC);
}
?>
```

La page Web montrera par exemple ceci :

```
Licorne
Description : Corne en spirale sur le front
Prix : 10000 ¤
```

Notez les points suivants dans le programme du Listing 8.3 :

- Le programme est maintenant plus facile à relire par rapport à la version où tous les détails de l'extraction étaient conservés tels quels.
- Vous pouvez vous connecter une seule fois au serveur MySQL et à une base de données au début de votre programme, puis appeler la fonction autant de fois qu'il est nécessaire. Plusieurs appels successifs à `mysql_connect()` avec les mêmes paramètres sont ignorés à partir du moment où la connexion est établie.
- Si vous n'établissez qu'une seule connexion, c'est elle que `mysql_select_db()` utilisera dans tous les cas. Si vous en avez établi plusieurs, vous devez passer l'identifiant de celle qui vous intéresse dans l'appel à la fonction. Si votre application n'utilise qu'une seule base de données, vous pouvez sélectionner cette base une fois pour toutes dans le programme principal et non pas à chaque appel de fonction.
- L'appel de la fonction utilise l'argument "Licorne" codé sous forme de littéral. Dans la réalité, on le remplacerait plutôt par une variable.
- Le programme crée la variable `$infosAnimal` pour recueillir les informations extraites de la base. Cette variable est implicitement un tableau parce que les informations qui vont y être placées existent sous cette forme.

La précédente fonction était très simple : elle se contentait de renvoyer une ligne de résultat sous forme de tableau. Mais une fonction peut être bien plus complexe. Dans le programme du Listing 8.4, la fonction `extraiType()` renvoie un tableau à deux dimensions contenant les données concernant tous les animaux du type spécifié.

Listing 8.4 : Affichage d'une liste numérotée des types d'animaux.

```
<html>
<head>
<title>Catalogue des animaux</title>
</head>
<body>
<?php
  $user="catalog";
  $host="localhost";
  $password="";
```

```
  $connexion = mysql_connect($host,$user,$password)
       or die ("Connexion au serveur impossible");

  $infosType = extraiType("cat");  // appel de la fonction

  // Afficher les résultats dans un tableau
  echo "<h1>Chevaux</h1>";
  echo "<table cellspacing='15'>";
  echo "<tr><td colspan='4'><hr></td></tr>";
  for ($i=1;$i<=sizeof($infosType);$i++)
  { $f_prix = number_format($infosType[$i]['animalPrix'], 2);
    echo "<tr>\n
          <td>$i.</td>\n
          <td>{$infosType[$i]['animalType']}</td>\n
          <td>{$infosType[$i]['animalDesc']}</td>\n
          <td align='right'>$f_prix &#8364;</td>\n
          </tr>\n";
    echo "<tr><td colspan='4'><hr></td></tr>\n";
  }
  echo "</table>\n";
?>
</body>
</html>

<?php
function extraiType($aniType)
{ $db = mysql_select_db("AniCata")
       or die ("Sélection base de données impossible");
  $rq = "SELECT * FROM Animal WHERE animalType='$aniType'";
  $result = mysql_query($rq)
       or die ("Exécution requête impossible");

  $j = 1;
  while ($ligne = mysql_fetch_array($result, MYSQL_ASSOC))
  {
    foreach ($ligne as $nomColonne => $valeur)
    {
        $tableau[$j][$nomColonne] = $valeur;
    }
    $j++;
  }
  return @$tableau;
}
?>
```

TRUC

Dans l'instruction `return`, le caractère @ placé juste devant le tableau permet d'éviter l'envoi d'un message d'avertissement dans le cas où la base ne contiendrait aucun animal correspondant au type demandé. Dans ce cas en effet, la boucle `foreach` ne serait pas parcourue, et la variable ne serait donc pas créée.

Voici comment opère ce programme :

1. Il établit la connexion avec le serveur MySQL.
2. Il appelle la fonction `extraiType()` à laquelle il passe l'argument "cheval". Le résultat de cet appel sera placé dans la variable `$infosType`.
3. La fonction sélectionne la base de données `AniCata`.
4. La fonction envoie une requête demandant toutes les lignes dans lesquelles la colonne `type` contient `cheval`. Ces informations seront placées dans une zone temporaire vers laquelle pointera la variable `$result`.
5. Initialisation à 1 d'un compteur : `$j`.
6. Début d'une boucle `while`. La fonction demande à extraire une ligne de la zone temporaire. En cas de réussite, cette ligne est placée dans le tableau `$ligne`. S'il n'y a plus rien, la boucle `while` se termine.
7. Début d'une boucle `foreach`. La boucle explore chaque champ de la ligne.
8. Rangement des valeurs dans `$tableau[]` qui est un tableau à deux dimensions. Sa première clé est un nombre défini par le compteur `$j` qui, la première fois, vaut 1. Tous les champs de la ligne sont rangés avec, en guise de clé, le nom de la colonne où ils se trouvent.
9. Le compteur `$j` est incrémenté d'une unité.
10. Fin de la boucle `while`.
11. Retour au début de la boucle `while`.
12. Répétition des étapes 6 à 11 pour chaque ligne de résultats.
13. Le tableau `$tableau[]` est renvoyé au programme appelant. Il contient toutes les informations relatives aux lignes sélectionnées.
14. `infosType[]` reçoit ces résultats. La Figure 8.3 montre comment sont structurées ces informations.

15. Ces informations sont envoyées au navigateur après avoir été mises en forme comme un tableau HTML.

infosType	[1]	[animal]	=	Licorne
		[description]	=	Corne en spirale sur le front
		[prix]	=	10000
infosType	[2]	[animal]	=	Pégase
		[description]	=	Cheval ailé
		[prix]	=	15000
infosType	[3]	[animal]	=	Poney
		[description]	=	Très petit cheval
		[prix]	=	500

Figure 8.3 : Structure des informations contenues dans le tableau à deux dimensions infosType[].

La page Web résultante est identique à celle de la Figure 8.2 obtenue sans faire appel à une fonction utilisateur. Les deux méthodes de travail sont toujours possibles. Simplement, l'usage de fonctions simplifie la programmation, de même que la compréhension et la maintenance du code que vous écrivez.

Recueil d'informations auprès de l'utilisateur

De nombreuses applications sont conçues pour poser des questions auxquelles l'utilisateur répond en saisissant ses réponses dans un formulaire. Parfois, ces informations sont rangées dans une base de données ; à d'autres moments, elles sont utilisées dans des instructions conditionnelles pour afficher une nouvelle page. Voici quelques exemples de ces tâches :

- **Commandes en ligne.** Les clients choisissent un produit et donnent leurs coordonnées et les informations concernant leur mode de règlement.
- **Enregistrement.** Certains sites demandent à leurs visiteurs de fournir des informations particulières pour pouvoir bénéficier

d'avantages réservés : accès à des informations confidentielles, téléchargement de logiciels...

- **Identification.** L'accès à certains sites est réservé aux membres d'une association qui doivent s'enregistrer pour pouvoir en afficher les pages.
- **Affichage d'informations sélectionnées.** De nombreux sites proposent aux utilisateurs de spécifier les informations qu'ils veulent consulter. Il peut s'agir par exemple d'une certaine catégorie de produits dans un catalogue en ligne.

Les questions sont posées dans un formulaire ; l'utilisateur y répond dans les boîtes de saisie (ou à l'aide des listes) de ce même formulaire, puis clique sur un bouton pour envoyer ses réponses au serveur Web. C'est alors un autre programme qui prend la main pour traiter ces informations.

Dans ce qui suit, je supposerais que vous savez afficher un formulaire en HTML. Mon propos est de vous montrer comment effectuer ce travail avec PHP, et comment traiter les informations saisies par l'utilisateur dans un formulaire.

PHP et les formulaires HTML

Si vous ne connaissez pas très bien les formulaires HTML, je vous recommande de consulter les pages qui traitent de ce sujet dans un livre consacré à ce sujet si important pour l'interactivité des sites Web. Pour afficher un formulaire avec PHP, vous pouvez choisir entre ces deux façons d'opérer :

- **Envoyer des commandes HTML au navigateur au moyen d'instructions** `echo`. Par exemple :

```
echo "<form action='traitement.php' method='post'>\n
      <input type='text' name='nomcomplet'>\n
      <input type='submit' value='Envoyez'>\n
      </form>\n";
```

- **Ecrire du code HTML pur en dehors des sections PHP.** Lorsqu'il s'agit d'un formulaire statique, il n'y a pas de raison de l'inclure dans une section PHP. Par exemple :

```
<?php
   ... instructions de la section PHP ...
?>
```

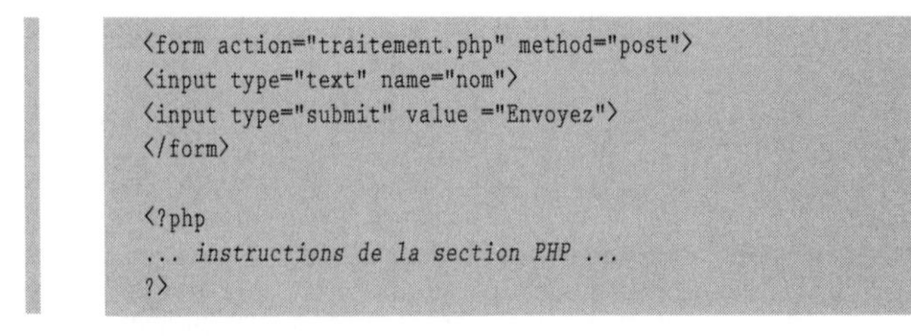

```
<form action="traitement.php" method="post">
<input type="text" name="nom">
<input type="submit" value ="Envoyez">
</form>

<?php
... instructions de la section PHP ...
?>
```

Ces deux méthodes afficheront ce qui est reproduit sur la Figure 8.4.

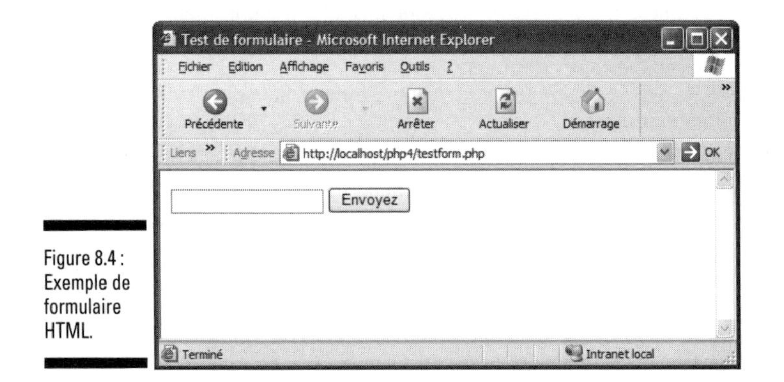

Figure 8.4 : Exemple de formulaire HTML.

Lorsque l'utilisateur clique sur le bouton marqué "Envoyez", les informations contenues dans la boîte de saisie sont placées dans une variable appelée `nom` et envoyées au programme `traitement.php` (celui dont le nom est indiqué comme valeur de l'attribut `action` du formulaire). Ce programme PHP sera alors à même d'accéder au contenu de la variable sous le nom `$nom`. Pour savoir comment traiter les informations provenant du formulaire, consultez la section "Traitement des informations provenant d'un formulaire", plus loin dans ce même chapitre. Mais en attendant, voyons cela d'un peu plus près.

L'information saisie dans le formulaire est récupérée en exécutant un programme qui reçoit ces renseignements. Quel est ce programme ? Celui qui est défini par le paramètre `action` du formulaire. Dans l'exemple précédent, il s'agira donc de `traitement.php`. Celui-ci peut alors afficher, enregistrer ou effectuer toute action utile à partir des données retournées par l'utilisateur lorsqu'il clique sur le bouton `Envoyez`.

Les informations transmises au programme spécifié dans l'argument `action` sont lues à l'aide de tableaux prédéfinis (ou *natifs*) de PHP afin d'être ensuite traitées à l'aide d'instructions adaptées. Ces objets spéciaux sont décrits dans le Tableau 8.2.

Tableau 8.2 : Tableaux PHP pour les formulaires.

Tableau	Description
`$ _POST`	Contient des éléments pour tous les champs d'un formulaire si celui-ci utilise `method="POST"`.
`$HTTP_POST_VARS`	Comme $ _POST.
`$ _GET`	Contient toutes les variables passées à partir d'une page précédente spécifiée dans le nom de l'URL, y compris les champs provenant d'un formulaire utilisant method="GET".
`$HTTP_GET_VARS`	Comme `$ _GET`.
`$_REQUEST`	Rassemble tous les éléments de tableaux provenant de `$_POST`, `$_GET` et `$_COOKIE`.

Une fois le formulaire envoyé, le programme qui est exécuté peut récupérer les informations voulues à partir d'un tableau prédéfini adapté. Dans ces tableaux, chaque indice est le nom d'un champ de saisie du formulaire. Supposons que, sur la Figure 8.4, l'utilisateur tape `Jean Dupont` dans le champ de saisie puis clique sur le bouton `Envoyez`. Le programme `traitement.php` se lance et peut alors se servir d'une variable de tableau de la façon suivante :

```
$_POST['nomcomplet']
```

Le nom entré dans le formulaire est mis à la disposition du tableau `$_POST` car la balise du formulaire précise `method="post"`. De plus, le nom donné au champ dans le formulaire HTML est bien celui qui est repris comme indice du tableau :

```
<input type='text' name='nomcomplet'>
```

Pour tester un formulaire, il est utile de disposer d'un programme qui affiche tous ses champs. Vous pouvez alors analyser les valeurs transmises par le formulaire afin de contrôler sa mise en forme, les noms des champs et leur contenu. Le Listing 8.5 propose un programme, appelé traitement.php, qui se lance automatiquement lorsque l'utilisateur clique sur le bouton `Envoyez` du formulaire précédent.

Listing 8.5 : Script affichant tous les champs d'un formulaire.

```
<html><body>
<?php
  echo "<html>
        <head><title>Adresse du client</title></head>
        <body>";
  foreach ($_POST as $champ => $valeur)
  {
     echo "$champ = $valeur<br>";
  }
?>
</body></html>
```

Le listing précédent convient à tout formulaire utilisant la méthode `POST`. Prenons maintenant un cas un peu plus compliqué, disons celui du Listing 8.6 qui affiche un formulaire contenant plusieurs champs.

Listing 8.6 : Programme affichant un formulaire d'adresse.

```
<?php
/*  Nom du programme : afficheForm
 *  Description:  Ce script affiche un formulaire qui demande
 *                l'adresse du client.
 */
  echo "<html>
        <head><title>Adresse Client</title></head>
        <body>";
  $infos = array( "prénom"=>"Prénom :",
                  "nom"=>"Nom :",
                  "rue"=>"Adresse :",
                  "ville"=>"Ville :",
                  "département"=>"Département :",
                  "codepostal"=>"Code postal :");
  echo "<p align='center'>
        <b>Entrez votre adresse dans le formulaire qui suit.
                                                  </b><hr>";
  echo "<form action='traitement.php' method='POST'>
        <table width='95%' border='0' cellspacing='0'
                cellpadding='2'>\n";
  foreach($infos as $champ=>$info)
  {
    echo "<tr>
```

```
        <td align='right'> <B>{$infos[$champ]} </B></td>
        <td><input type='text' name='$champ' size='65'
           maxlength='65' ></td>
        </tr>";
  }
  echo "</table>
       <div align='center'><p><input type='submit' value='Envoi'>
                                                        </p></div>
       </form>";
?>
</body></html>
```

Remarquez dans ce listing les principaux points suivants :

- **Un tableau reçoit les intitulés des champs utilisés dans le formulaire.** Les clés sont donc les noms des champs.
- **Le script** `traitement.php` **est celui qui est exécuté lorsque le formulaire est validé.** Il reçoit les informations provenant du formulaire afin de les traiter.
- **Le formulaire est affiché dans un tableau HTML.** Il est important de savoir construire des tableaux HTML afin de mettre correctement en forme vos pages WEB.
- **Le tableau** `$infos` **est parcouru dans une boucle** `foreach`. Le code HTML créant chaque ligne de l'affichage est construit lors des différents passages dans la boucle à l'aide des valeurs successives renvoyées par le tableau.

Pour des raisons de sécurité, incluez toujours une balise `maxlength` afin d'indiquer le nombre maximum de caractères que l'utilisateur peut saisir dans chaque champ du formulaire. Vous éviterez ainsi que des personnes mal intentionnées saisissent du code exécutable dans un champ ! Si les informations sont destinées à être enregistrées dans une base de données, affectez comme valeur à `maxlength` la largeur de la colonne correspondante dans la table de destination.

Lorsque Jean Dupont remplit le formulaire produit par le Listing 8.6, et qui est illustré sur la Figure 8.5, le programme `traitement.php` est exécuté et il produit une sortie comme celle-ci :

```
prénom = Jean
nom = Dupont
rue = 123 Rue des Champs
ville = Paris
département = Seine
codepostal = 75999
```

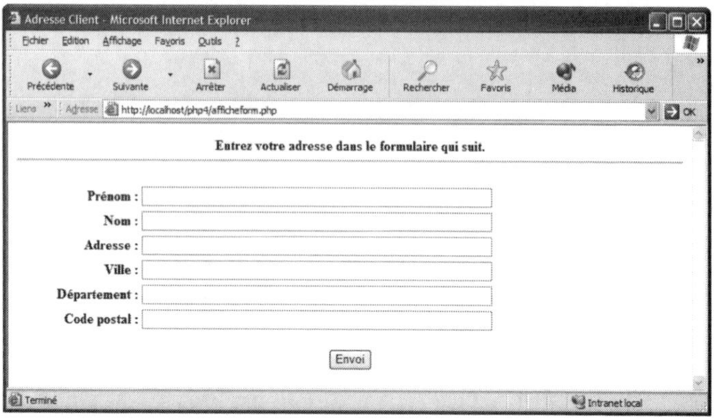

Figure 8.5 : Formulaire pour la saisie d'une adresse client.

Dans traitement.php, tous les éléments du tableau prédéfini $_POST sont affichés sur une ligne, la méthode employée étant ici POST, ce qui est le cas de la majorité des formulaires. Les autres méthodes possibles ont été décrites dans le Tableau 8.2.

Dans ce dernier, vous pouvez remarquer que deux formes d'écriture sont permises. Prenez toujours la forme la plus simple (celle qui débute par un trait de soulignement). En effet ces tableaux (appelés *superglobaux*, ou encore *autoglobaux*) ont été introduits avec la version 4.1.0 de PHP et ils peuvent être utilisés partout, y compris dans des fonctions. L'ancienne forme (comme $HTTP_POST_VARS) doit en effet être déclarée dans une instruction global avant de pouvoir être lue par une fonction (voir à ce sujet le Chapitre 7). On peut donc la considérer comme périmée, sauf à devoir impérativement respecter la syntaxe antérieure à la version 4.1.0 de PHP.

Créer des formulaires dynamiques

PHP apporte de nouvelles possibilités aux formulaires HTML en les dynamisant, notamment grâce à l'emploi de variables. Cela concerne en particulier les points suivants :

- Affichage dynamique d'informations dans les champs de formulaire.
- Construction dynamique de listes de sélection.
- Construction dynamique de boutons radio.
- Construction dynamique de cases à cocher.

Affichage dynamique d'informations dans les champs de formulaire

Lorsque vous affichez un formulaire dans une page Web, vous pouvez placer des informations à l'intérieur des boîtes de saisie au lieu de vous contenter d'afficher des champs vides. Si, par exemple, la plus grande partie de vos clients réside en France, vous pouvez placer initialement la chaîne de caractères "France" dans la boîte de saisie "Pays de résidence", ce qui évitera au client français d'avoir à saisir ce nom (et de risquer du même coup des erreurs de frappe). Si le client est un étranger, il lui suffira d'écraser cette mention avec le nom du pays où il réside.

Pour initialiser le champ d'une boîte de saisie, vous devez utiliser son attribut `value` de la façon suivante :

```
<input type = "text" name="pays" value="France">
```

Avec PHP, vous pouvez utiliser le contenu d'une variable pour initialiser ce champ au moyen de l'une des deux instructions suivantes :

```
<input type="text" name="pays" value="<?php echo $pays ?>">

echo "<input type='text' name='pays' value='$pays'>";
```

Le premier exemple crée un champ d'entrée dans lequel seule la valeur de l'attribut `value` sera initialisée dynamiquement au moyen de `echo $pays`. L''instruction est placée entre deux balises PHP, créant ainsi une mini-section PHP dans le document HTML. Le second exemple génère au moyen d'une instruction `echo` la totalité du champ `<input ...>` du document HTML.

Si vous avez des informations concernant l'utilisateur dans une base de données, vous pouvez vouloir les afficher dans certains champs du formulaire. Cette technique permettra à l'utilisateur de vérifier ces renseignements, et éventuellement de les corriger. Ou bien vous pourriez proposer comme adresse d'expédition de la commande celle qui était utilisée pour le dernier envoi, afin que le client n'ait pas à ressaisir son adresse complète. Le Listing 8.7 présente le détail d'un programme affichant un formulaire contenant des informations extraites d'une base de données.

Listing 8.7 : Programme affichant un formulaire HTML.

```
<?php
/*  Nom du programme : afficheAdresse
 *  Description :  Le script affiche un formulaire contenant
 *                les adresses lues dans la base de données.
 */
  echo "<html>
        <head><title>Adresse du client</title></head>
        <body>";
  $infos = array( "prénom"=>"Prénom :",
                  "nom"=>"Nom :",
                  "rue"=>"Adresse :",
                  "ville"=>"Ville :",
                  "département"=>"Département :",
                  "codepostal"=>"Code postal :");
  $user="admin";
  $host="localhost";
  $password="";
  $database = "MembresSeuls";
  $nomLogin = "jDupont";      // login de l'utilisateur

  $connection = mysql_connect($host,$user,$password)
       or die ("Connexion au serveur impossible");
  $db = mysql_select_db($database,$connection)
       or die ("Sélection base de données impossible");
  $query = "SELECT * FROM Membre
                    WHERE login='$nomLogin'";
  $result = mysql_query($query)
       or die ("Exécution requête impossible");
  $ligne = mysql_fetch_array($result);

  echo "<p align='center'>
        <h1 align='center'>Adresse de $nomLogin</h1>\n";
  echo "<br><p align='center'>
        <font size='+1'><b>Merci de vérifier l'adresse ci-dessous et
     de rectifier ce qui est inexact.</b></font>
        <hr>";
  echo "<form action='traitement.php' method='POST'>
        <table width='95%' border='0' cellspacing='0'
               cellpadding='2'>\n";
  foreach($infos as $champ=>$info)
  {
    echo "<tr>
          <td align='right'> <B>{$infos[$champ]} </br></td>
          <td><input type='text' name='$champ'
               value='$ligne[$champ]' size='65' maxlength='65'>
```

```
            </td>
            </tr>";
    }
    echo "</table>
          <div align='center'><p><input type='submit' value='Envoyer'>
                                                            </p></div>
          </form>";
?>
</body></html>
```

Dans ce programme, vous pouvez remarquer les points suivants :

- **Le formulaire passe le contrôle au programme** `traitement.php`. C'est ce programme qui traitera les informations contenues dans le formulaire et mettra à jour les éléments correspondants de la base de données, modifiés éventuellement par l'utilisateur. C'est à vous d'écrire ce programme. Nous reviendrons plus loin dans ce chapitre sur le contrôle des informations saisies dans le formulaire et leur enregistrement dans la base de données.

- **Les champs du formulaire sont mis en forme dans un tableau HTML.** Le but est de réaliser une présentation plus harmonieuse, donc de faciliter le contrôle demandé à l'utilisateur.

- **Chacun des champs du formulaire a un nom.** Celui-ci correspond à la variable PHP ayant le même nom (au "$" initial près). C'est ce qui permettra d'établir la communication avec le programme PHP.

- **Les noms des champs du formulaire sont les mêmes que ceux des colonnes de la base de données.** On simplifie ainsi les transferts d'informations entre la base de données et le formulaire.

- **Les valeurs provenant de la base de données sont affichées dans les champs du formulaire grâce au paramètre** `value`**.** Celui-ci fournit l'information adéquate provenant du tableau $ligne, qui contient les données provenant de la base.

TRUC

Pour des raisons de sécurité, pensez à inclure systématiquement un attribut `maxlength` dans vos champs d'entrée de formulaire. Cette valeur limite le nombre de caractères que l'utilisateur est autorisé à saisir dans le champ. Il est recommandé d'affecter à cet attribut la même largeur que la colonne correspondante dans la base de données.

La Figure 8.6 montre ce que ce programme affiche dans la fenêtre du navigateur à partir des éléments contenus dans la base de données.

Figure 8.6 : Formulaire affichant l'adresse de l'utilisateur.

Construction dynamique de listes de sélection

Parmi les champs de formulaire très utilisés figure la *liste de sélection*. Au lieu de saisir librement une certaine information dans une boîte de saisie, l'utilisateur se voit proposer une liste de valeurs possibles dans une boîte à liste déroulante. Par exemple, dans un catalogue de produits, on peut proposer à l'utilisateur une liste déroulante des produits existants pour qu'il choisisse la catégorie qui l'intéresse. De la même façon, la rubrique "Pays" pourrait proposer une liste de pays à destination desquels il est possible d'expédier une commande. Enfin, pour donner une date, trois listes de sélection (jour, mois, année) éviteront toute saisie "hasardeuse".

Utilisez le plus souvent possible les listes de sélection. Vous éviterez ainsi les fautes de frappe et/ou d'orthographe toujours possibles dans une boîte de saisie en forme libre.

Voici comment pourrait se présenter une liste de types d'animaux pour la base de données `AniCata` :

```
<form action="traitement.php" method="post">
<select name="type">
  <option value="cheval">cheval
```

```
    <option value="chat" selected>chat
    <option value="dragon">dragon
  </select>    
  <input type="submit" value="Choisissez un type d'animal">
  </form>
```

La Figure 8.7 montre comment se présente cette liste de sélection. Remarquez que "chat" est la valeur proposée par défaut, en raison de la présence de l'attribut `selected` dans le champ correspondant.

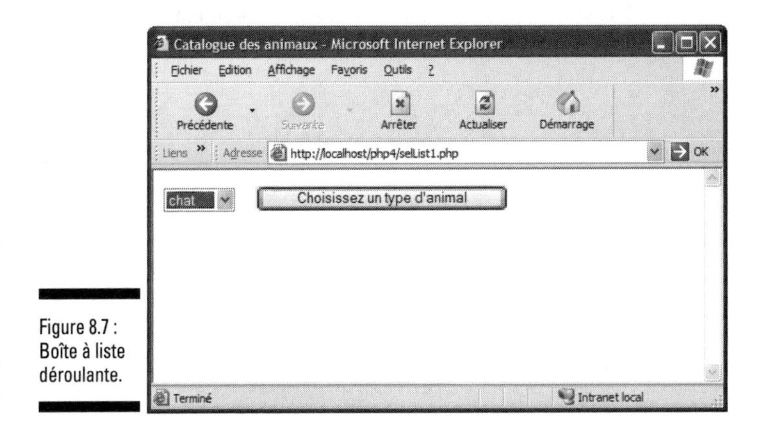

Figure 8.7 : Boîte à liste déroulante.

Lorsque l'utilisateur clique sur la petite flèche de la boîte de sélection, la liste se déroule, comme on le voit sur la Figure 8.8. Il peut alors sélectionner un autre champ parmi les trois qui lui sont proposés.

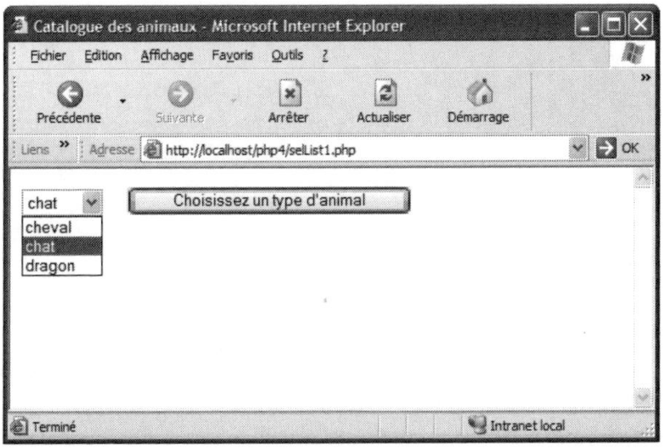

Figure 8.8 : Les valeurs possibles figurent toutes dans la boîte à liste déroulante.

A l'aide de PHP, vous pouvez employer des variables pour afficher des listes de sélection dynamiques. Avec une liste statique, si votre magasin d'animaux décide d'ajouter un nouveau type d'animal à ceux qu'il commercialise déjà, vous devrez modifier à la main cette boîte de sélection. Alors que si la liste est construite dynamiquement à partir de la base de données, elle reflétera toujours l'état des lieux. Le Listing 8.8 montre comment réaliser dynamiquement cette même liste de sélection.

Listing 8.8 : Construction dynamique d'une liste de sélection.

```
<?php
/* Nom du programme : animSelect.php
 * Description :  Construction d'une liste de sélection
 *                à partir de la base de données.
 */
?>
<html>
<head>
<title>Types d'animaux</title>
</head>
<body>
<?php
  $user="catalog";
  $host="localhost";
  $password="";
  $database = "AniCata";

  $connexion = mysql_connect($host, $user, $password)
       or die ("Connexion au serveur impossible");
  $db = mysql_select_db($database,$connexion)
       or die ("Sélection de la base de données impossible");
  $rq = "SELECT DISTINCT animalType FROM Animal ORDER BY animalType";
  $result = mysql_query($rq)
       or die ("Exécution de la requête impossible");

  // Création d'un formulaire contenant une liste de sélection
  echo "<form action='traitement.php' method='post'>
        <select name='animalType'>\n";

  while ($ligne = mysql_fetch_array($result))
  { extract($ligne);
    if ($animalType<>"")
    echo "<option value='$animalType'>$animalType\n";
  }
  echo "</select>\n";
```

```
echo "<input type='submit'".
     "value=\"Choisissez un type d'animal\"></form>\n";?>
</body>
</html>
```

Notez les points suivants concernant ce programme :

- **Utilisation de** `DISTINCT` **dans la requête.** Cette clause oblige MySQL à ne fournir qu'une seule fois chaque type. Si on l'omettait, on recevrait *tous* les types présents, ce qui causerait des doublons.
- **La clause** `ORDER` **renvoie les résultats triés par ordre alphabétique.**
- **Des instructions** `echo` **encadrent la boucle** `while`. Ce sont elles qui créent les balises `<select>` et `</select>`.
- **L'instruction** `echo` **à l'intérieur de la boucle** `while`. C'est elle qui crée les balises `<option>` pour chaque type d'animal. Aucune de ces entrées n'est marquée `selected`. Il n'y a donc pas de type sélectionné par défaut. Plus exactement, c'est le premier élément par ordre d'apparition qui est présélectionné.
- **La dernière instruction** `echo`. C'est elle qui crée le bouton `submit` sur lequel cliquera l'utilisateur pour valider son choix et l'envoyer au programme `traitement.php`.

La liste de sélection est identique dans son principe à celle qui avait été créée par le précédent programme (celui du Listing 8.7) et que montrait les Figures 8.7 et 8.8. Mais son contenu est différent, car il est l'exact reflet du catalogue, comme on peut le voir sur la copie d'écran de la Figure 8.9. En particulier, les noms sont triés en ordre alphabétique.

Vous pouvez également utiliser des variables PHP pour marquer un choix par défaut dans ce type de liste. Supposons, par exemple, que vous demandiez à l'utilisateur de choisir une date (jour, mois, année) dans trois listes. La plupart des gens vont choisir la date du jour. Vous souhaitez donc que ce soit elle qui soit "présélectionnée". Le programme du Listing 8.9 construit cette liste :

Listing 8.9 : Création de trois listes avec présélection de la date du jour.

```
<?php
/* Nom du programme : dateSelect.php
 * Description : Le programme affiche une liste de sélection
```

```
 *              dans laquelle le client choisit une date.
 */
?>
<html>
<head>
<title>Choix d'une date</title>
</head>
<body>
<?php

  // Tableau des mois
  $Mois = array(1=> "Janvier", "Février", "Mars", "Avril",
                   "Mai", "Juin", "Juillet", "Août",
                   "Septembre", "Octobre", "Novembre",
                   "Décembre");

  $aujourdhui = Time();                     // date du jour
  $f_aujourdhui = date("d/n/Y",$aujourdhui); // mise en forme

  echo "<div align='center'>\n";

  // Affichage de la date du jour
  echo "<p> <h3>Nous sommes aujourd'hui le $f_aujourdhui
       </h3><hr>\n";

  // Création d'un formulaire approprié
  echo "<form action='traitement.php' method='post'>\n";

  // Construction de la liste pour les jours
  $aujourdhui_jours= date("d",$aujourdhui);  // $aujourdhui -> jour
  echo "<select name='jour'>\n";
  for ($n=1; $n<=31; $n++)
  { echo " <option value=$n";
    if ($aujourdhui_jours == $n)
    { echo " selected";
    }
    echo "> $n\n";
  }
  echo "</select>\n";

  // Construction de la liste pour les mois
  $aujourdhui_mois = date("m",$aujourdhui); // $aujourdhui -> mois
  echo "<select name='mois'>\n";
  for ($n=1; $n<=12; $n++)
  { echo "<option value=$n\n";
    if ($aujourdhui_mois == $n)
    { echo " selected";
```

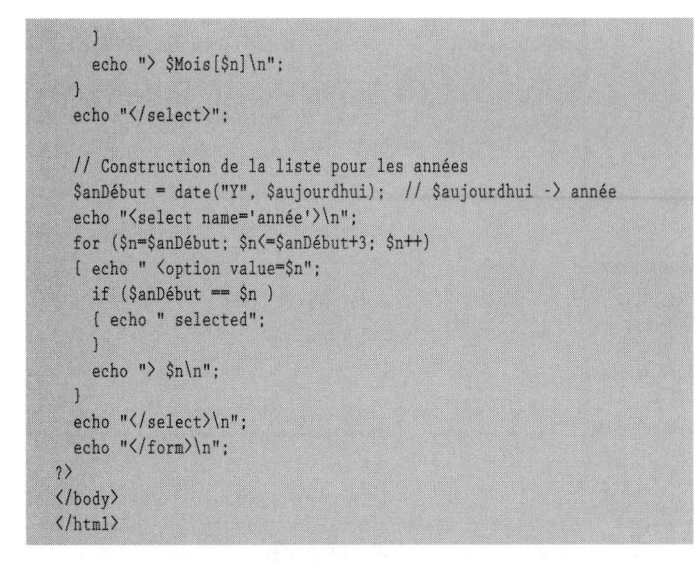

```
    }
    echo "> $Mois[$n]\n";
  }
  echo "</select>";

  // Construction de la liste pour les années
  $anDébut = date("Y", $aujourdhui);  // $aujourdhui -> année
  echo "<select name='année'>\n";
  for ($n=$anDébut; $n<=$anDébut+3; $n++)
  { echo " <option value=$n";
    if ($anDébut == $n )
    { echo " selected";
    }
    echo "> $n\n";
  }
  echo "</select>\n";
  echo "</form>\n";
?>
</body>
</html>
```

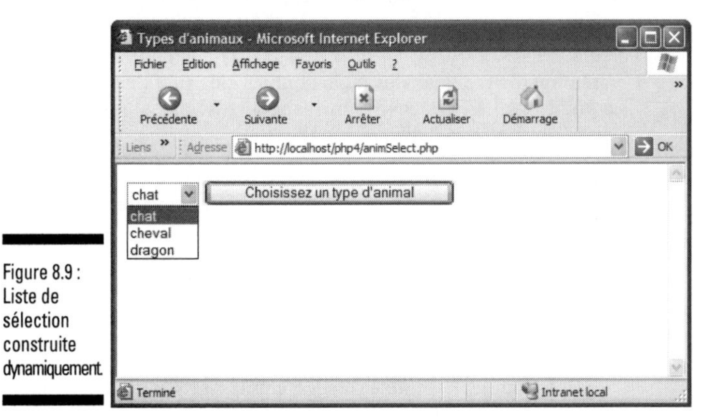

Figure 8.9 : Liste de sélection construite dynamiquement.

La page Web créée par ce programme est affichée Figure 8.10. La date apparaît en titre au-dessus des trois boîtes de sélection afin que vous puissiez contrôler l'exactitude des présélections. La liste des années est limitée à quatre valeurs, alors que celle des jours en comprend toujours 31 et celle des mois, 12.

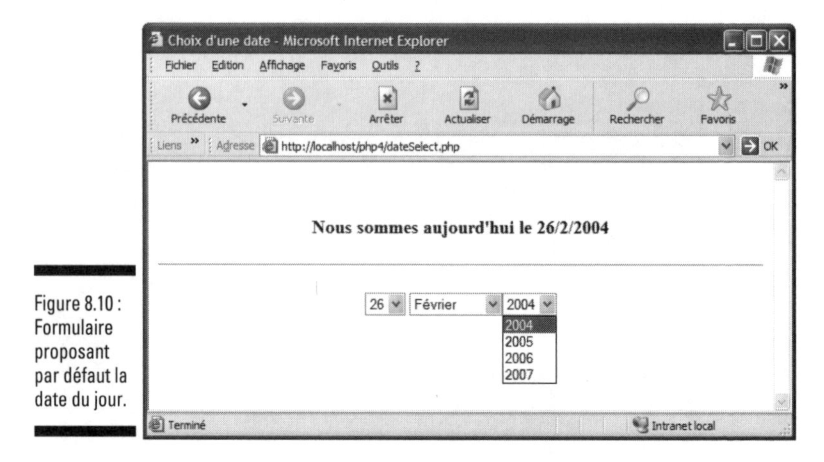

Figure 8.10 : Formulaire proposant par défaut la date du jour.

Dans la réalité, ce programme devrait être modifié pour n'afficher que le nombre exact de jours existant dans le mois sélectionné. Attention aux années bissextiles pour février !

Voici les tâches accomplies par ce programme :

1. Création d'un tableau des mois dont les clés sont des numéros commençant à 1 de façon à correspondre à nos habitudes de numérotation des dates.

2. Création des variables `$aujourdhui` (contenant la date du jour) et `$f_aujourdhui` (contenant la date du jour mise en forme pour l'affichage dans la page Web).

3. Affichage de la date du jour dans un titre HTML de niveau 3 centré dans la page.

4. Construction de la liste de sélection des jours :

   a. Création de la variable `$aujourdhui_jours` contenant la date du jour extraite de `$aujourdhui`.

   b. Envoi de la balise initiale `<select>` par une instruction `echo`.

   c. Initialisation d'une boucle `for` dont le compteur variera de 1 à 31.

   d. Affichage du numéro du jour par une instruction `echo`.

   e. Si le numéro du jour est égal au jour provenant de `$aujourdhui`, ajout de la clause `selected`.

f. La boucle est répétée jusqu'à la fin (de 1 à 31).

g. Envoi de la balise terminale `</select>` par une instruction `echo`.

5. Construction semblable à la précédente de la liste de sélection des mois. Elle va de 1 à 12 et le nom du mois provient du tableau `$Mois`.

6. Construction identique à la précédente de la liste de sélection des années. Elle part de l'année courante et comprend 4 valeurs.

7. Création par une instruction `echo` de la balise terminale `</select>`.

Construction dynamique de boutons radio

De la même façon, il est facile de construire dynamiquement une liste de boutons radio. Par exemple, vous pouvez afficher une liste de boutons radio pour le catalogue des animaux et demander aux utilisateurs de cliquer sur celui qui correspond au type d'animal qui les intéresse.

Le format HTML d'un bouton radio est le suivant :

```
<input type="radio" name="xxx" value ="yyy">
```

Nous allons construire cette liste pour tous les types d'animaux présents dans le catalogue. Le Listing 8.10 présente le programme qui va accomplir cette tâche.

Listing 8.10 : Construction dynamique d'une liste de boutons radio.

```
<?php
/*  Nom du programme : boutonRadio.php
 *  Description :  Affiche une liste de boutons radio à partir
 *                 des informations de la base de données.
 */
?>
<head><title>Types d'animaux</title></head>
<body>
<?php
  $user="catalog";
  $host="localhost";
  $password="";
  $database = "AniCata";
```

```
    $connexion = mysql_connect($host, $user, $password)
         or die ("Connexion au serveur impossible");
    $db = mysql_select_db($database,$connexion)
         or die ("Sélection de la base de données impossible");
    $rq = "SELECT DISTINCT animalType FROM Animal ORDER BY animalType";
    $result = mysql_query($rq)
         or die ("Exécution de la requête impossible");

    // Création d'une liste de boutons radio
    echo "<div style='margin-left: .5in'>
    <p> 
    <p><b>Quel est le type d'animal qui vous intéresse ?</b>
    <p>Choisissez-le dans la liste ci-dessous :\n";

    // Création d'un formulaire contenant les boutons radio
    echo "<form action='traitement.php' method='post'>\n";

    while ($ligne = mysql_fetch_array($result))
    {
      extract($ligne);
      echo "<input type='radio' name='choix'
             value='$animalType'>$animalType\n";
      echo "<br>\n";
    }
    echo "<p><input type='submit' value='Validez votre choix'>
          </form>\n";
  ?>
  </div>
  </body>
  </html>
```

La copie d'écran de la Figure 8.11 vous présente le résultat obtenu.

Construction dynamique de cases à cocher

Vous pouvez préférer les cases à cocher aux boutons radio. Alors que ceux-ci ne permettent qu'un seul et unique choix, les cases à cocher autorisent un choix multiple. Par exemple, dans une liste de types d'animaux, vous pouvez en choisir deux ou trois. Le programme du Listing 8.11 crée autant de cases à cocher dans une page Web qu'il y a de types d'animaux dans le catalogue.

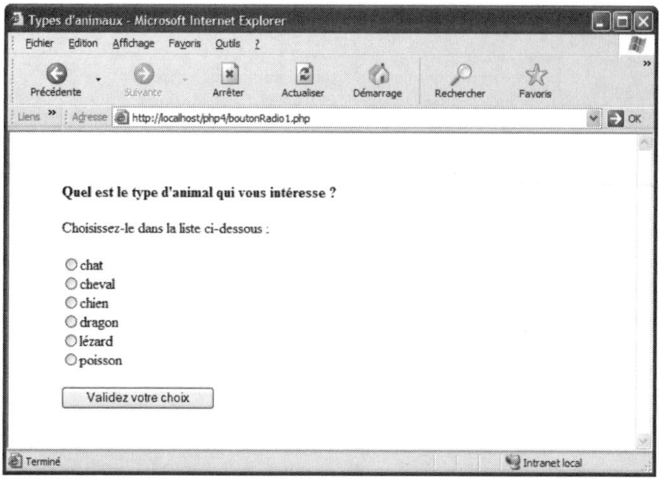

Figure 8.11 : Liste de boutons radio construite dynamiquement.

Listing 8.11 : Construction dynamique de cases à cocher.

```
<?php
/*  Nom du programme : caseCocher.php
 *  Description :  Affiche une liste de cases à cocher à partir
 *                 des informations de la base de données.
 */
?>
<html>
<head><title>Types d'animaux</title></head>
<body>
<?php
  $user="catalog";
  $host="localhost";
  $password="";
  $database = "AniCata";

  $connexion = mysql_connect($host, $user, $password)
       or die ("Connexion au serveur impossible");
  $db = mysql_select_db($database,$connexion)
       or die ("Sélection de la base de données impossible");
  $rq = "SELECT DISTINCT animalType FROM Animal ORDER BY animalType";
  $result = mysql_query($rq)
       or die ("Exécution de la requête impossible");

  // Création d'une liste de cases à cocher
```

```
    echo "<div style='margin-left: .5in'>
    <p> 
    <p><b>Quel est le type d'animal qui vous intéresse ?</b>
    <p>Choisissez-le dans la liste ci-dessous :\n";

    // Création d'un formulaire contenant les cases à cocher
    echo "<form action='traitement.php' method='post'>\n";

    while ($ligne = mysql_fetch_array($result))
    { extract($ligne);
      echo "<input type='checkbox' name='choix[]'
          value='$animalType'>$animalType\n";
      echo "<br>\n";
    }
  ?>
  <p>
  <input type='submit' value='Validez votre choix'>
  </form>
  </div>
  </body>
  </html>
```

Ce programme ressemble beaucoup au précédent. Cependant, on utilise ici une variable dimensionnée (à une seule dimension), `$choix`, pour représenter *les* choix effectués par l'utilisateur. Dans ce tableau, il y aura une paire clé/valeur pour chacun des choix opérés par l'utilisateur. Si ce dernier a coché les cases "Chat", "Chien" et "Poisson", le tableau `$choix[]` contiendra :

```
$choix[0] = Chat
$choix[1] = Chien
$choix[2] = Poisson
```

On pourrait aussi écrire `name='choix[$type]'`. Dans ce cas, les clés seraient alphabétiques :

```
$choix[Chat] = Chat
$choix[Chien] = Chien
$choix[Poisson] = Poisson
```

Comme on ne connaît pas les cases choisies, il peut être délicat de déterminer leurs clés.

Avec la première solution, on peut tester le programme en écrivant un très court script PHP, `traitement.php`, qui se contentera d'afficher les valeurs du tableau `$choix[]` :

```
echo "Les choix de l'utilisateur sont :<br>";
while (list($clé, $valeur) = each($choix))
 echo "\$choix[$clé] => $valeur<br>";
```

Avec la seconde option, le programme qui traite le formulaire aura à sa disposition les sélections réalisées dans le tableau $_POST :

```
$_POST['choix']['chat']
$_POST['choix']['chien']
$_POST['choix']['poisson']
```

La copie d'écran de la Figure 8.12 montre ce qui est affiché dans la fenêtre du navigateur.

Figure 8.12 : Liste de cases à cocher construite dynamiquement.

Vous pourrez remarquer que, dans ce programme, les commandes HTML statiques ne figurent pas dans la section PHP, mais sont regroupées dans la partie proprement HTML. Cette façon d'écrire permet généralement une relecture plus facile du programme. Mais c'est un choix et vous pouvez parfaitement procéder différemment.

Traitement des informations provenant d'un formulaire

Lorsqu'un client remplit les boîtes de saisie et coche les cases d'un formulaire puis clique sur le bouton de type *submit*, il vous envoie des informations. Comment allez-vous les récupérer ?

Dans l'attribut `action` du formulaire, vous indiquez le nom du programme qui va être appelé pour traiter ces informations. Dans les exemples précédents, cet attribut avait pour valeur `traitement.php`. Ce programme doit donc récupérer les informations provenant du formulaire, travail pour lequel PHP est particulièrement bien adapté. Il vous suffit en effet de récupérer le contenu voulu en vous servant des tableaux prédéfinis puis de l'utiliser.

Les valeurs du formulaire sont transmises sous forme de tableaux dont le nom des clés est identique à celui du champ `name` de la balise correspondante du formulaire. Si, par exemple, vous avez envoyé le champ suivant dans votre formulaire :

```
echo "<input type="text" name"="prénom">"
```

la valeur saisie par l'utilisateur sera placée dans la variable PHP `$_POST[prénom]`. L'information sélectionnée par l'utilisateur dans une liste déroulante ou un bouton radio est traitée selon le même principe. Prenons le cas d'un groupe de boutons radio comme celui-ci :

```
echo "<input type='radio' name='choix' value='chien'>chien\n";
echo "<input type='radio' name='choix' value='chat'>chat\n";
```

La variable `$_POST[choix]` aura pour valeur la chaîne de caractères "chien" ou "chat" selon le bouton sur lequel aura cliqué l'utilisateur.

Les cases à cocher doivent être traitées d'une façon particulière en raison des possibilités de choix multiples qu'elles offrent. Comme nous l'avons vu dans le programme du Listing 8.11, c'est un tableau qui va contenir les valeurs correspondant aux choix de l'utilisateur et non plus une variable scalaire. Supposons que votre formulaire propose par exemple les boutons suivants :

```
echo "<input type='checkbox' name='choix[chien]'
            value='chien'>chien\n";
echo "<input type='checkbox' name='choix[chat]'
            value='chat'>chat\n";
```

Vous pouvez alors accéder aux données en utilisant la variable à plusieurs dimensions $_POST[choix], qui va contenir ceci :

```
$_POST[choix][chien] = chien
$_POST[choix][chat] = chat
```

Dans certains cas, vous avez besoin d'accéder à tous les champs du formulaire (par exemple pour vérifier que l'utilisateur a bien rempli l'ensemble des zones obligatoires). Comme nous l'avons vu pour le programme `traitement.php` du Listing 8.5, une boucle `foreach` vous permettra de parcourir le tableau prédéfini `$_POST` (ou `$_GET`). La plupart des exemples de programmes et d'instructions proposés dans ce livre font appel à la méthode `post`. Les clés sont les noms des champs.

Supposez qu'un programme contienne les instructions suivantes pour afficher un formulaire :

```
echo "<form action='traitement.php' method='post'>\n";
echo "<input type='text' name='nom' value='Dupont'>\n";
echo "<input type='radio' name='choix' value='chien'>chien\n";
echo "<input type='radio' name='choix' value='chat'>chat\n";
echo "<input type='hidden' name='varcach' value='3'>\n";
echo "<input type='submit' value='Faites votre choix'>\n
     </form>\n";
```

et que `traitement.php` contienne :

```
foreach ($_POST as $clé => $valeur)
{
  echo "$clé, $valeur<br>";
}
```

L'affichage par la boucle `foreach` pourrait se présenter ainsi :

```
nom, Dupont
choix, chien
varcach, 3
```

L'affichage de ces valeurs s'explique de cette façon :

- **L'utilisateur n'a pas modifié le texte présent dans le champ de texte.** Aussi la valeur "Dupont" est-elle restée inchangée.
- **L'utilisateur a cliqué sur le bouton radio devant "chien".** Un seul bouton radio d'un groupe peut être choisi.

- **Une variable cachée, `varcach`, a été transmise.** L'utilisateur ne peut pas modifier sa valeur.

Contrôle des informations

Des erreurs peuvent se glisser dans ce qu'a saisi un utilisateur : erreurs de frappe ou erreurs de logique, voire fautes intentionnelles dans le but de "planter" le programme de dépouillement. Aussi est-il prudent de contrôler les informations reçues avant de les utiliser ou de les enregistrer dans la base de données. C'est ce qu'on appelle *valider* les données. Pour cela, il faut :

- **Contrôler les champs restés vides.** Certaines informations peuvent être indispensables. Il faut alors afficher un message signalant l'obligation de fournir l'information manquante et réafficher le formulaire.
- **Contrôler la forme sous laquelle une information a été saisie.** La présence de caractères alphabétiques dans un code postal ou celle de chiffres dans un nom est, à l'évidence, une erreur.

Test des champs vides

Dans un formulaire, il peut se trouver des champs dont le remplissage n'est pas obligatoire et d'autres qui sont indispensables. Vous ne devez donc vérifier que ces derniers et signaler éventuellement l'erreur. Par exemple :

```
if ($nom == "")
{ echo "Vous devez indiquer votre nom<br>\n";
  réafficher le formulaire
  exit();
}
echo "Bienvenue dans notre Association<br>"\n;
  afficher le menu
      ... etc ...
```

Dans l'exemple précédent, vous aurez noté la présence d'une instruction `exit` mettant fin au programme. Sans sa présence, l'exécution du programme se poursuivrait inutilement après avoir réaffiché le formulaire en produisant tout de même le message de bienvenue et le menu..

Pour tester l'ensemble des champs d'un formulaire, vous pouvez écrire une boucle explorant toutes les variables du tableau `$ _POST`. Par exemple :

```
foreach ($_POST as $valeur)
{ if ($valeur == "")
  { echo "Vous n'avez pas renseigné tous les champs<br>\n";
    réafficher le formulaire
    exit;
  }
}
echo "Bienvenue ...";
```

Lorsque vous réaffichez le formulaire, prenez soin d'y replacer les valeurs déjà saisies par l'utilisateur, car il serait sans doute mécontent d'avoir à les taper à nouveau et il risquerait alors de quitter votre site Web pour ne plus jamais y revenir.

Lorsque la saisie de tous les champs n'est pas obligatoire, la séquence précédente doit être modifiée pour ne pas tester les zones facultatives. Admettons que vous n'ayez pas réellement besoin du prénom de la personne, et moins encore de son numéro de fax. Vous devrez alors faire une exception pour ces champs. On pourrait alors aboutir à ceci :

```
foreach ($_POST as $clé => $valeur)
{ if ($clé != "fax" and $clé != "prénom")
  { if ($valeur == "")
    { echo "Vous n'avez pas renseigné tous les champs<br>\n";
      réafficher le formulaire
      exit;
    }
  }
}
echo "Bienvenue ...";
```

Le `if` le plus extérieur empêche l'exécution du test (le `if` intérieur) pour les champs relatifs au fax et au prénom, dans lesquels il est toléré de ne rien indiquer.

Dans certains cas, vous pouvez souhaiter dire à l'utilisateur quels sont les champs qui doivent obligatoirement être renseignés. Le programme `testblanc.php` (voir le Listing 8.12) traite un formulaire contenant quatre champs : `prénom`, `nom`, `code_postal` et `téléphone`, parmi lesquels seul le code postal peut être laissé vide.

Listing 8.12 : Programme testant et signalant les champs vides.

```
<?php
/*  Nom du programme : testBlanc.php
```

```
 *  Description :  Ce programme contrôle les champs du formulaire
 *                 pour rechercher les zones vides.
 */
?>
<html>
<head>
<title>Test de champs vides</title>
</head>
<body>
<?php
  // Définir les champs à tester
  $étiquettes = array ( "prénom" => "Prénom",
                        "nom" => "Nom",
                        "code_postal" => "Code postal",
                        "téléphone" => "Téléphone");

  //Contrôler tous les champs sauf celui du code postal
  foreach ($_POST as $clé => $valeur)
  { if ($clé != "code_postal")
    { if ( $valeur == "" )
      { $champVide[$clé] = "blanc";
      }
    }
  }  // Fin de la boucle foreach pour $_POST

  // Si l'un des champs est vide, afficher un message
  if (@sizeof($champVide) > 0) //en cas de champ vide
  { echo "<b>Un des champs obligatoires n'a pas été renseigné.
          Vous devez saisir :</b><br>";
    // affichage du nom des informations requises
    foreach($champVide as $clé => $valeur)
    { echo "   {$étiquettes[$clé]}<br>";
    } // Fin de la boucle foreach pour les champs vierges

    // réafficher le formulaire
    $nom=trim(strip_tags($_POST['nom']));
    $prénom=trim(strip_tags($_POST['prénom']));
    $code_postal=trim(strip_tags($_POST['code_postal']));
    $téléphone=trim(strip_tags($_POST['téléphone']));

    echo "<p><hr>
      <form action='testBlanc.php' method='post'>
      <center>
      <table width='95%' border='0' cellspacing='0' cellpadding='2'>
      <tr><td align='right'><B>{$étiquettes['prénom']}:</br></td>
        <td><input type='text' name='prénom' size='35'
             maxlength='35' value='$prénom' > </td>
```

```
      </tr>
      <tr><td align='right'><B>{$étiquettes['nom']}:</br></td>
        <td><input type='text' name='nom' size='35'
             maxlength='35' value='$nom' > </td>
      </tr>
      <tr><td align='right'><B>{$étiquettes['code_postal']}:</B></td>
        <td> <input type='text' name='code_postal' size='35'
              maxlength='35' value='$code_postal'> </td>
      </tr>
      <tr><td align='right'><B>{$étiquettes['téléphone']}:</B></td>
        <td> <input type='text' name='téléphone' size='35'
             maxlength='35' value='$téléphone'> </td>
      </tr>
      </table>
      <p><input type='submit' value='Validez'>
      </form>
      </center>";
    exit();
  }
  echo "Bienvenue...";
?>
</body>
</html>
```

Voici comment ce programme est organisé :

1. Définition d'un tableau d'étiquettes de champs du formulaire et de leur correspondance avec ce qui est affiché devant chaque boîte de saisie. Ces étiquettes seront utilisées pour afficher les noms des champs qui n'ont pas été remplis.

2. Bouclage sur les variables passées par le formulaire et vérification des champs vides. Le nom de tout champ non renseigné est placé dans le tableau `$champVide`.

3. Examen du contenu du tableau `$champVide` et comptage du nombre de valeurs qu'il contient.

4. Si ce nombre est nul, sauter tout ce qui suit pour aller afficher "Bienvenue...".

5. Si ce nombre n'est pas nul :

   a. Afficher un message d'erreur expliquant la cause générale de l'erreur.

   b. Afficher la liste des informations manquantes. Ce sont les noms contenus dans le tableau `$champVide`.

c. Afficher le formulaire. Il contient les noms des variables dans l'attribut `value` de chaque balise `<input>`. Les informations déjà saisies sont donc réaffichées.

d. Exécution de l'instruction `exit;`. L'utilisateur doit cliquer sur le bouton `submit` pour continuer.

N'oubliez surtout pas l'instruction finale `exit;`. Faute de quoi, le programme se poursuivrait et afficherait le message de bienvenue. Pour cela, il suffirait de placer le message de bienvenue (et éventuellement du traitement qui le suit) à l'intérieur d'une clause `else`. (*N.d.T.*)

N'oubliez pas que les programmes qui traitent les formulaires utilisent les informations produites par celui-ci. Si vous les exécutez seuls, ils ne disposent pas des bons renseignements (via par exemple le tableau `$_POST`) et ne produiront pas le résultat attendu. Leur intervention suit un clic sur le bouton `submit` du formulaire principal. C'est typiquement ce qui se produit dans le listing précédent. Si vous l'appelez en l'état, le tableau `$_POST` ne contient rien et vous arrivez directement au message de bienvenue. Le programme testBlanc.php ne peut donc venir qu'en second rang à la suite d'un autre programme chargé d'afficher une première fois le formulaire puis d'appeler le module qui assure les contrôles voulus. En voici un exemple simple :

```
<?php
  $étiquettes = array ( "prénom" => "Prénom",
                        "nom" => "Nom",
                        "code_postal" => "Code postal",
                        "téléphone" => "Téléphone");

    echo "<p><hr>
      <form action='testBlanc.php' method='post'>
      <center>
      <table width='95%' border='0' cellspacing='0' cellpadding='2'>
      <tr><td align='right'><B>{$étiquettes['prénom']}:</br></td>
        <td><input type='text' name='prénom' size='35'
            maxlength='35' value='' > </td>
      </tr>
      <tr><td align='right'><B>{$étiquettes['nom']}:</br></td>
        <td><input type='text' name='nom' size='35'
            maxlength='35' value='' > </td>
      </tr>
      <tr><td align='right'><B>{$étiquettes['code_postal']}:</B></td>
        <td> <input type='text' name='code_postal' size='35'
             maxlength='35' value=''> </td>
      </tr>
      <tr><td align='right'><B>{$étiquettes['téléphone']}:</B></td>
```

```
        <td> <input type='text' name='téléphone' size='35'
             maxlength='35' value=''> </td>
      </tr>
      </table>
      <p><input type='submit' value='Validez'>
      </form>
      </center>";
?>
```

Ce programme affiche le formulaire, puis appelle testBlanc.php (lorsque l'utilisateur a cliqué sur le bouton `submit`) pour analyser le contenu des champs saisis par l'utilisateur.

La Figure 8.13 montre ce qui sera affiché si l'utilisateur n'a pas renseigné le champ obligatoire "Prénom" et le champ facultatif "Code Postal". Vous noterez que ce dernier n'est pas inclus dans la liste des oublis puisque sa saisie est facultative.

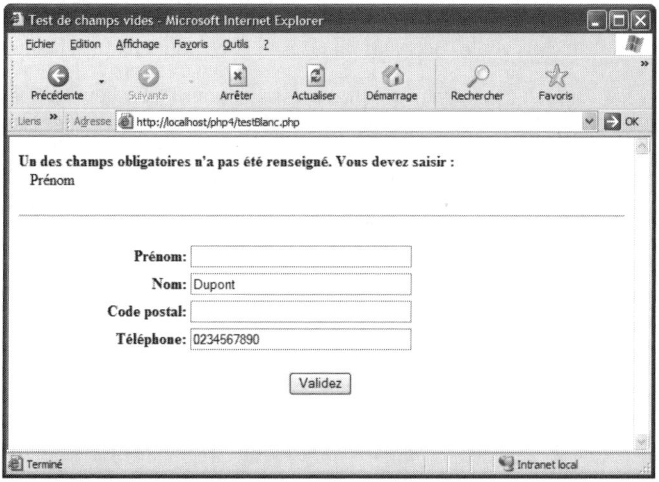

Figure 8.13 : Résultat du processus lorsqu'il manque des informations.

Contrôle du format des informations

Lorsque l'utilisateur saisit des informations dans un formulaire, vous pouvez craindre un certain nombre de fautes de frappe. Vous pouvez détecter quelques-unes de ces erreurs et les signaler en lui demandant de ressaisir les informations concernées. Ainsi, si l'utilisateur a tapé

7612 pour un code postal, le nombre de caractères (4) vous indique déjà que cette entrée est incorrecte.

Vous devez aussi penser à vous protéger contre des utilisateurs malveillants, quelle que soit leur intention réelle. Par exemple, la saisie de balises HTML dans un champ de formulaire risquerait de conduire à un affichage erroné. Pis : la saisie d'un script dans une zone de texte équivaut à entrer un programme dans un champ de formulaire, ce qui est potentiellement dangereux.

Tester le format des saisies n'est pas une besogne simple. Vous souhaitez tout naturellement déceler le plus d'erreurs possible, mais vous devez aussi éviter de faux diagnostics. Par exemple, dans un numéro de téléphone français, vous ne devriez trouver que des chiffres. Mais beaucoup de gens risquent de les séparer en tranches de deux chiffres au moyen d'un espace, d'un point, d'un tiret ou encore d'une barre oblique. Et limiter le nombre de caractères saisis à celui qui est valable pour les numéros de France empêcherait la saisie de numéros comportant un préfixe de nationalité. Vous devez donc réfléchir soigneusement à la nature et au format des informations que vous voulez accepter ou refuser, et ce pour chaque champ.

L'un des moyens les plus puissants pour tester la validité d'une saisie est probablement l'utilisation d'*expressions rationnelles* (étudiées au Chapitre 6). Vous comparez le contenu d'un certain champ avec un profil. Si le test est concluant, la valeur peut être acceptée. Sinon, la donnée n'est pas valide et l'utilisateur doit la ressaisir.

En général, le test du format d'une saisie se présente sous la forme suivante :

```
if (! ereg("profil", $champ))
{ echo message d'erreur;
  ... réaffichage du formulaire ...
  exit;
}
echo "Bienvenue...";
```

Vous aurez remarqué la présence du point d'exclamation renversant le sens du test conditionnel. De cette façon, les instructions placées dans le bloc qui suit ne seront exécutées que si le test (d'erreur) est positif.

Supposons que vous souhaitiez vérifier la validité d'un nom propre. Vous allez supposer qu'il ne peut pas contenir de chiffres, mais vous devez accepter certains caractères comme le tiret (Saint-Just), l'apostrophe (d'Hauteville) ou l'espace (du Deffand). Une limite de 50 caractères est également plausible. Vous pouvez alors écrire :

```
if (! ereg("[A-Za-z' -]{1,50}",$nom)
{ echo message d'erreur;
... réaffichage du formulaire ...
  exit;
}
echo "Bienvenue !";
```

Si vous voulez inclure le tiret (-) dans le groupe des caractères admis (celui qui est placé entre crochets dans le profil), vous devez le placer en tête ou en queue du groupe pour qu'il ne soit pas interprété comme un indicateur d'ensemble (A-Z, par exemple).

Dans la section précédente, nous avons vu comment tester chacun des champs d'un formulaire pour s'assurer qu'il a été renseigné (voir le Listing 8.12). Si vous voulez en outre vérifier qu'il a été saisi sous une forme acceptable, vous devez modifier le programme sous la forme que montre le Listing 8.13.

Ce programme ne s'assure pas du contenu du code postal lorsque celui-ci est renseigné. C'est évidemment une amélioration à lui apporter.

Listing 8.13 : Test de champs vides et de formats de données incorrects.

```
<?php
/*  Nom du programme : testChamps.php
 *  Description :  Ce programme contrôle les champs du formulaire
 *                 (zones vides, format incorrect).
 */
?>
<html>
<head>
<title>Test de champs</title>
</head>
<body>
<?php
  /* Définir les champs à tester*/
  $étiquettes = array ( "prénom" => "Prénom",
                        "nom" => "Nom",
                        "code_postal" => "Code postal",
                        "téléphone" => "Téléphone");

  foreach ($_POST as $clé => $valeur)
  {
    /* Contrôler tous les champs sauf celui du code postal */
    if ( $valeur == "" )
```

```
    {
      if ($clé != "code_postal")
      {
  $champVide[$clé] = "blanc";
      }
    }
    elseif ($clé == "prénom" or $clé == "nom" )
    { if (!ereg("^[A-Za-z' -]{1,50}$",$_POST[$clé]) )
      {
        $mauvaisFormat[$clé] = "mauvais";
      }
    }
    elseif ($clé == "téléphone")
    {
       if (!ereg("^[0-9)( -]{7,20}(([xX]|(ext)|(ex))?[ -]?[0-
                                                  9]{1,7})?$",
               $valeur) )
       {
         $mauvaisFormat[$clé] = "mauvais";
       }
     }
  }   // Fin de la boucle foreach pour $_POST

  /* Si l'un des champs est incorrect, afficher un message */
  if (@sizeof($champVide) > 0 or @sizeof($mauvaisFormat) > 0)
  {
    if (@sizeof($champVide) > 0)
    {
      /* Message pour information manquante */
       echo "<b>Un des champs obligatoires n'a pas été renseigné.
        Vous devez saisir :</b><br>";
      /* Affichage du nom des informations requises */
      foreach($champVide as $clé => $valeur)
      {
         echo "   {$étiquettes[$clé]}<br>";
      } // Fin de la boucle foreach pour les champs vierges
    }
    if (@sizeof($mauvaisFormat) > 0)
    {
      /* Message pour information invalide */
        echo "<b>Un ou plusieurs champs contiennent des informations
                 qui semblent incorrectes. Corrigez le format de
                 :</b><br>";
        /* Affiche ule liste des informations incorrectes */
        foreach($mauvaisFormat as $clé => $valeur)
        {
          echo "   {$étiquettes[$clé]}<br>";
```

```
        }
    }

    // réafficher le formulaire
    $nom=trim(strip_tags($_POST['nom']));
    $prénom=trim(strip_tags($_POST['prénom']));
    $code_postal=trim(strip_tags($_POST['code_postal']));
    $téléphone=trim(strip_tags($_POST['téléphone']));

    echo "<p><hr>
      <form action='testChamps.php' method='post'>
      <center>
      <table width='95%' border='0' cellspacing='0' cellpadding='2'>
      <tr><td align='right'><B>{$étiquettes['prénom']}:</br></td>
        <td><input type='text' name='prénom' size='35'
             maxlength='35' value='$prénom' > </td>
      </tr>
      <tr><td align='right'><B>{$étiquettes['nom']}:</br></td>
        <td><input type='text' name='nom' size='35'
             maxlength='35' value='$nom' > </td>
      </tr>
      <tr><td align='right'><B>{$étiquettes['code_postal']}:</B></td>
        <td> <input type='text' name='code_postal' size='35'
              maxlength='35' value='$code_postal'> </td>
      </tr>
      <tr><td align='right'><B>{$étiquettes['téléphone']}:</B></td>
        <td> <input type='text' name='téléphone' size='35'
             maxlength='35' value='$téléphone'> </td>
      </tr>
      </table>
      <p><input type='submit' value='Validez'>
      </form>
      </center>";
    exit();
  }
  echo "Bienvenue...";
?>
</body>
</html>
```

Comme pour le Listing 8.12, vous avez besoin d'un programme supplémentaire pour procéder à l'affichage initial du formulaire. Il vous suffit ici de reprendre l'exemple donné plus haut et de changer la ligne :

```
<form action='testBlanc.php' method='post'>
```

en :

```
<form action='testChamps.php' method='post'>
```

Voici les différences entre ce programme et celui du Listing 8.11 :

- **Il existe deux tableaux : un pour les champs vides ; l'autre pour les champs incorrects.** Pour le premier, il s'agit de `$champVide[]` ; pour le second, `$mauvaisFormat[]`.
- **Le programme exécute une boucle sur `$mauvaisFormat[]` pour créer une liste séparée de formats incorrects.** Si un des champs est vide, il affiche un message d'erreur et une liste de ces champs. S'il y a un format incorrect, il crée un second message d'erreur pourvu, lui aussi, de sa propre liste.

Enfin, une fois les tests effectués, si tout est correct (un `if` teste la somme des nombres des deux types d'erreurs), on affiche tout de suite "Bienvenue !", suivi éventuellement du traitement des données, et le réaffichage du formulaire est "protégé" par la clause `else` de ce `if`.

La Figure 8.14 vous montre un exemple dans lequel le nom est absent, tandis que le prénom et le numéro de téléphone sont incorrects.

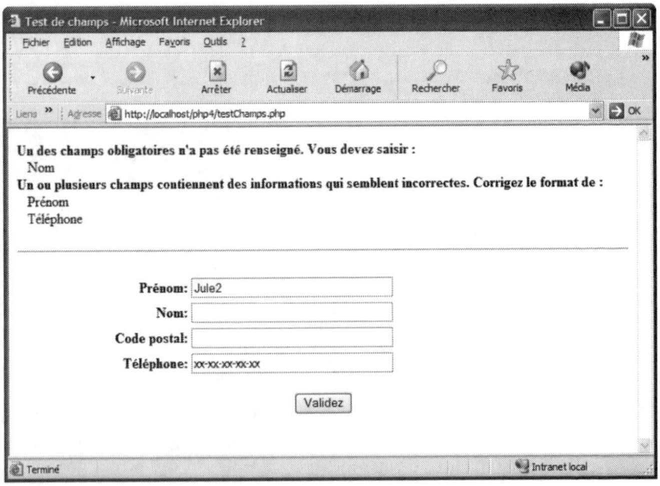

Figure 8.14 : Autre exemple de validation des données transmises par un formulaire.

Plusieurs boutons submit

Dans un formulaire, vous n'êtes pas limité à un seul bouton de type Submit. Ainsi, pour un bon de commande, vous pouvez très bien prévoir deux boutons : "Envoyer la commande" et "Annuler la commande". Mais, comme vous ne pouvez avoir qu'un seul attribut `action` dans la balise `<form>`, il faut utiliser un autre moyen pour savoir sur quel bouton l'utilisateur a cliqué afin que PHP puisse traiter correctement cette situation. En voici un exemple qui va appeler le programme du Listing 8.14 :

```
<form action="deuxBoutons.php" method="POST">
  <input type="text" name="nom" maxlength="50"><br>
  <input type="submit" name="envoi"
         value="Adresse">
  <input type="submit" name="envoi"
         value="Téléphone">
</form>
```

Si les deux boutons Submit ont bien le même nom, leur valeur (ce qu'ils affichent) est différente, et le programme de traitement pourra faire la distinction entre eux d'après la valeur de la variable `$envoi`.

Dans le programme du Listing 8.14, le choix est offert à l'utilisateur d'afficher l'adresse d'un membre de l'association (dont il vient de saisir le nom) ou son numéro de téléphone.

Listing 8.14 : Traitement de deux boutons Submit.

```
<?php
/*  Nom du programme : deux Boutons.php
 *  Description :  Affiche des informations différentes
 *                 selon le bouton submit choisi.
 */
?>

<html>
<head>
<title>Afficher l'adresse ou le numéro de téléphone</title>
</head>
<body>
<?php
  $user="admin";
  $host="localhost";
  $password="";
  $database = "MembresSeuls";
```

```
  $connexion = mysql_connect($host, $user, $password)
       or die ("Connexion au serveur impossible");
  $db = mysql_select_db($database, $connexion)
       or die ("Sélection de la base impossible");

  if ($_POST['envoi'] == "Adresse")
  {
     $query = "SELECT rue,ville,département,codePostal
              FROM Membre WHERE nom='$_POST[nom]'";
     $result = mysql_query($query)
       or die ("Exécution de la requête impossible.");
     $ligne = mysql_fetch_array($result);
     echo "Adresse : {$ligne['rue']}<br>
          Ville : {$ligne['ville']}<br>
          N° département : {$ligne['département']}<br>
          Code postal : {$ligne['codePostal']}<br>";
  }
  else
  {
    $query = "SELECT tph FROM Membre WHERE nom='$_POST[nom]'";
    $result = mysql_query($query)
       or die ("Exécution de la requête impossible.");
     $ligne = mysql_fetch_array($result);
     echo "Téléphone : {$ligne['tph']}<br>";
  }
?>
</body>
</html>
```

Selon la valeur de la variable `$envoi`, le programme exécute l'une des deux branches d'un `if`.

Insertion d'informations dans une base de données

Une application a presque toujours besoin de garnir une base de données avec des informations recueillies auprès d'un utilisateur dans un formulaire approprié. La base `MembresSeuls` en est un bon exemple. Pour cela, il faut envoyer des requêtes SQL à MySQL (voir à ce sujet le Chapitre 4).

Préparation des informations

Cette opération préliminaire comprend trois étapes :

- Placer les données dans des variables.
- S'assurer que ces données sont dans le format attendu par la base de données.
- Nettoyer les données.

Placer les données dans des variables

Pour placer des données dans des variables, il suffit d'énumérer les noms de ces variables dans la requête SQL. Avec PHP, cela ne présente aucune difficulté. Nous avons vu comment PHP enregistre les données dans une variable portant le nom d'un champ du formulaire, cela de façon automatique et invisible. Il vous suffit alors d'utiliser les variables fournies par PHP. A l'occasion, vous pouvez avoir à ajouter d'autres données, souvent déduites de celles que vous avez reçues de l'utilisateur (comme la date du jour ou le numéro d'une commande). Là encore, le passage par une variable qui sera incluse dans la requête résoudra le problème.

Contrôler le format des données

Lors de la création de la base de données, vous avez défini un format particulier pour chacune des informations qui vont s'y trouver, autrement dit pour chaque colonne de chaque table. Il faut évidemment que le type des données que vous avez reçues soit identique. C'est notamment le cas pour les dates dont le format est défini de façon stricte et qui risque de ne pas être celui sous lequel la date a été saisie par l'utilisateur. S'il y a discordance entre le format prévu et le format reçu, la donnée sera probablement stockée mais pas nécessairement sous sa valeur correcte. Voici quelques indications sur la façon dont MySQL va conserver les différents types de données qu'il recevra :

- `CHAR` ou `VARCHAR` : Chaîne de caractères, comme la plupart des autres informations reçues par MySQL (y compris les nombres et les dates). Si la longueur spécifiée pour `CHAR` est trop courte, les caractères excédentaires seront perdus. C'est pourquoi il est bon de spécifier la même valeur de l'attribut `maxlength` dans le champ de formulaire qui recueille la donnée.

- INT ou DECIMAL : Nombres, que cela ait ou non un sens. Ainsi, une date peut-elle être interprétée comme un nombre (2004.00, par exemple, pour l'année en cours). Si MySQL est incapable de trouver un équivalent numérique, il range la valeur 0 dans la colonne considérée.
- DATE : Sous forme d'une date MySQL : AAAA-MM-JJ. L'année peut être exprimée avec quatre chiffres (2004) ou seulement deux (04). La date peut être une chaîne formée de chiffres, ou encore dont les éléments sont séparés par un caractère particulier. Les séparateurs entre les trois valeurs peuvent être le tiret (-), le point (.), le slash (/) ou rien du tout. Voici quelques exemples de formes valides : 20040517, 2004-05-17, 0405017, 2004.05.17... Si la valeur passée ne peut pas être interprétée correctement, c'est 0000-00-00 qui sera enregistré.
- ENUM : La valeur reçue doit correspondre exactement à l'une des valeurs énumérées. Sinon, MySQL mémorise un 0.

Les informations reçues du formulaire sont souvent rangées telles quelles dans la base de données. C'est le cas, par exemple, du nom d'un utilisateur. Parfois, cependant, il est nécessaire d'opérer un traitement préalable comme pour les dates reçues à partir de trois boîtes à liste déroulantes (pour le jour, le mois et l'année, comme nous l'avons vu en étudiant les listes de sélection). L'instruction suivante rassemble ces informations :

```
$expDate = $_POST['expAnnée']."-";
$expDate .= $_POST['expMois']."-";
$expDate .= $_POST['expJour'];
```

Vous pouvez également vouloir standardiser les numéros de téléphone. La façon la plus simple de le faire (pour les numéros français) est de ne conserver que les chiffres en supprimant tous les séparateurs, ce qui peut être accompli en exécutant l'instruction suivante :

```
$téléphone = ereg_replace("[ /)(.-]","",$_POST['téléphone']);
```

Ici, la fonction ereg_replace() utilise une expression rationnelle pour remplacer les caractères énumérés dans le profil (premier argument) par celui du deuxième argument (chaîne vide), le résultat étant renvoyé dans la variable située à gauche du signe égal. Finalement, tirets, espaces, points, parenthèses et barres obliques sont supprimés. Si l'on craint que l'utilisateur ait utilisé d'autres séparateurs, on peut être plus radical et écrire :

```
$téléphone = ereg_replace("[^0-9]","", $_POST['téléphone']);
```

ce qui aura pour effet de supprimer tous les caractères qui ne sont pas des chiffres.

Nettoyage des données

Certains caractères comme les chevrons ne doivent normalement pas se trouver dans une chaîne de caractères reçue de l'utilisateur par crainte que celui-ci ne veuille glisser un script dans ce qu'il envoie.

En cas de besoin, n'hésitez pas à revoir la section "Recueil d'informations auprès de l'utilisateur", bien plus haut dans ce chapitre.

Mais, dans certains cas, ces caractères peuvent être licites (une formule mathématique, par exemple). Il existe deux fonctions prévues pour "nettoyer" les données :

- `strip_tags()` : Tout ce qui est compris entre "<" et ">" sera supprimé (ainsi que les chevrons eux-mêmes) de la chaîne de caractères passée en argument. Vous pouvez, néanmoins, spécifier les balises dont vous admettez la présence. L'instruction suivante supprime toutes les balises d'une chaîne de caractères sauf "<i>", "</i>", "<b>" et "</b>" :

```
$nom = strip_tags($nom, "<b></b><i></i>";
```

- `htmlspecialchars()` : Cette fonction transforme certains signes en entités de caractères pour éviter toute confusion dans un document HTML :

  - < devient `<`
  - < devient `>`
  - & devient `&`

  Cela permet d'afficher les chevrons dans une page Web sans risquer de les voir interprétés comme des balises. Voici un exemple d'utilisation :

```
$mot = htmlspecialchars($mot);
```

Si vous refusez absolument que vos utilisateurs puissent taper < ou > dans un champ de saisie de formulaire, utilisez `strip_tags()`. Mais si vous acceptez ces caractères sans vouloir courir de risques inutiles, utilisez `htmlspecialchars()`.

Il existe une autre fonction qui peut s'avérer très utile : `trim()`, qui supprime les espaces superflus aux deux extrémités d'une chaîne de caractères. Elle s'emploie de façon très simple :

```
$mot = trim($_POST['mot']);
```

Ajout de nouvelles informations

Pour ajouter de nouvelles informations dans une base de données, on utilise la requête `INSERT` que j'ai présentée au Chapitre 4. Sa forme générale est :

```
$rq = "INSERT INTO nomTable (col1,col2...,colx)
                VALUES ('var1','var2'... ,'varx')";
$result = mysql_query($rq)
      or die ("Exécution de la requête impossible.");
```

Le Listing 8.15 présente un programme destiné à placer dans une base de données le nom, le prénom et le numéro de téléphone saisis dans un formulaire.

Listing 8.15 : Programme rangeant des données dans une base de données.

```
<?php
/* Nom du programme: sauveTelephone.php
 * Description : Contrôles les champs vides et invalides
 *               d'un formulaire. Les champs valides sont
 *               sauvegardés dans une base de données.
 */
?>
<html>
<head>
<title>Numéro de téléphone des membres</title>
</head>
<body>
<?php
  $prénom = strip_tags(trim($_POST['prénom']));
  $nom = strip_tags(trim($_POST['nom']));
  $tph = strip_tags(trim($_POST['tph']));
  $tph = ereg_replace("[/)( .-]","",$tph);

  /* ----- Contrôle des informations du formulaire ----- */
```

```
/* Définition des étiquettes de variables */
$étiquettes = array ( "prénom" => "Prénom",
                      "nom" => "Nom",
                      "tph" => "Téléphone");
foreach ($_POST as $clé => $valeur)
{
  /* Recherche les champs vides */
  if ( $valeur == "" )
  {
     $champVide[$clé] = "blanc";
  }
  elseif ( ereg("(nom)",$clé))
  {
    if (!ereg("^[A-Za-z' -]{1,50}$",$_POST[$clé]) )
    {
           $mauvaisFormat[$clé] = "mauvais";
    }
  }
  elseif ($clé == "tph")
  {
    if(!ereg("^[0-9)( -]{7,20}(([xX]|(ext)|(ex))?[ -]?[0-
                                 9]{1,7})?$",$valeur) )
    {
           $mauvaisFormat[$clé] = "mauvais";
    }
  }
} // Fin du foreach pour $_POST
/* En cas d'erreur, afficher un message et réafficher le
   formulaire */
if (@sizeof($champVide) > 0 or @sizeof($mauvaisFormat) > 0)
{
  if (@sizeof($champVide) > 0)
  {
     /* Message signalant qu'il manque quelque chose */
     echo "<b>Vous avez omis de remplir un ou plusieurs champs
              obligatoires.
              Vous devez saisir :</b><br>";
     /* Affiche la liste des informations absentes */
     foreach($champVide as $clé => $valeur)
     {
        echo "   {$étiquettes[$clé]}<br>";
     }
  }
  if (@sizeof($mauvaisFormat) > 0)
  {
     /* Affiche un message signalant des informations invalides */
     echo "<b>OUn ou plusieurs champs contiennent une information
```

```
              incorrecte. Corrigez les champs :</b><br>";
        /* Affiche la liste des informations invalides */
        foreach($mauvaisFormat as $clé => $valeur)
        {
           echo "   {$étiquettes[$clé]}<br>";
        }
    }
    /* Réaffiche le formulaire */
    echo "<p><hr>
      <form action='sauveTelephone.php' method='POST'>
      <center>
      <table width='95%' border='0' cellspacing='0' cellpadding='2'>
      <tr><td align='right'><B>{$étiquettes['prénom']}:</br></td>
        <td><input type='text' name='prénom' size='65' maxlength='65'
                  value='$prénom' > </td>
      </tr>
      <tr><td align='right'><B>{$étiquettes['nom']}:</B></td>
        <td> <input type='text' name='nom' size='65' maxlength='65'
                  value='$nom'> </td>
      </tr>
      <tr><td align='right'><B>{$étiquettes['tph']}:</B></td>
        <td> <input type='text' name='tph' size='65' maxlength='65'
                  value='$tph'> </td>
      </tr>
      </table>
      <p><input type='submit' value='Nom et numéro de téléphone'>
      </form>
      </center>";
    exit();
  }
  else   // Si tout est OK
  {
    $user="admin";
    $host="localhost";
    $password="";
    $database = "MembresSeuls";
    $connection = mysql_connect($host,$user,$password)
       or die ("Connexion au serveur impossible.");
    $db = mysql_select_db($database,$connection)
       or die ("Sélection de la base de données impossible.");

    $rq = "INSERT INTO Membre (nom,prénom,tph)
                  VALUES ('$nom','$prénom','$tph')";
    $result = mysql_query($rq)
       or die ("Exécution de la requête impossible.");
    echo "Nouveau membre ajouté à la base de données<br><br>";
  }
```

```
?>
</body>
</html>
```

Le programme effectue les mêmes vérifications que celles qui ont été détaillées sur le Listing 8.14 (champs vides et formats incorrects). Si tout est bon, les données sont nettoyées (débarrassées des espaces excédentaires à chaque bout) puis rangées dans la base de données.

Le Listing 8.15 propose un programme de démonstration qui vous montre comment ajouter une ligne et une seule dans une table d'une base de données. Ici, vous ne pouvez insérer qu'un seul client dans la base, car ce programme ne crée (ou n'insère) pas de nom de login unique. Vous devez supprimer le client ajouté par ce procédé avant de pouvoir exécuter le programme à nouveau. Cet exemple n'est donc pas véritablement adapté à une situation réelle. Il s'agit uniquement ici de développer quelques principes de base. Nous verrons dans le Chapitre 12 un programme plus "réaliste" pour insérer de nouveaux clients dans une base de données.

N'oubliez pas non plus que le programme présenté dans le Listing 8.15 ne peut pas fonctionner seul. Sinon, les variables $_POST ne seraient pas remplies et `sauveTelephone.php` se contenterait de renvoyer un message d'erreur pour les lignes 14 à 16 (celles qui suivent la balise <?php et qui initialisent les variables `$prénom`, `$nom` et `$tph`). Vous devez par conséquent appeler ce module à partir d'un autre programme dont l'ossature pourrait se présenter comme ceci :

```
<?php
  $étiquettes = array ( "prénom" => "Prénom",
                        "nom" => "Nom",
                        "tph" => "Téléphone");

    echo "<p><hr>
      <form action='sauveTelephone.php' method='post'>
      <center>
      <table width='95%' border='0' cellspacing='0' cellpadding='2'>
      <tr><td align='right'><B>{$étiquettes['prénom']}:</br></td>
        <td><input type='text' name='prénom' size='35'
             maxlength='35' value='' > </td>
      </tr>
      <tr><td align='right'><B>{$étiquettes['nom']}:</br></td>
        <td><input type='text' name='nom' size='35'
             maxlength='35' value='' > </td>
      </tr>
      <tr><td align='right'><B>{$étiquettes['tph']}:</B></td>
```

```
        <td> <input type='text' name='tph' size='35'
             maxlength='35' value=''> </td>
      </tr>
      </table>
      <p><input type='submit' value='Validez'>
      </form>
      </center>";
?>
```

Dans une application, on peut avoir besoin de ranger des données à plusieurs reprises. Une fonction qui ferait ce travail serait donc la bienvenue. En voici une :

```
function Rangement($donnéesForm,$nomTable)
{
   if (!is_array($donnéesForm))
   {
     return FALSE;
     exit();
   }
   foreach ($donnéesForm as $clé => $valeur)
   {
      $donnéesForm[$clé] = trim($donnéesForm[$clé]);
      $donnéesForm[$clé] = strip_tags($donnéesForm[$clé]);
      if ($clé == "tph")
      {
          $donnéesForm[$clé] =
             ereg_replace("[)( .-]","",$donnéesForm[$clé]);
      }
      $tableau_champ[]=$clé;
      $tableau_valeur[]=$donnéesForm[$clé];
   }
   $champs=implode(",",$tableau_champ);
   $valeurs=implode('","',$tableau_valeur);
   $req = "INSERT INTO $nomTable ($champs)
                 VALUES (\"$valeurs\")";
   $result = mysql_query($req)
            or die ("La requête ne peut pas être exécutée.");
   return TRUE;
}
```

La fonction retourne `TRUE` si elle se termine après avoir inséré les données sans erreur. Elle commence par vérifier que le premier argument qui lui est passé est un tableau. Dans le cas contraire, elle s'arrête et renvoie `FALSE`.

Pour que cette fonction fasse correctement son travail, il est nécessaire que les noms des champs du formulaire soient les mêmes que ceux des colonnes de la table de la base de données. On suppose également que la connexion au serveur MySQL est déjà effectuée et que la base de données a été sélectionnée.

A l'aide de cette fonction, on peut ainsi réécrire la dernière partie du programme du Listing 8.15 :

```
else   // Si tout est OK
  {
    rangement($_POST,"Membre");
    echo "Nouveau membre ajouté à la base de données<br>";
  }
?>
</body>
</html>
```

Vous aurez remarqué que ce programme est bien plus facile à relire, car une bonne partie des instructions se trouve maintenant dans la fonction. En outre, cette fonction peut marcher avec n'importe quel formulaire, aussi longtemps que les noms de champs de ce formulaire sont les mêmes que ceux des colonnes de la table de la base de données. S'il survient un incident lors de l'exécution de la requête, un message d'erreur est affiché.

Mise à jour des informations existantes

On utilise pour cela la requête `UPDATE` que j'ai présentée au Chapitre 4. Une mise à jour consiste à actualiser les données des colonnes, et non pas à ajouter de nouvelles lignes à une ou plusieurs tables. Sa forme générale est :

```
$req = "UPDATE nomTable SET col=valeur WHERE col=valeur";
$result = mysql_query($req)
       or die ("Exécution de la requête impossible.");
```

Par exemple, les instructions pour mettre à jour le numéro de téléphone de Jules Dupont pourraient se présenter ainsi :

```
$prénom = "Jules";          // lu dans le champ du formulaire
$nom = "Dupont";            // lu dans le champ du formulaire
$tph = "01-02-03-03-05";    // lu dans le champ du formulaire
$req = "UPDATE Membre SET tph='$tph'
                        WHERE prénom='$prénom'
```

```
                        AND nom='$nom'";
$result = mysql_query($req)
       or die ("Exécution de la requête impossible.");
```

Si vous ne faites pas figurer une clause `WHERE` dans la requête, le champ défini par `SET` sera modifié dans toutes les lignes de la table. C'est très rarement ce que vous souhaitez faire.

Le Listing 8.16 présente un programme destiné à mettre à jour dans une base de données le numéro de téléphone, en se repérant sur le couple prénom/nom également saisi dans le même formulaire.

Listing 8.16 : Programme modifiant le numéro de téléphone d'un membre identifié par son prénom et son nom.

```
<?php
/*  Nom du programme : majTelephone.php
 *  Description :  Vérifie le format du numéro de téléphone.
 *  Actualisele numéro de téléphone dans la base pour la personne
 *  concernée.
 */
?>
<html>
<head>
<title>Mise à jour d'un numéro de téléphone</title>
</head>
<body>
<?php
    $tph = strip_tags(trim($_POST['tph']));
    $tph = ereg_replace("/[)( .-]","",$tph);
    $prénom = $_POST['prénom'];
    $nom = $_POST['nom'];

  /* Contrôle des informations du formulaire */

  /* Définition des étiquettes de variables */
  $étiquettes = array ( "prénom" => "Prénom",
                        "nom" => "Nom",
                        "tph" => "Téléphone");
  foreach ($_POST as $clé => $valeur)
  {
    /* Tester les champs vides */
    if ( $valeur == "" )
    {
        $champVide[$clé] = "blanc";
    }
```

```
    elseif ( ereg("(nom)",$clé) )
    {
        if (!ereg("^[A-Za-z' -]{1,50}$",$_POST[$clé]) )
        {
            $mauvaisFormat[$clé] = "mauvais";
        }
    }
    elseif ($clé == "tph")
    {
      if(!ereg("^[0-9)( -]{7,20}(([xX]|(ext)|(ex))?[ -]?[0-
                                       9]{1,7})?$",$valeur))
      {
         $mauvaisFormat[$clé] = "mauvais";
      }
    }
  }
  /* En cas d'erreur, afficher un message et réafficher le
     formulaire */
  if (@sizeof($champVide) > 0 or @sizeof($mauvaisFormat) > 0)
  {
    if (@sizeof($champVide) > 0)
    {
        /* Message signalant qu'il manque quelque chose */
        echo "<b>Vous avez omis de remplir un ou plusieurs champs
                obligatoires. Vous devez saisir :</b><br>";
        /* Afficher la liste des valeurs absentes */
        foreach($champVide as $clé => $valeur)
        {
         echo "   {$étiquettes[$clé]}<br>";
        }
    }
    if (@sizeof($mauvaisFormat) > 0)
    {
        /* Afficher un message signalant des informations
           invalides */
        echo "<b>Un ou plusieurs champs contiennent une information
                incorrecte. Corrigez les champs :</b><br>";
        /* Afficher la liste des informations invalides */
        foreach($mauvaisFormat as $clé => $valeur)
        {
         echo "   {$étiquettes[$clé]}<br>";
        }
    }
    /* Réafficher le formulaire */
    echo "<p><hr>
      <form action='majTelephone.php' method='POST'>
      <center>
```

```
    <table width='95%' border='0' cellspacing='0'
           cellpadding='2'>
    <tr><td align='right'>
           <b>{$étiquettes['prénom']}:</b></td>
        <td><input type='text' name='prénom' size='65'
             maxlength='65' value='$prénom' > </td>
    </tr>
    <tr><td align='right'>
           <b>{$étiquettes['nom']}:</b></td>
      <td> <input type='text' name='nom' size='65'
                maxlength='65' value='$nom'> </td>
    </tr>
    <tr><td align='right'>
           <b>{$étiquettes['tph']}:</b></td>
      <td> <input type='text' name='tph' size='65'
             maxlength='65' value='$tph'> </td>
    </tr>
    </table>
    <p><input type='submit'
             value='Mise à jour'>
    </form>
    </center>";
  exit();
}
else   // Si tout est OK
{
$user="admin";
$host="localhost";
$password="";
$database = "MembresSeuls";
$connection = mysql_connect($host,$user,$password)
     or die ("Connexion au serveur impossible.");
$db = mysql_select_db($database,$connection)
     or die ("Sélection de la base de données impossible.");

  $req = "UPDATE Membre SET tph='$tph'
                 WHERE nom='$nom' AND prénom='$prénom'";
  $result = mysql_query($req)
     or die ("Impossible d'exécuter la requête ".mysql_error());
  echo "Le numéro de téléphone a été modifié<br>";
 }
?>
</body></html>
```

Comme d'habitude, vous aurez besoin d'un second programme affichant une première fois le formulaire et appelant `majTelephone.php` dans le paramètre `action`.

Ce programme est presque identique à celui du Listing 8.15, à ceci près qu'on ne crée par une nouvelle ligne (par `INSERT`) mais qu'on modifie une entrée existante (avec `UPDATE`). Si tout est bon, les données sont nettoyées (débarrassées des espaces excédentaires à chaque bout) puis rangées dans la base de données.

Transférer des informations par fichier

Votre site peut proposer à ses utilisateurs de lui envoyer des fichiers : des CV si vous leur proposez un emploi, des images si vous gérez des albums photo, et ainsi de suite. Supposons encore que vous deviez réaliser le catalogue des ventes en ligne du magasin AnimaLux. En plus du texte décrivant chaque produit dans le catalogue, vous avez besoin de photographies d'accompagnement. Vous placez alors un formulaire qui permet aux gens d'AnimaLux de vous transmettre ces images sans que personne n'ait à bouger de chez lui.

Utiliser un formulaire pour charger un fichier

Un formulaire conçu à cet effet peut proposer aux utilisateurs de transférer un fichier. La méthode générale est la suivante :

```
<form enctype="multipart/form-data"
          action="traitement.php" method="POST">
  <input type="hidden" name="MAX_FILE_SIZE" value="30000">
  <input type="file" name="fichier_utilisateur">
  <input type="submit" value="Envoyez le fichier">
</form>
```

Précisons tout cela :

- **L'attribut** `enctype` **débute la balise** `form`**.** Il doit prendre la valeur indiquée ci-dessus, `multipart/form-data`, pour s'assurer que le fichier téléchargé sera traité comme il faut.
- **Un champ caché envoie la valeur (en octets) du paramètre** `MAX_FILE_SIZE`**.** Si l'utilisateur tente de transférer un fichier dont la longueur est supérieure à cette donnée, le téléchargement échouera. La taille autorisée peut atteindre 2 Mo. Si cela n'est pas suffisant, vous devrez d'abord modifier manuellement la valeur par défaut enregistrée dans `php.ini`, à la ligne `upload_max_filesize`. Ajuster ensuite le paramètre `MAX_FILE_SIZE` dans votre formulaire.

- **Le champ de saisie qui effectue le transfert du fichier possède le type** `file`. Vous remarquerez qu'il possède un nom, en l'occurrence `fichier_utilisateur`, exactement comme n'importe quel autre type de champ de formulaire. Le nom de fichier saisi par l'utilisateur est envoyé au programme de traitement qui pourra le récupérer dans un tableau natif appelé `FILES`. Nous verrons cela plus en détail dans la section suivante.

Lorsque l'utilisateur valide le formulaire, le fichier est envoyé vers un emplacement temporaire. Le script qui traite le formulaire doit alors copier ce fichier vers sa destination finale (ou décider d'une autre action). En effet, le document temporaire est détruit dès que le script se termine.

Traiter le fichier téléchargé

Les informations concernant le fichier transféré sont mémorisées dans un tableau natif de PHP appelé `$_FILES`. Il s'agit d'un tableau à plusieurs dimensions, puisque plusieurs références de fichiers sont susceptibles d'y être stockées. Comme d'habitude, vous pouvez récupérer les informations contenues dans `$_FILES` en spécifiant le nom de la clé. La structure principale se présente ainsi :

```
$_FILES['clé']['name']
$_FILES['clé']['type']
$_FILES['clé']['tmp_name']
$_FILES['clé']['size']
```

Supposons que vous utilisiez dans votre formulaire le champ suivant pour proposer un transfert de fichier :

```
<input type="file" name="fichier_utilisateur">
```

Si l'utilisateur envoie un fichier de texte appelé `test.txt`, le tableau résultant, exploitable par le programme de traitement, pourrait ressembler à ceci :

```
$_FILES[fichier_utilisateur]['name'] = test.txt
$_FILES[fichier_utilisateur]['type'] = text/plain
$_FILES[fichier_utilisateur]['tmp_name'] = D:\UPLOAD\php92C.tmp
$_FILES[fichier_utilisateur]['size'] = 435
```

Ici, `name` est le nom du fichier qui a été transféré. Sa nature est décrite dans `type`. L'emplacement de l'enregistrement temporaire se trouve dans tmp_name (vous remarquerez que le chemin d'accès est totalement développé). On note enfin que la taille du fichier (size) est de 435 octets.

Si la taille du fichier excède la limite autorisée, tmp_name contiendra none et size vaudra 0. Le programme de traitement doit déplacer le fichier temporaire vers son emplacement définitif. Le format général de l'instruction correspondante se présente ainsi :

```
move_uploaded_file(chemin/fichierTmp,chemin/fichierPerm);
```

Le premier argument est disponible dans l'élément de tableau $_FILES['clé']['tmp_name']. Le second argument, chemin/fichierPerm, définit le chemin d'accès complet pour la version permanente du fichier. Avec les intitulés précédents, le programme de traitement pourrait exécuter par exemple l'instruction ci-dessous :

```
move_uploaded_file($_FILES['fichier_utilisateur']['tmp_name'],
    'c:\data\nouveau_fichier.txt');
```

Le répertoire de destination (ici, c:\data) doit exister *avant* de pouvoir y déplacer le fichier. Autrement dit, cette instruction ne crée pas ce répertoire.

Le chargement de fichiers pose évidemment des problèmes de sécurité. Permettre à des étrangers de transférer des fichiers sur votre ordinateur est risqué. Tout est envisageable. Il vous faudra certainement procéder à des contrôles multiples une fois opéré l'enregistrement temporaire. Vous utiliserez pour cela des instructions conditionnelles afin de vérifier le type, la taille, voire le contenu, de cet objet venu d'ailleurs. Pour améliorer encore plus la sécurité, il est conseillé de changer son nom lors de l'enregistrement permanent et d'utiliser un répertoire de destination inaccessible de l'extérieur.

Le transfert en action

Le Listing 8.17 montre un exemple de script complet. Le programme affiche un formulaire proposant à l'utilisateur d'envoyer un fichier. Il sauvegarde celui-ci avant d'afficher un message signalant la réussite de l'opération. Ce programme se charge donc à la fois d'afficher le formulaire et de le traiter. Il ne s'intéresse qu'aux fichiers graphiques dont le type est reconnu par le système (type MIME /image) et il contrôle la présence d'une extension adaptée (ce qui n'empêche pas d'ailleurs le transfert de fichiers remplis de mauvaises intentions). De plus, la taille maximale autorisée est de 500 Ko.

Le code HTML du formulaire est proposé dans le Listing 8.18. Enfin, la Figure 8.15 illustre la page Web affichée par cet exemple.

Listing 8.17 : Chargement de fichier avec la méthode Post.

```
<?php
 /* Nom du script : ChargeFich.php
  * Description : Chargement de fichier via HTTP
  *               en utilisant un formulaire POST.
  */
  if(!isset($_POST['Transfert']))                          #6
  {
    include("form_charge.inc");
  } # endif
  else                                                     #10
  {
    if($_FILES['pix']['size'] == 0)                        #12
    {
      echo "<b>Le chargement a échoué. Vérifiez la taille
            du fichier. Elle doit être inférieure à 500 Ko.<br>";
      include("form_charge.inc");
      exit();
    }
    if(!ereg("image",$_FILES['pix']['type']))              #19
    {
      echo "<b>Le fichier envoyé n'est pas une image graphique.
            Essayez avec un autre fichier.</b><br>";
      include("form_charge.inc");
      exit();
    }
    else                                                   #26
    {
      $destination = 'c:\data'."\\".$_FILES['pix']['name'];
      $temp_file = $_FILES['pix']['tmp_name'];
      move_uploaded_file($temp_file,$destination);
      echo "<p><b>Transfert du fichier réussi :</b>
            {$_FILES['pix']['name']}
            ({$_FILES['pix']['size']})</p>";
    }
  }
?>
```

Certaines lignes du script sont signalées dans le listing par leur numéro. Vous pouvez vous y reporter pour suivre les explications ci-dessous :

6 Cette instruction `if` vérifie si le formulaire a déjà été soumis. Dans le cas contraire, il est affiché en incluant le fichier où se trouve le code correspondant. Le fichier inclus est proposé dans le Listing 8.18.

10 La ligne débute un bloc `else` qui s'exécute si le formulaire a été soumis. On trouve ici le reste du script, qui sert notamment à traiter le formulaire et le fichier envoyé.

12 Cette ligne est une instruction `if` qui teste le bon chargement du fichier. En cas de problème, un message d'erreur est émis et le formulaire est réaffiché.

19 Cette instruction `if` vérifie si le fichier envoyé est une image d'un type reconnu. Dans le cas contraire, on émet un message d'erreur et le formulaire est réaffiché.

26 Cette ligne débute un bloc `else` qui s'exécute si le fichier a correctement été récupéré. Le fichier est alors déplacé vers sa destination finale (ici, le dossier `c:\data` qui doit exister par avance), et un message signale la bonne fin de l'opération.

Le Listing 8.18 montre le fichier inclus servant à afficher le formulaire.

Listing 8.18 : Fichier inclus affichant le formulaire de chargement de fichier.

```
<!-- Nom du programme : form_charge.inc
     Description :Formulaire de transfert de fichier -->
<html>
<head><title>Envoyez votre fichier !</title></head>
<body>
<ol><li>Entrez le nom du fichier contenant l'image du produit
        que vous voulez envoyer, ou utilisez le bouton Parcourir
        pour localiser l'emplacement de ce fichier.</li>
    <li>Lorsque le chemin d'accès exact vers le fichier apparaît
        dans le champ, cliquez sur le bouton Envoyez l'image.</li>
</ol>
<div align="center"><hr>
<form enctype="multipart/form-data"
        action="chargeFich.php" method="POST">
  <input type="hidden" name="MAX_FILE_SIZE" value="500000">
  <input type="file" name="pix" size="60">
  <p><input type="submit" name="Transfert"
        value="Envoyer l'image">
</form>
</body></html>
```

Vous noterez que ce fichier ne contient aucun code PHP, uniquement des balises HTML.

Le formulaire qui permet à l'utilisateur de sélectionner un fichier à envoyer est illustré sur la Figure 8.15. Il propose un champ de texte pour la saisie du nom du fichier, et un bouton Parcourir facilitant si besoin est la navigation vers l'emplacement de l'image.

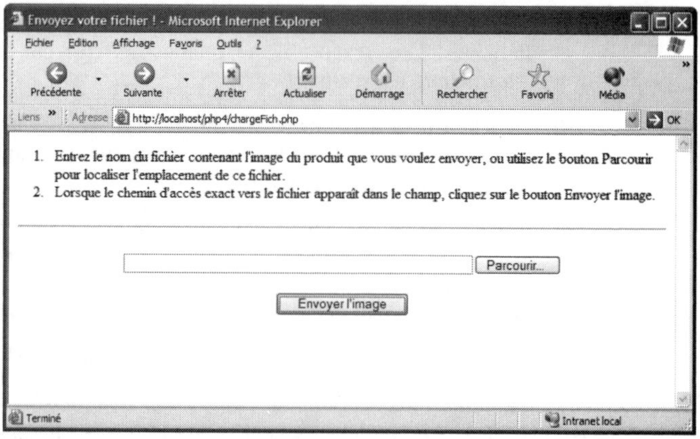

Figure 8.15 : Formulaire permettant à l'utilisateur d'envoyer un fichier graphique.

Chapitre 9

Transfert d'informations d'une page Web à l'autre

Dans ce chapitre :

- Parcours des pages Web par l'utilisateur.
- Transfert d'informations d'une page à l'autre.
- Ajout d'informations au bout d'une URL.
- Regard sur les cookies.
- Les champs cachés de formulaire.
- Les sessions PHP.

La plupart des sites Web comprennent plusieurs pages. Lorsque ces pages sont statiques, il suffit à l'utilisateur de cliquer sur un lien pour aller de l'une à l'autre. Mais les informations ne suivent pas, car chaque page est indépendante de la précédente et de la suivante. Avec les pages dynamiques, il peut s'avérer nécessaire de conserver des informations d'une page à l'autre. Les développeurs expérimentés y parviennent par diverses astuces, par exemple au moyen de formulaires HTM, de scripts CGI (*Commun Gateway Interface*) ou encore de cookies. Toutefois, PHP est un outil bien plus puissant pour passer des informations entre les pages.

Parcours des pages Web par l'utilisateur

Alors qu'avec HTML pur et dur vous n'avez que les liens pour aller d'une page à l'autre, avec PHP vous disposez de trois moyens :

- **Les liens :** C'est la balise `<a>` (via une instruction `echo`) qui propose un lien à l'utilisateur. Le format général se présente ainsi :

```
<a href="nouvellepage.php">Texte du lien</a>
```

- **Boutons Submit de formulaire :** Une page peut comporter un ou plusieurs formulaires et chacun peut proposer un ou plusieurs boutons Submit (envoyez !). Lorsque l'utilisateur clique sur l'un d'eux, la page dont l'URL est indiquée comme valeur de l'attribut `action` du formulaire est envoyée au navigateur. Il n'est pas indispensable qu'un formulaire contienne des champs, mais il lui faut au moins un bouton `Submit`.
- **La fonction** `header()` **:** Celle-ci envoie un message au serveur Web lui demandant d'envoyer une nouvelle page sans que l'utilisateur ait à cliquer sur quelque bouton ou lien que ce soit. (*header* peut se traduire en français par *en-tête*).

La forme générale de la fonction `header()` est la suivante :

```
header("Location: URL");
```

("`Location:`" est un mot clé qui doit être écrit exactement de cette façon.) Le fichier situé à l'emplacement décrit par `URL` est alors envoyé au navigateur. Voici deux exemples d'utilisation de cette fonction :

```
header("Location: nouvellepage.php");

header("Location: http://www.monserveur.com/catalog.php");
```

L'emploi de la fonction `header()` souffre d'une sérieuse limitation : son exécution doit **précéder** l'envoi de toute sortie au navigateur. Vous ne pouvez donc plus l'appeler à partir du moment où vous avez exécuté une seule instruction `echo`. Lisez à ce sujet l'encadré *Instructions devant précéder l'envoi d'informations au navigateur*.

Malgré cette limitation, cette fonction s'avère utile. Vous pouvez exécuter n'importe quelle instruction PHP avant de l'appeler, à condition que cette instruction n'envoie aucune information à afficher au navigateur. Exemple :

```
<?php
   if ($âge < 13)
   { header("Location: CatalogJouets.php");
   }
   else
   { header("Location: CatalogJardin.php");
   }
?>
```

Ces instructions choisissent le catalogue à afficher selon l'âge indiqué par le visiteur de la page.

Transfert d'informations d'une page à l'autre

Les applications Web dynamiques consistent presque toujours en une suite de pages que va successivement parcourir le visiteur. Ce parcours constitue ce qu'on appelle une *session*. Voici quelques exemples de cas où des informations doivent être conservées pendant toute la durée de la session :

- **Site Web à accès restreint.** Lorsqu'un visiteur doit indiquer son nom de login et son mot de passe pour voir une page, on ne peut pas lui demander de les redonner à chaque page. Ces deux informations (entre autres) doivent donc être conservées tout au long de la session.
- **Adaptation à différents navigateurs.** Différents navigateurs affichent différemment les mêmes pages. Une fois identifié le navigateur utilisé par le visiteur, vous devez conserver cette information pour lui envoyer uniquement des pages contenant des balises que son navigateur est capable d'interpréter correctement.

Avec PHP, il existe plusieurs moyens de transporter ces informations d'une page à l'autre :

- **Ajouter les informations à la suite d'une URL.** Comme vous avez pu le lire dans l'encadré traitant des URL, on peut ajouter des informations à cet endroit. C'est facile (et d'ailleurs couramment employé), mais cette technique convient surtout lorsqu'il y a peu d'informations à faire transiter.
- **Utiliser des cookies.** Les *cookies* sont des petits fichiers texte envoyés par le serveur Web sur le disque de l'utilisateur. Ils

peuvent contenir des couples *nom=valeur*. Ils sont normalement sans danger, mais il y a néanmoins de nombreux utilisateurs qui les refusent. Cette méthode est donc à déconseiller pour le passage de données dynamiques. Mais rien n'interdit non plus à votre site de refuser les personnes qui refusent les cookies !

- **Utiliser des formulaires HTML.** Cela revient à peu près au même que la première méthode, mais c'est le navigateur (au moment où l'utilisateur clique sur le bouton `Submit`) qui va se charger de confectionner l'URL comportant les informations à passer. Et si l'attribut `method` du formulaire est `post`, le nombre d'informations à faire suivre n'est plus limité comme avec `method="get"`.

- **Mettre en œuvre le mécanisme des sessions proposé par PHP.** Cette nouveauté est apparue avec la version 4 de l'interpréteur PHP. Elle fait appel à des fonctions qui prennent en charge la session de l'utilisateur et enregistrent les informations voulues sur le serveur. Une page Web peut ensuite facilement y accéder. Cette méthode est très pratique, surtout si le nombre de pages susceptibles d'être affichées est important.

Ajout d'informations à la suite d'une URL

L'un des moyens les plus simples de "faire suivre" des informations est de les ajouter sous la forme de couples *nom=valeur* à l'extrémité d'une URL. *nom* représente un nom de variable privé de son $ initial. C'est PHP qui ajoutera ce caractère lorsqu'il recevra ces informations. *valeur* est la valeur que contient la variable. Vous pouvez ainsi mettre bout à bout plusieurs couples ayant cette structure. Le premier doit être joint à l'URL par un point d'interrogation. Les suivants seront liés les uns aux autres par un et commercial (&). Voici quelques exemples :

```
<form action="pagesuivante.php?dept=Oise" method="post">

<a href="pagesuivante.php?dept=Oise">Page suivante</a>

header("Location: pagesuivante.php?dept=Oise&ville=Creil"
        method="post");
```

Deux raisons peuvent conduire à limiter le passage d'informations via une URL :

- **Sécurité :** L'URL est affichée avec les paramètres passés à sa suite dans la fenêtre d'adresse du navigateur. S'il s'agit d'informations confidentielles, mieux vaut qu'elles ne soient pas ainsi exposées à la vue du public. Si vous transportez un mot de passe d'une page à la suivante, tout un chacun (enfin, ceux qui regardent par-dessus votre épaule) pourra en prendre connaissance. N'oubliez pas également que l'utilisateur peut enregistrer l'URL dans ses signets (ses *favoris*, pour Internet Explorer).

- **Longueur de la chaîne de caractères ainsi passée :** Il y a une limite au nombre de caractères qui peuvent être ainsi passés. C'est une restriction du navigateur. Dès que ce nombre est atteint, les caractères excédentaires sont perdus.

Ajouter des informations au bout d'une URL est néanmoins une méthode pratique et rapide lorsqu'on n'a peu d'informations à faire transiter d'une page à l'autre. Supposez que, dans une page, vous permettiez à vos visiteurs de modifier leur numéro de téléphone conservé dans une base de données. Le formulaire utilisé à cette fin pourrait avoir la structure suivante :

- Initialement, après que le visiteur s'est *loggé*, le formulaire fait une recherche dans la base de données et affiche le numéro de téléphone qui se trouve actuellement dans la base.
- Lorsque le visiteur a cliqué sur le bouton Submit, le programme regarde si le champ du formulaire est vierge ou s'il contient quelque chose.
- Dans la seconde hypothèse, il contrôle la forme sous laquelle se présente ce numéro et vérifie qu'elle est conforme à l'écriture traditionnelle de ce type d'information.
- S'il subit victorieusement ce test, ce numéro est rangé dans la base de données (acte éventuellement inutile si rien n'a été modifié).
- En cas d'erreur dans la saisie ou si le champ est vierge, le formulaire est réaffiché dans la page, mais cette fois c'est la valeur (ou l'absence de valeur) saisie par l'utilisateur qui est affichée.

Le programme du Listing 9.1 montre comment on peut utiliser l'URL pour voir s'il s'agit ou non du premier affichage du formulaire.

Listing 9.1 : Programme permettant à un visiteur de modifier son numéro de téléphone dans une base de données.

```
<?php
/*  Nom du programme : afficheTel.php
 *  Description :  Affiche le numéro de téléphone lu dans la base de
```

```
 *                données et permet à l'utilisateur de le modifier.
*/
?>
<html>
<head><title>Modification d'un numéro de téléphone</title></head>
<body>
<?php
  $host="localhost";
  $user="admin";
  $password="";
  $database="MembresSeuls";
  $nomUtilisateur = "PetitMalin";        // nom de login provenant
                                         // de la page précédente

  $connection = mysql_connect($host,$user,$password)
       or die ("Connexion au serveur impossible.");
  $db = mysql_select_db($database,$connection)
       or die ("Sélection de la base de données impossible");

  if (@$_GET['premier'] == "non")
  {
    $tph = $_POST['tph'];
    if (!ereg("^[0-9)( -]{7,20}(([xX]|(ext)|(ex))?[ -]?[0-
                                          9]{1,7})?$",$tph)
          or $tph == "")
    {
       echo "<p align='center'>Numéro de téléphone incorrect.<br>";
    }
    else
    {
       $req = "UPDATE Membre SET tph='$tph'
                       WHERE login='$nomUtilisateur'";
       $result = mysql_query($req)
            or die ("Exécution de la requête impossible.");
       echo "Le numéro de téléphone a été mis à jour.<br>";
       exit();
    }
  }
  else
  {
    $req = "SELECT tph FROM Membre WHERE login='$nomUtilisateur'";
    $result = mysql_query($req)
         or die ("Exécution de la requête impossible.");
    $ligne = mysql_fetch_array($result);
    extract($ligne);
  }
```

```
    /* Afficher le numéro de téléphone dans un formulaire */
    echo "<br><p align='center'>
         <font size='+1'><b>Vérifiez le numéro de téléphone
               ci-dessous et rectifiez-le si nécessaire.</b></font>
         <hr>
         <form action='afficheTel.php?premier=non' method='POST'>
          <div align='center'>
          <table width='50%' border='0' cellspacing='0'
                                         cellpadding='2'>
          <tr><td align='right'><B>$nomUtilisateur</br></td>
             <td align='center'><input type='text' name='tph'
                  size='20' maxlength='20' value='$tph' > </td>
          </tr>
          <tr><td></td><td align='center'>
             <br><input type='submit' value='Nouveau numéro de
                                               téléphone'></td>
          </tr>
          </table>
         </form>";
  ?>
  </body></html>
```

Remarquez plus spécialement les points suivants :

- **C'est le même programme qui affiche et traite le formulaire.** Le nom de ce programme est `afficheTel.php` et vous retrouvez ce nom dans le paramètre `action` de la balise `<form>`. C'est donc lui qui sera rappelé lorsque l'utilisateur cliquera sur le bouton "Nouveau numéro de téléphone".

- **Une information est ajoutée à la fin de l'URL.** On lit en effet :

  ```
  action='http://localhost/afficheTel.php?premier=non'
  ```

  Quand l'utilisateur clique sur le bouton "Nouveau numéro de téléphone", `afficheTel.php` est exécuté pour la seconde fois et la variable `$premier` (qui valait "oui" jusqu'ici) prend la valeur "non".

- **La variable `$premier` est testée au début du programme.** Elle est récupérée à l'aide du tableau natif `$_GET`. On peut ainsi savoir si on est dans la première ou dans la seconde exécution.

- **Si `$_GET['premier']` vaut "non", le numéro de téléphone est testé.** Cette situation n'est possible que si le formulaire a été soumis. Si le numéro est valide, il est rangé dans la base de données et le programme se termine. S'il est incorrect ou absent, un message est affiché.

- **Si `$_GET['premier']` ne vaut pas "non", le numéro de téléphone est extrait de la base de données.** C'est, en effet, la première exécution du programme.
- **Le formulaire sera affiché la première fois.** Il le sera aussi la seconde si (et seulement si) il y a eu des erreurs dans la saisie du numéro de téléphone. Dans le cas contraire, le programme enregistre l'information dans la base de données puis s'arrête.

La Figure 9.1 montre comment se présente la page Web la première fois que `afficheTel.php` s'exécute. Vous remarquerez que l'URL que l'on voit dans la fenêtre d'adresse n'est suivie d'aucune information. La Figure 9.2 illustre ce qui s'affiche lorsque la saisie initiale de l'utilisateur est incorrecte. Vous constaterez que l'URL que l'on voit dans la fenêtre d'adresse est maintenant suivie de "?premier=non".

Modification d'un numéro de téléphone - Microsoft Internet Explorer

Fichier Edition Affichage Favoris Outils ?

Précédente Suivante Arrêter Actualiser Démarrage Rechercher Favoris Média Historique

Liens Adresse http://localhost/php4/afficheTel.php OK

Vérifiez le numéro de téléphone ci-dessous et rectifiez-le si nécessaire.

PetitMalin 0233445566

Nouveau numéro de téléphone

Terminé Intranet local

Figure 9.1 : Formulaire HTML pour mettre à jour un numéro de téléphone.

Modification d'un numéro de téléphone - Microsoft Internet Explorer

Fichier Edition Affichage Favoris Outils ?

Précédente Suivante Arrêter Actualiser Démarrage Rechercher Favoris Média Historique

Liens Adresse http://localhost/php4/afficheTel.php?premier=non OK

Numéro de téléphone incorrect.

Vérifiez le numéro de téléphone ci-dessous et rectifiez-le si nécessaire.

PetitMalin 02 53 65 vc 34

Nouveau numéro de téléphone

Terminé Intranet local

Figure 9.2 : Message d'erreur affiché lorsque la saisie de l'utilisateur est incorrecte.

Utilisation d'un cookie pour conserver des informations

De prime abord, les cookies semblent pouvoir résoudre le problème du partage de données entre plusieurs pages Web. Ils peuvent même être conservés plus longtemps que la durée d'une session et retrouvés lorsque l'utilisateur revient plus tard (éventuellement un mois après) sur le même site Web. Le hic est que l'utilisateur est libre de les refuser ou, s'il accepte, de les supprimer plus tard, ce que font bon nombre d'internautes, inquiets de voir quelqu'un qu'ils ne connaissent pas stocker des données (dont ils ignorent le contenu) sur *leur* machine. C'est là une attitude fort compréhensible. Dans ces conditions, on comprend que cette solution, pour intéressante qu'elle paraisse, ne soit pas la plus sûre.

Les cookies ont été conçus à l'origine pour conserver de petites quantités d'informations pendant un court laps de temps. Lorsqu'on écrit un cookie, par défaut, il ne sera pas *persistant* : il disparaîtra à la fin de la session de l'utilisateur. Mais il est possible de lui attribuer une durée de vie supérieure. Voici quelques-unes des raisons qui limitent leur emploi pour une application Web de base de données :

- **Ils peuvent être refusés par l'utilisateur.** A moins d'être certain qu'ils seront acceptés par vos utilisateurs ou que vous puissiez leur demander explicitement de les accepter (encore faut-il qu'ils suivent cette recommandation), les cookies risquent de vous poser davantage de problèmes qu'ils n'en résoudront. Une directive européenne est en cours d'acceptation pour limiter l'utilisation des cookies. (*N.d.T.*)
- **PHP propose d'autres solutions plus sûres que les cookies.** Apparu avec PHP 4, le mécanisme des *sessions* propose une solution sûre et facile à implémenter. Cette méthode est plus fiable et plus simple à mettre en œuvre que les cookies.
- **Il est aussi possible de conserver des informations de session dans une base de données.** Les utilisateurs ne peuvent pas y supprimer des données selon leur fantaisie. Comme votre application utilise déjà une base de données, pourquoi ne pas y incorporer des éléments à partager entre pages successives et qui pourront être conservés sur le long terme ?

Pour enregistrer un cookie, on a recours à la fonction `setcookie()` dont voici la forme générale :

```
setcookie("variable", "valeur");
```

La variable doit apparaître ici privée de son $ initial. C'est PHP qui le rétablira lorsqu'il récupérera le cookie. Sous cette forme, le cookie n'est pas persistant (il n'est pas écrit sur le disque dur, mais seulement conservé dans la mémoire de l'ordinateur de l'utilisateur). Il disparaît à la fin de la session. Par exemple, l'instruction suivante :

```
setcookie("département", "Orne");
```

rangera la chaîne de caractères `"Orne"` dans une variable appelée `$département`. Dans toutes les pages de votre application, cette information sera accessible aux programmes via un tableau natif, sous la forme :

```
$_COOKIE['département']
```

PHP récupère automatiquement cette valeur. Un cookie n'est pas accessible dans le programme qui l'a créé, mais seulement à partir du moment où l'utilisateur a changé de page (ou qu'il réaffiche cette page).

On peut aussi accéder aux cookies dans un tableau natif appelé `$HTTP_COOKIE_VARS` dont les clés sont les noms des cookies. Dans l'exemple précédent, notre variable y figure sous le nom `$HTTP_COOKIE_VARS['département']`. Cette variante doit être employée avec les anciennes moutures de PHP (avant la version 4.1).

Si vous voulez que les informations des cookies soient persistantes (qu'elles subsistent après la fin de la session), vous définirez leur date d'expiration de la façon suivante :

```
setcookie("variable", "valeur", date_d_expiration);
```

Cette date est généralement obtenue par un appel aux fonctions `time()` ou `mktime()` de la façon suivante :

- `time()`. Cette fonction renvoie le groupe date/heure de l'instant présent sous une forme qui n'est lisible que par l'ordinateur. Il faut lui ajouter un délai qui sera exprimé en secondes. Exemples :

  ```
  setcookie("département", "Orne", time()+3600); // dure 1 heure

  setcookie("département", "Orne", time()+3*86400); // dure 3
  jours
  ```

- `mktime()`. Cette fonction renvoie un groupe date/heure représentant une certaine date sous une date qui n'est lisible que par l'ordinateur. Il faut lui spécifier les coordonnées temporelles dans cet ordre : heures, minutes, secondes, mois, jour, année. Si une de ces valeurs est omise, elle est remplacée par celle de l'instant présent. Exemples :

```
setcookie("département", "Orne", mktime(3,0,0,4,1,2004)
          // expirera le 1er avril 2004 à 3 heures du matin

setcookie("département", "Orne", mktime(16,0,0,,,)
          // expirera aujourd'hui à 16 heures
```

Pour supprimer un cookie, il suffit de le réécrire sans lui fixer de date d'expiration de l'une des deux façons suivantes :

```
setcookie("nom");
setcookie("nom", "");
```

La fonction `setcookie()` présente un inconvénient : son appel doit *précéder* toute sortie à destination du navigateur. Vous ne pouvez pas l'appeler dans le cours d'un programme après avoir déjà envoyé quelque chose au navigateur de l'utilisateur. Consultez l'encadré *Instructions devant précéder l'envoi d'informations au navigateur*, plus haut dans ce même chapitre.

Passage d'informations au moyen d'un formulaire

La façon la plus courante de passer des informations d'une page à l'autre est de se servir d'un formulaire. Lorsque l'utilisateur clique sur le bouton Submit, les informations que contient le formulaire sont passées au programme appelé sous le nom défini par l'attribut `name` de chaque balise. La forme générale se présente ainsi :

```
<form action="traitement.php" method="POST">
    balises pour un ou plusieurs champs
    <input type="submit" value="chaîne">
</form>
```

Comme nous l'avons vu au Chapitre 8, c'est ainsi qu'on recueille des informations en provenance de l'utilisateur. Cependant, on peut profiter d'un formulaire pour convoyer d'autres informations en exploitant les propriétés des *champs cachés* (`type="hidden"`).

A la limite, un formulaire pourrait ne contenir que ce type de champ. Mais, pour que ces valeurs soient transmises, le formulaire devra néanmoins posséder une balise de `type="submit"` et il faudra que l'utilisateur clique sur le bouton correspondant.

A titre d'exemple, voici un formulaire ne demandant aucune réponse à l'utilisateur, et qui passera la couleur du fond sous le nom `$couleur` à la page suivante lorsque l'utilisateur cliquera sur le bouton marqué "Page suivante" :

```
$couleur = "bleu"; // couleur de fond
   ...
   echo "<form action='pagesuivante.php' method='post'>
         <input type='hidden' name='couleur' value='$couleur'>
         <input type='submit' value='Page suivante'>
         </form>\n";
```

Bien évidemment, la balise Submit doit être la dernière du formulaire. Faute de quoi les valeurs des champs ne seraient pas initialisées.

Lorsque l'on clique sur le bouton, le programme `pagesuivante.php` est exécuté et l'élément de tableau `$_POST['couleur']` contient la valeur "`bleu`".

Le mécanisme des sessions

Une *session* représente la durée de la visite d'un utilisateur dans un site Web, quelle que soit par ailleurs cette durée. Ce mécanisme est apparu à partir de la version 4.0 de l'interpréteur PHP. Il permet notamment d'associer à la session certaines informations qui resteront accessibles de page en page.

Détails de fonctionnement

Initialement, vous devez appeler une fonction particulière pour définir une session et spécifier les variables qui doivent être partageables au cours de cette session. Dans les pages suivantes, lorsque vous invoquerez la session en cours, ces variables seront immédiatement accessibles dans le tableau natif `$_SESSION`. Voici le détail de ce mécanisme :

1. **PHP assigne un identificateur (ID) de session à la session qui démarre.** Il s'agit d'un nombre unique n'ayant pas de signification particulière. Il est conservé dans une variable native de PHP appelée PHPSESSID.

2. **Les variables de session sont placées dans un fichier sur le serveur Web.** Ce fichier a pour nom l'identificateur de session. Avec Linux/UNIX, il est placé dans le répertoire /tmp. Sous Windows, il est placé dans le sous-répertoire sessiondata du dossier dans lequel PHP est installé.

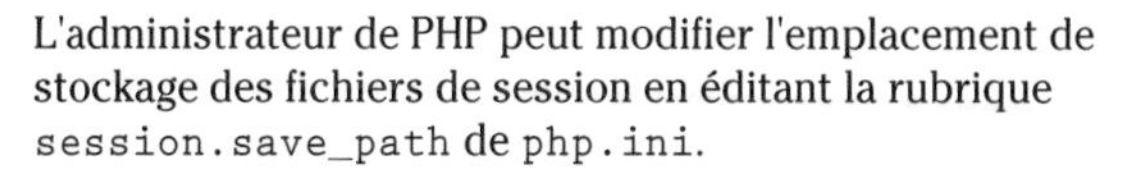

L'administrateur de PHP peut modifier l'emplacement de stockage des fichiers de session en éditant la rubrique `session.save_path` de `php.ini`.

L'identificateur de session (ID) est passé à chacune des pages qui seront ensuite appelées. Si l'utilisateur accepte les cookies, cet identificateur sera passé par un cookie. Si ce n'est pas le cas, il sera ajouté au bout des URL ou placé dans une variable cachée de formulaire dont l'attribut `method` vaut `post`.

4. **Les variables de session sont automatiquement restaurées au début de chaque page de la session courante.** Ces variables sont dès lors utilisables dans la page avec les valeurs qui leur ont été attribuées dans les pages précédentes. PHP les range dans un tableau natif appelé $_SESSION dont les clés sont les noms des variables et dont la valeur a été définie dans la page précédente.

Pour que le mécanisme des sessions fonctionne, il est indispensable que la variable de configuration `track-vars` soit activée. A partir de PHP 4.0.3, c'est l'option par défaut. Pour les versions précédentes, l'option `--enable-trans-sid` doit être précisée lors de l'installation de PHP.

Si l'utilisateur a désactivé les cookies, les sessions ne peuvent être exploitées que si `trans-id` est activé. PHP doit alors avoir été installé avec l'option `--enable-trans-sid`. Nous y reviendrons plus loin dans la section "Utilisation des variables de session".

Ouverture d'une session

Vous devez ouvrir une session dans chaque page Web au moyen de l'appel de fonction suivant :

```
session_start();
```

Cette fonction commence par voir si une session est en cours. Si c'est le cas, elle initialise les variables ayant déjà reçu des valeurs. Sinon, elle crée un nouvel identificateur de session.

Comme les sessions utilisent les cookies lorsque l'utilisateur ne les a pas désactivés, `session_start()` a les mêmes limitations que `setcookie()` : elle doit être appelée avant toute sortie en direction du navigateur. Voyez à ce sujet l'encadré *Instructions devant précéder l'envoi d'informations au navigateur*, plus haut dans ce même chapitre.

Utilisation des variables de session

Vous devez déclarer toutes les variables que vous voulez utiliser au cours d'une même session dans le tableau `$_SESSION`, sous la forme :

```
$_SESSION['nomVariable'] = valeur;
```

La valeur ainsi déclarée devient disponible dans le tableau `$_SESSION` pour toutes les autres pages Web de votre site. Voici par exemple comment mémoriser le département dans lequel habite l'utilisateur :

```
$_SESSION['département'] = "Oise";
```

Il vous suffit alors de lire le contenu de `$_SESSION['département']` dans une page pour disposer de cette information.

Les deux programmes qui suivent illustrent le mécanisme des sessions. Le premier, `testSession1.php` (Listing 9.2), montre comment se présente la page qui initialise la session. Le second, `testSession2.php` (Listing 9.3), présente la page appelée par `testSession1.php`. Une fois la première page chargée dans votre navigateur, vous allez voir ce que montre la copie d'écran de la Figure 9.3. Modifiez éventuellement le contenu de la boîte de saisie puis cliquez sur le bouton "Page suivante". Vous verrez alors s'afficher la copie d'écran de la Figure 9.4 (qui nous apprend que l'utilisateur a poliment répondu au texte de bienvenue).

Listing 9.2 : Première page d'une session.

```
<?php
  session_start();
?>
<html>
<head><title>Test de Session page 1</title></head>
<body>
<?php
  $_SESSION['var_session'] = "test";
  echo "<h3>Test du mécanisme des sessions</h3>.
       <form action='testSession2.php' method='POST'>
       <input type='hidden' name='var_form'
```

```
                value='Je teste'>
            <input type='test' name='var_util'
                value='Bienvenue!'>
            <input type='submit' value='Page suivante'>
            </form>";
?>
</body></html>
```

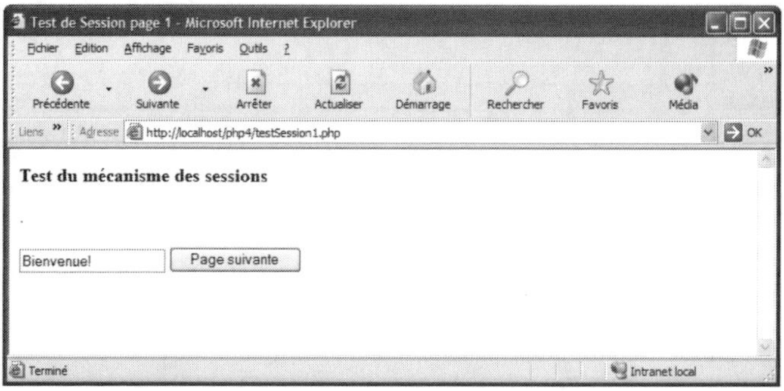

Figure 9.3 : Première page de la session.

Listing 9.3 : Seconde page d'une session.

```
<?php
  session_start();
?>
<html>
<head><title>Test de Session page 2</title></head>
<body>
<?php
  echo "var_session = {$_SESSION['var_session']}<br>\n";
  echo "var_form = {$_POST['var_form']}<br>\n";
  echo "var_util = {$_POST['var_util']}<br>\n";
?>
</body></html>
```

Comme le mécanisme des sessions est différent selon que les cookies sont ou non acceptés par l'utilisateur, vous devriez faire ce test dans les deux cas de figure.

Voici comment modifier Internet Explorer (version 6 ou plus) pour refuser les cookies :

1. **Cliquez sur Outils/Options Internet.**

Figure 9.4 : Seconde page de la session.

2. **Dans la boîte de dialogue à plusieurs onglets qui s'ouvre, cliquez sur Confidentialité.**

Avec la version 5 d'Internet Explorer, la configuration des cookies est accessible sous l'onglet Sécurité, en cliquant sur l'icône Internet puis sur le bouton "Personnaliser le niveau".

3. **Cliquez sur le bouton "Avancé".**
4. **Cliquez sur les deux boutons "Refuser" de cette section.**
5. **Désactivez l'option "Toujours autoriser les cookies de la session".**
6. **Cliquez sur OK deux fois de suite.**

Voici comment modifier Netscape Navigator pour refuser les cookies :

1. **Cliquez sur Edition/Préférences.**
2. **Cliquez sur la dernière rubrique de la fenêtre de gauche marquée "Avancées".**
3. **Dans la zone encadrée inférieure, cliquez sur le bouton "Désactiver les cookies".**
4. **Cliquez sur OK.**

Si, ensuite, vous voyez s'afficher un diagnostic (cela dépend du niveau de signalisation des erreurs) et constatez que la variable `$var_session` n'affiche pas de valeur, il faut vérifier l'option `trans-sid` de `php.ini`. Cherchez la ligne suivante :

```
session.use_trans_sid = 0
```

Changez le `0` en `1`. Si vous ne pouvez pas résoudre le problème, les sessions resteront utilisables, mais vous devrez passer leur identificateur dans des instructions de vos programmes. En effet, PHP ne le fera pas automatiquement si les cookies sont désactivés. Dans ce cas, consultez la section qui suit.

Avec PHP 4.1.2 ou une version plus ancienne, `trans-id` n'est pas disponible, sauf s'il a été activé en insérant l'option `--enable-trans-sid` lors de la compilation de PHP.

Les sessions sans les cookies

PHP teste l'acceptation des cookies par le navigateur de l'utilisateur. S'ils sont acceptés, il agit alors ainsi :

- Il donne à la variable `$PHPSESSID` la valeur de l'identificateur de session.
- Il utilise les cookies pour transférer cette variable d'une page à la suivante.

S'ils sont refusés, voici comment il opère :

- Il définit une constante appelée `SID`. Elle contient une paire `variable=valeur` ressemblant à `PHPSESSID=longue chaîne de caractères`.
- Selon la valeur de `trans-sid`, l'identificateur de session sera ou non accessible d'une page à la suivante. Si (et seulement si) ce paramètre est actif, l'identificateur de session sera transmis (voir la section "Détails de fonctionnement").

Activer ce paramètre a des avantages et des inconvénients. Du côté positif, les sessions peuvent fonctionner même si les cookies sont désactivés. De plus, la programmation des sessions est simplifiée. De l'autre côté, l'identificateur de session sera généralement passé à la suite de l'URL. Dans certaines situations, il est préférable que cet identificateur ne soit pas visible dans la fenêtre d'adresse du navigateur. En outre, il peut alors être enregistré dans ses signets par un utilisateur. Si ce dernier retourne ultérieurement sur le même site avec cet identificateur, cela risque d'occasionner des confusions au niveau de la session, voire de provoquer divers problèmes.

Lorsque trans-sid est actif

S'il découvre que l'utilisateur a bloqué la réception des cookies, l'interpréteur PHP ajoute automatiquement l'identificateur de session à l'URL lors du chargement de toute nouvelle page ou dans un champ caché de formulaire. Si l'utilisateur clique sur un lien pour changer de page, que ce soit à l'aide d'une fonction `header` ou d'un formulaire dans lequel l'attribut `method` vaut `get`, l'identificateur est ajouté à la fin de l'URL. S'il le fait avec un formulaire dans lequel `method` vaut `post`, l'identificateur est passé dans un champ caché. PHP reconnaît `$PHPSESSID` comme identificateur de session et ne demande aucune programmation particulière dans le script.

L'identificateur de session n'est ajouté à l'URL que dans le cas d'une URL *relative*, c'est-à-dire concernant le même serveur que celui de la page courante. Si cette URL contient un nom de machine, PHP suppose que la page se trouve sur un autre serveur et n'utilise pas cette méthode. Par exemple :

```
<a href="nouvellepage.php">
```

entre dans la première catégorie et l'identificateur sera ajouté à l'URL. Mais avec :

```
<a href="http://www.monserveur.com/nouvellepage.php">
```

PHP n'incorporera pas l'identificateur de session dans l'URL.

Lorsque trans-sid n'est pas actif

S'il découvre que l'utilisateur a bloqué la réception des cookies, l'interpréteur PHP n'ajoute pas l'identificateur de session à l'URL. Il vous appartient alors de procéder vous-même à ce passage d'informations.

Il existe heureusement une constante nommée (voir à ce propos le Chapitre 6) que vous pouvez utiliser pour acheminer l'identificateur de session. Elle s'appelle `SID` et contient un couple `variable=valeur` que vous pouvez ajouter manuellement à l'URL de la façon suivante :

```
<a href="second.php?<?PHP echo SID ?>">Page suivante</a>
```

Cette instruction ajoute un point d'interrogation à l'URL et le fait suivre du couple que représente `SID`. Voici comment se présente l'URL affichée dans la fenêtre d'adresse du navigateur :

```
http://localhost/
second.php?PHPSESSID=5accfd985aebf1a8c73e3374727a0122
```

Pour diverses raisons évoquées plus haut, vous pouvez souhaiter que l'identificateur de session ne soit pas affiché dans la fenêtre du navigateur. Il faut alors le passer dans un champ caché de formulaire en utilisant la méthode `post` de la façon suivante :

```
<?
  $PHPSESSID = session_id();
  echo "<form action='pagesuivante.php' method='post'>
        <input type='hidden' name='PHPSESSID' value='$PHPSESSID'>
        <input type='submit' value='Page suivante'>
        </form>";
?>
```

- On commence par appeler la fonction `session_id()` qui renvoie l'identificateur de la session courante et on place cette valeur dans la variable `$PHPSESSID`.
- Il suffit ensuite de donner cette valeur au champ caché du formulaire `PHPSESSID`.

Dans la page suivante, PHP utilisera automatiquement `$PHPSESSID` pour récupérer les variables de session sans programmation particulière.

Sessions privées

Le mécanisme des sessions est idéal pour les pages Web à accès restreint qui demandent à l'utilisateur voulant les visiter de s'identifier au moyen d'un login et d'un mot de passe. En exploitant le mécanisme des sessions, voici comment implémenter ce type de pages :

1. **Afficher une page de login.**
2. **Si le visiteur a fourni ses deux identificateurs et que ceux-ci ont été reconnus exacts, démarrer une session dans laquelle on crée une variable indiquant qu'il est reconnu.**
3. **Chaque fois que le visiteur change de page, tester cet indicateur.**
4. **S'il existe, afficher la page.**
5. **S'il n'existe pas, revenir à l'étape 1.**

Le test de l'étape 3 peut s'écrire ainsi :

```
<?php
  session_start()
  if (@$_SESSION['login'] != "oui")
  { header("Location: premièrePage.php"); // page de Login
    exit();
  }
?>
```

Ici, `$_SESSION['login']` est une variable de session qui est définie avec la valeur "oui" lorsque l'utilisateur a été reconnu. Si le test échoue, la page de connexion est réaffichée. Sinon, la suite des instructions de la page Web est exécutée normalement.

Fermeture d'une session

Dans les pages Web à accès restreint, on souhaite souvent que les visiteurs se "déloggent" lorsqu'ils ont terminé leur visite. Pour fermer la session, il suffit d'écrire :

```
session_destroy();
```

Toutes les informations conservées dans le fichier de session sont alors détruites ainsi, naturellement, que leur contenu. L'identificateur de session n'est donc plus disponible pour la page suivante. Mais cela n'affecte pas les variables de la page courante qui conservent leurs valeurs. Si vous voulez les faire disparaître également, vous devez appeler la fonction `unset()` :

```
unset($_SESSION);
```

Quatrième partie

Applications

"La nouvelle technologie m'a réellement apporté beaucoup d'aide dans mon organisation : je conserve les rapports sur les projets au-dessous de mon ordinateur de bureau, mes budgets sous mon ordinateur portable et mes notes sous mon PDA."

Dans cette partie...

Dans cette partie, vous allez voir comment reprendre la planification que nous avons définie dans la première partie, les informations concernant MySQL qui ont été apprises dans la deuxième partie et les éléments concernant PHP provenant de la troisième partie, pour en faire un tout et réaliser ainsi une application de base de données sur le Web. Dans les Chapitres 11 et 12, je vous présenterai en détail deux exemples d'applications complets avec les bases de données et les programmes correspondants.

Chapitre 10

Rassemblons les éléments

Dans ce chapitre :

- Organisation de l'ensemble d'une application.
- Organisation de chacun des programmes.
- Sécurisation de l'application.

Dans les précédents chapitres de ce livre, je vous ai présenté les outils dont vous avez besoin pour construire votre application de base de données sur le Web. Vous voici maintenant prêt à rassembler toutes ces notions pour en faire un tout. Pour cela, voici les trois étapes que vous devez parcourir et que nous allons étudier en détail dans ce chapitre :

- Organisation.
- Sécurisation.
- Documentation.

Organisation de l'application

Vous avez tout intérêt à bien organiser votre application. En ce qui concerne PHP, qu'il y ait huit millions de lignes ou une seule, cela n'a aucune importance. Pas plus que les indentations, retours à la ligne et, d'une façon générale, la mise en page des instructions. Par contre, ce ne sont pas des machines mais des hommes qui assurent l'écriture et la maintenance des programmes, aussi l'apparence des choses prend-elle de l'importance. On peut distinguer deux niveaux dans une application :

- **Le niveau application.** Pour la plupart des applications, plusieurs programmes sont nécessaires. Vous devez répartir les fonctionnalités de l'application en un ensemble bien organisé de programmes.
- **Le niveau programmation.** La plupart des programmes effectuent plusieurs tâches. Aussi devez-vous répartir les tâches en sections à l'intérieur de ce programme.

Le niveau application

En général, les applications de bases de données sur le Web consistent en un programme par page Web. Vous pouvez, par exemple, avoir un programme affichant un formulaire destiné à collecter des informations et un autre qui rangera ces informations dans une base de données puis affichera un message en avisant le visiteur.

Un programme par tâche ou un programme par page n'est pas une règle absolue. Simplement un guide. La seule règle concernant l'organisation est qu'elle doit être claire et facile à comprendre. C'est là affaire de subjectivité. Par exemple, le catalogue des animaux ne requiert pas une organisation complexe. On peut avoir une première page présentant les différents types d'animaux (chat, chien, oiseau...) dans laquelle le visiteur va faire son choix. Après cela, la page suivante va montrer tous les spécimens correspondant au type choisi. Nous aboutissons ainsi à deux programmes : le premier affichant les types d'animaux ; le second détaillant ce qui existe à l'intérieur de ce type.

Le niveau programmation

Un programme bien organisé est quelque chose d'important pour les raisons suivantes :

- **Il est plus facile à écrire.** Meilleure est son organisation et plus il sera facile de le relire et de comprendre ce qu'il fait. Sa mise au point en sera facilitée.
- **Il est plus facile à comprendre par d'autres.** Si quelqu'un d'autre reprend votre programme, mieux vaut qu'il comprenne clairement ce que vous avez voulu faire. Vous ne savez pas ce que l'avenir vous réserve et qui devra continuer votre ouvrage.
- **Sa maintenance est plus facile.** Quel que soit le soin apporté à sa mise au point, le risque existe de découvrir tôt ou tard quelque chose qui ne marche pas comme vous l'escomptiez. Meilleure sera l'organisation du programme et plus il sera facile

pour vous de trouver le détail qui cloche. Surtout si vous devez y remettre le nez six mois plus tard !

- **Il est plus facile à modifier.** Tôt ou tard, il pourra devenir nécessaire de modifier le programme. Les besoins de l'utilisateur auront pu changer, de nouveaux impératifs commerciaux apparaître, la technologie évoluer, le trou de la couche d'ozone s'agrandir... Quelle que puisse en être la raison, vous devrez en passer par là. A ce moment, vous devrez retrouver ce que fait le programme et comment il le fait afin d'opérer la modification rapidement et en douceur. Ce sera plus facile s'il est bien organisé. Je vous assure que vous ne vous rappellerez plus des détails. Vous devrez néanmoins être capable de comprendre ce que faisait ce programme.

L'application des règles suivantes vous conduira à écrire des programmes bien organisés. J'ai hésité à les appeler *règles* parce qu'elles ne sont pas intangibles, et que telle ou telle circonstance peut vous conduire à les transgresser. Cependant, je vous recommande vivement de réfléchir à deux fois avant de vous en écarter.

- **Répartissez les instructions en sections à raison d'une par tâche.** Placez en tête de chaque section un commentaire expliquant ce que fait cette section. Séparez les sections les unes des autres par des lignes vierges. Pour le catalogue des animaux, par exemple, on pourrait avoir trois tâches, donc trois sections :

  1. **Affichage d'un texte de présentation et des instructions d'utilisation.** Le commentaire précédant cette section pourrait être `/* Texte de présentation */` (ou `// Texte de présentation`, cette seconde forme étant de loin préférable à la précédente puisqu'on ne risque pas d'oublier de refermer le commentaire). Cette section peut être elle-même subdivisée si les instructions sont compliquées.

  2. **Extraction d'une liste d'animaux à partir de la base de données.** Ici encore, si cette section est longue, n'hésitez pas à la subdiviser : 1 - connexion à la base ; 2 - exécution de la requête `SELECT` et 3 - rangement des données dans les variables.

  3. **Création d'un formulaire d'affichage des types d'animaux.** Les formulaires sont souvent longs et compliqués, aussi peut-il s'avérer utile de les subdiviser en plusieurs sections.

- **Ecrivez des instructions simples.** Ne cherchez pas à écrire des instructions trop concises, ce serait souvent au détriment de leur lisibilité. Imbriquer six appels de fonctions peut vous épargner un peu de frappe, mais gare aux parenthèses fermantes ! Et quant à voir clairement ce que calcule cet enchevêtrement...
- **Utilisez des constantes nommées.** Si votre programme utilise plusieurs fois la même constante (un taux de TVA, par exemple), définissez sa valeur en tête du programme en écrivant : `define ("TVA", 1.196);`. Si ce taux varie, vous n'aurez à changer qu'une seule fois sa valeur et vous ne risquerez pas d'oublier une de ses occurrences dans le programme. Les constantes sont décrites dans le Chapitre 6.

Avec l'instruction `include`

Avec PHP, vous pouvez *inclure* une ou plusieurs fois dans votre programme un groupe d'instructions contenues dans un fichier externe. Comme nous venons de le dire dans la section précédente, c'est très pratique lorsque ces instructions apparaissent à plusieurs endroits du programme. La forme générale de cette instruction est la suivante :

```
include(nom_du_fichier);
```

Le fichier peut avoir n'importe quel nom et n'importe quelle extension. Personnellement, je préfère l'extension `.inc`. Ce fichier peut aussi contenir n'importe quoi : du PHP comme du HTML ou même du texte ordinaire. S'il contient du PHP, il faut bien sûr l'encadrer avec les balises usuelles `<?php` et `?>`, faute de quoi son contenu serait considéré comme du HTML et affiché tel quel.

Voici quelques utilisations possibles de fichiers inclus dans un programme :

- **Contenir le plus possible du code HTML.** Si, par exemple, votre programme affiche un formulaire, vous pouvez placer tout le contenu des balises `<form>` dans un fichier externe. De cette façon votre programme sera plus court à écrire (et donc plus facile à relire) si vous devez afficher plusieurs fois ce formulaire. Nous avons déjà rencontré cette façon de travailler dans les Chapitres 11 et 12.
- **Contenir les informations de base nécessaires pour accéder à une base de données.** Par exemple :

```
<?php
$host="localhost";
$user="root";
$password="";
?>
```

Placez un include du fichier contenant ces définitions en tête de chaque programme devant accéder à votre base de données. Ainsi, si votre mot de passe vient à changer, vous n'aurez à faire la modification qu'une seule fois, dans un seul fichier. De plus, il s'agit d'une situation dans laquelle vous avez intérêt, pour des raisons de sécurité, à utiliser un nom de fichier un tant soit peu tarabiscoté, plutôt que le trop simple à deviner mot_de_passe_ultra_secret.inc.

- **Contenir vos fonctions utilisateur.** Elles n'ont nul besoin d'être écrites dans le programme même qui les utilise. Si vous avez plusieurs fonctions, regroupez-les par fonctionnalités (par exemple dans fonct_data.inc et fonct_form.inc) et placez les include nécessaires en tête des programmes qui les appellent.

- **Regrouper les instructions partagées par tous les fichiers de votre site Web.** Beaucoup de sites Web comportent de nombreuses pages qui ont plusieurs éléments en commun. Ainsi, tous les documents HTML commencent par <html>, <head>, <title> ou encore <body>. Créez par exemple un fichier que vous appellerez html.inc et qui contiendra :

```
<HTML>
<HEAD>
<TITLE>
<TITLE><?php echo $titre ?></TITLE>
</HEAD>
<BODY TOPMARGIN="0">
<P ALIGN="CENTER">
<IMG SRC="LOGO.GIF" WIDTH="100" HEIGHT="200">
<HR COLOR="red">
```

Vous pourrez commencer ainsi chaque document HTML :

```
$titre = "Page d'introduction";
include_once ("html.inc");
```

Cela vous fera gagner bien du temps pour la saisie comme pour les modifications et vous aidera à mieux comprendre dans quelques semaines ce que font réellement vos pages.

`include_once` est une variante de `include` qui permet d'éviter que des fichiers comportant des variables de même nom s'écrasent mutuellement.

Le nom de fichier peut être exprimé sous forme de variable, comme dans cette instruction :

```
include ($monfichier);
```

Vous pourriez ainsi avoir différents messages pour différents jours :

```
$aujourdhui = date ("D");
include ($aujourdhui.".inc");
```

Si nous sommes dimanche et que vous avez prévu un fichier par jour, vous pourriez envoyer la ligne HTML suivante dans `dimanche.inc` :

```
<p>Soit cool ! Tu peux dormir. C'est jour de repos.</p>
```

Et ainsi de suite pour les autres jours de la semaine. Dans cet exemple, la variable `$aujourdhui` contient le nom du jour sous une forme éventuellement abrégée. La fonction `date()` a été vue dans le Chapitre 6. La seconde instruction réalise l'inclusion du fichier voulu en fonction du jour courant.

La protection des fichiers inclus est une question importante. La meilleure façon de procéder consiste à les enregistrer dans un répertoire extérieur à votre espace Web afin que les visiteurs de votre site ne puissent pas y accéder.

Il est possible de définir à cet effet un répertoire spécifique. Pour cela, et à condition d'être l'administrateur de PHP, il suffit d'éditer le fichier `php.ini`. Recherchez la ligne `include_path` et entrez-y le nom de votre répertoire préféré. Supprimez si nécessaire le point-virgule qui peut être placé au début de cette ligne. Voici par exemple comment renseigner le paramètre `include_path` de `php.ini` :

```
include_path=".;d:\include";             # pour Windows
include_path=".:/user/local/include";   # pour Unix/Linux/Mac
```

Ces deux instructions spécifient un répertoire dans lequel PHP recherchera les fichiers inclus. Le premier est un point signifiant : "le répertoire courant". Il est suivi d'une seconde indication définissant un certain chemin d'accès. Vous pouvez spécifier autant d'entrées que vous le souhaitez. PHP cherchera les fichiers déclarés après `include` dans l'ordre où elles sont définies. Sous Windows, les noms des répertoires doivent être délimités par un point-virgule. Sous Unix/ Linux, on emploie le double point.

Si vous n'êtes pas autorisé à éditer `php.ini`, vous pouvez définir le chemin d'accès aux fichiers inclus pour chaque script au moyen de l'instruction :

```
ini_set("include_path","d:\cache");
```

La variable système `include_path` est alors initialisée avec le répertoire spécifié. Mais n'oubliez pas que cette instruction ne vaut que pour le script dans lequel elle figure. Les autres pages du site ne sont pas concernées.

Pour inclure un fichier, il vous suffit ensuite d'utiliser son nom sans avoir à préciser le chemin d'accès. Par exemple :

```
include("motspassesecrets.inc");
```

Dans le cas où le dossier dans lequel se trouve le fichier à inclure n'a pas été prédéfini, vous devrez spécifier son chemin d'accès complet. Le nom suffit si le fichier se trouve dans le même répertoire que le programme. S'il se trouve dans un sous-répertoire ou dans un emplacement caché, en dehors de l'espace Web, le chemin d'accès devra être entièrement décrit. Par exemple :

```
include("d:/cache/motspassesecrets.inc");
```

Avec des fonctions

Pour une bonne organisation de vos programmes, utilisez souvent des fonctions (voir le Chapitre 7). C'est un moyen commode pour exécuter des tâches répétitives à plusieurs endroits d'un même programme ou dans plusieurs programmes. Une fois la fonction écrite et testée, vous êtes certain qu'elle marche et elle devient un outil de plus dans votre boîte à outils logicielle.

Songez que votre programme sera plus facile à lire et à comprendre avec une ligne comme celle-ci :

```
litDonnéesMembres();
```

qu'avec vingt lignes d'instructions qui réalisent exactement le même travail.

Lorsque vous aurez écrit suffisamment de programmes PHP, vous vous trouverez à la tête d'un bon nombre de fonctions. Vous constaterez rapidement que plusieurs de celles que vous avez écrites pour d'autres applications sont réutilisables. Si, par exemple, vous avez souvent besoin d'afficher la liste des départements, autant faire appel à une fonction `lireDépartements()` qui vous renvoie un tableau contenant les noms de ces structures administratives.

Donnez à vos fonctions des noms évocateurs. Evitez les noms comme `fonction1()`, `truc()` ou `machin()`. Préférez `lireBaseAnimaux()`, `afficherEntete()` ou `vérifierNom()`.

Sécurité et confidentialité

Vous devez protéger votre application de base de données sur le Web. Les gens de l'extérieur peuvent avoir des intentions inquisitrices sur votre site Web pour l'une des raisons suivantes :

- **Dérober quelque chose.** Ils espèrent peut-être trouver un fichier contenant des numéros de carte de crédit ou le secret de l'éternelle jeunesse. L'algorithme qui permet de fabriquer un numéro de carte de crédit valide est dans le domaine public. (*N.d.T.*)
- **Planter votre site Web.** Il y a des gens qui trouvent ça drôle ! D'autres font ça pour prouver qu'ils en sont capables.
- **Gêner vos utilisateurs.** Soit en y ajoutant des images "X", soit en dérobant quelque chose appartenant à vos visiteurs.
- **Préoccupez-vous de la sécurité de l'ordinateur sur lequel est installée votre application.** Ce n'est très probablement pas à vous qu'il appartient de prendre les mesures nécessaires, mais vous devriez poser la question à son administrateur. Vous serez ensuite plus tranquille (ou plus inquiet, selon les réponses qui vous auront été faites).
- **Ne permettez pas que le serveur Web affiche le contenu de ses répertoires.** Les utilisateurs n'ont pas besoin de savoir ce qu'ils contiennent. Là non plus, ce n'est pas de votre responsabilité directe.
- **Dissimulez le plus de choses possible.** Par exemple, vos fichiers inclus, en leur donnant un nom qui ne soit pas évocateur de leur contenu.

- **Ne faites confiance à personne.** Vérifiez systématiquement toute information que vous n'avez pas créée vous-même.
- **Utilisez un serveur Web sécurisé.** Cela vous demandera sans doute plus de travail, mais c'est indispensable si vous manipulez des informations confidentielles.

La sécurité de votre serveur Web

Comme je l'ai dit plus haut, vous ne pouvez généralement pas avoir d'action directe sur cette sécurité. C'est le rôle de l'administrateur système de prendre de mesures de protection adaptées : pare-feu (ou *firewall*), cryptage des données, dissimulation des mots de passe, détecteurs de scanner, etc. Si l'administrateur, c'est vous, vous devrez vous pencher très sérieusement sur ces problèmes. Si vous êtes hébergé, vous devriez vous renseigner et changer éventuellement de prestataire si vous estimez que les mesures de sécurité qu'il met en place sont insuffisantes.

Affichage du contenu des répertoires

Votre navigateur affiche peut-être parfois une liste des noms des fichiers contenus dans un répertoire. Cela peut être le cas si une URL se termine par un nom de répertoire (et non par un nom de fichier) et qu'il n'existe pas de document HTML `index.htm` ou `index.html` (ou tout autre nom défini comme étant le document HTML par défaut par l'administrateur du serveur). Si les précautions nécessaires ont été prises, un message de ce genre sera affiché à la place :

```
Forbidden
You don't have permission to access /xxx on this server.
```

Ce qui signifie que vous n'avez pas le droit d'accéder au répertoire `xxx` sur ce serveur. Le responsable technique du serveur est à même d'effectuer les modifications nécessaires dans la configuration du système pour qu'il en soit ainsi. Dans le cas d'Apache, pour prendre cet exemple, ce comportement est contrôlé par la valeur du paramètre `Indexes` qu'il est possible d'activer ou de désactiver dans le fichier de configuration `httpd.conf` :

```
Options Indexes         // activation
Options -Indexes        // désactivation
```

Reportez-vous à la documentation de votre serveur Web pour savoir comment autoriser ou interdire l'affichage du contenu des répertoires dans le navigateur des utilisateurs.

Ne faites confiance à personne

Les gens malintentionnés peuvent utiliser les formulaires que vous proposez dans vos pages Web pour y placer un texte dangereux. Ne transférez pas ces informations dans votre base de données sans en contrôler sérieusement la forme. Méfiez-vous particulièrement des balises HTML comme `<script>` qui permettraient à n'importe qui d'entrer un script pouvant éventuellement créer des perturbations. Imaginez un instant que ce script malveillant soit ensuite renvoyé tel quel vers le navigateur d'un utilisateur innocent : vous seriez responsable de la diffusion d'un nouveau virus ! Revoyez à ce sujet le Chapitre 8.

Utilisez un serveur Web sécurisé

L'Internet "ordinaire" n'est pas un chemin suffisamment sûr pour y faire transiter des informations confidentielles. Tout ce qui y circule court le risque d'être intercepté. Pour la plupart des sites Web, cela n'est généralement pas préoccupant, mais si vous faites du e-commerce, vous serez amené à collecter des informations de nature confidentielle comme des numéros de cartes de crédit. Il convient dans ce cas d'utiliser un serveur Web sécurisé.

Avec SSL, la partie "protocole" de l'URL s'écrit `HTTPS` au lieu de `HTTP`.

Pour en savoir plus sur ce sujet, renseignez-vous auprès de l'administrateur de la machine sur laquelle est installée votre application de base de données sur le Web. Consultez également le site Web du serveur que vous utilisez. Dans le cas d'Apache, par exemple, vous devriez trouver des projets de développement implémentant SSL sur le site `http://www.modssl.org/`, ou plus directement sur `http://www.apache-ssl.org/`. Il existe également des produits commerciaux destinés à ce serveur. Dans le cas de IIS, recherchez le mot clé SSL sur le site `http://www.microsoft.com/`.

Chapitre 11

Réalisation d'un catalogue en ligne

Dans ce chapitre :

- Conception d'un catalogue en ligne.
- Conception de la base de données à utiliser.
- Conception des pages Web du catalogue.
- Ecriture des programmes.

Dans ce chapitre, nous verrons comment réaliser un catalogue en ligne. J'ai choisi une boutique faisant commerce d'animaux de compagnie, tout simplement parce que j'ai trouvé cela plus amusant qu'un commerce de chaussettes ou d'ampoules électriques. En outre, contempler un catalogue présentant des images d'animaux est plus distrayant que regarder des images de chaussettes. J'ai présenté pour la première fois cet exemple au Chapitre 3, et m'en suis déjà servi en plusieurs occasions dans les précédents chapitres.

Conception de l'application

Pour le client, le catalogue a pour seule fonction de donner des informations. Mais, en ce qui vous concerne, il ne faut pas oublier qu'un catalogue doit être constamment tenu à jour en y ajoutant des "articles". Cette tâche de mise à jour doit être prévue dans la conception d'ensemble. Il y a donc deux parties dans l'application "catalogue" :

- Présenter des animaux aux clients.
- Ajouter des animaux.

Présenter des animaux aux clients

Bien qu'on ne puisse évidemment pas acheter des animaux en ligne (comment faire pour livrer par e-mail ?), on peut néanmoins les présenter. Et le faire d'une façon qui incite les clients à passer à l'acte, c'est-à-dire à passer commande.

Si ce catalogue se limitait à trois animaux, il serait d'une grande simplicité : une seule page suffirait à tout montrer. Dans la réalité, les catalogues sont plus complexes. En général, ils commencent à proposer une liste des types de produits disponibles. Ici, cela pourrait être des chats, des chiens, des chevaux et des dragons. Les clients font un premier choix et la page suivante affiche les spécimens de ce type. Ainsi, si le client choisit les chiens, le catalogue peut proposer ensuite des colleys, des épagneuls et des chiens-loups. Pour certains types de produits, il peut exister des sous-catégories intermédiaires. Un catalogue de meubles pourrait proposer trois niveaux : ameublement de pièces (cuisine, chambre à coucher, etc.), mobilier (tables, fauteuils, etc.), puis, au stade final, les différents modèles de chaque type.

Pour présenter les animaux aux clients, voici ce que doit faire le catalogue :

- Montrer une liste des différents types d'animaux et permettre à l'utilisateur d'en sélectionner un.
- Montrer alors des informations concernant la catégorie sélectionnée : description, image et prix.

Mise à jour du catalogue

Il y a plusieurs façons de mettre à jour le catalogue. Mais la tâche sera facilitée si elle tient compte du type de produit considéré. Dans la plupart des cas, celui qui procédera à la mise à jour ne sera pas celui qui a écrit le programme. Il faut donc que l'utilisation de ce programme soit la plus simple et la plus évidente possible. Plus facile sera la mise à jour et moins le catalogue risquera de contenir des erreurs.

Une application destinée à ajouter un animal dans le catalogue comprendra ces quatre étapes :

1. Demander à l'utilisateur de choisir un type d'animal en lui proposant une liste dans laquelle tous les types possibles sont déjà présents. Cela éliminera bien des erreurs de saisie (*chien* ou *chiens*, par exemple). Il faut aussi prévoir la possibilité d'ajouter de nouvelles catégories.

2. Demander à l'utilisateur d'indiquer la race de l'animal (colley, épagneul...). Ici aussi une liste préétablie éliminera des erreurs de saisie, mais il faut aussi prévoir la possibilité d'introduire de nouvelles races.

3. Demander à l'utilisateur de saisir un texte descriptif du nouvel animal. L'application doit préciser la nature des informations à saisir.

4. Ranger ces informations dans le catalogue.

Construction de la base de données

Le catalogue proprement dit est une base de données, mais ce n'est pas une nécessité. On pourrait concevoir le catalogue sous forme d'une suite de pages Web contenant les informations à afficher. Le visiteur cliquerait alors sur des liens pour passer de page en page. Cependant, la maintenance de ce type de catalogue serait assez ardue. Il faudrait opérer manuellement : retrouver la page concernée, mettre à jour les liens, etc. Une base de données est beaucoup plus simple à gérer.

La base de données du catalogue, `AniCata`, contient les trois tables suivantes :

- La table des animaux (`Animal`).
- La table des types d'animaux (`Type`).
- La table des couleurs (`Couleur`).

La réalisation du catalogue doit commencer par la construction de la base de données. Il est pratiquement impossible d'écrire des programmes tant que cette base n'existe pas, puisqu'on ne pourra pas les tester. Il faut donc concevoir la base puis la construire, et enfin la garnir. (Pas nécessairement avec tous les produits. Un sous-ensemble sera suffisant pour faire les tests.)

J'ai apporté quelques modifications au projet initialement présenté au Chapitre 3. Le développement et les tests conduisent très souvent à cette démarche adaptative. Vous vous apercevez alors que vous avez oublié de tenir compte de certains facteurs ou que certaines de vos idées ne collent pas avec la réalité, ou qu'elles sont trop difficiles à programmer. Il est tout à fait normal qu'un projet évolue au fur et à mesure qu'on passe à la phase de réalisation. N'oubliez pas de tenir à jour votre documentation lors de ces modifications.

Construction de la table des animaux

La table principale est celle des animaux. C'est elle qui contient les informations concernant chaque animal en particulier. Voici la requête SQL qui va créer la table :

```
CREATE TABLE Animal
( animalID           INT(5)        NOT NULL AUTO_INCREMENT,
  animalNom          CHAR(25)      NOT NULL,
  animalType         CHAR(15)      NOT NULL DEFAULT "Divers",
  animalDescription  VARCHAR(255),
  animalPrix         DECIMAL(9,2),
  animalImage        CHAR(15)      NOT NULL DEFAULT "inexist.gif",
  PRIMARY KEY(animalID)
);
```

Voici quels en sont les différents champs :

- **animalID.** C'est l'identificateur de chaque animal. Il doit être unique et non nul. Il est représenté par un nombre qui augmente automatiquement d'une unité d'un animal au suivant. Ces caractéristiques sont définies par les attributs ci-dessous :
  - `INT(5)` : C'est un nombre entier d'au plus 5 chiffres. Seuls les chiffres sont admis.
  - `PRIMARY KEY(animalID)` : Cet identificateur constitue la clé primaire. C'est pourquoi il doit être unique.
  - `NOT NULL` : Ce champ doit toujours avoir une valeur. Une clé primaire doit toujours avoir cet attribut.
  - `AUTO-INCREMENT` : Ce champ sera automatiquement incrémenté d'une unité à chaque nouvel ajout d'une ligne dans la table, à moins qu'on ne lui attribue une valeur particulière. Cette définition est très souvent utilisée pour attribuer une valeur unique à un champ, comme un numéro de produit ou de commande. Il reste cependant possible de contourner la numérotation séquentielle automatique en définissant une valeur personnelle.

- **animalNom.** Le nom de l'animal : lion, colley, licorne... Voici la signification de ses attributs :
  - `CHAR(25)` : Chaîne d'au plus 25 caractères. Toute valeur plus courte sera complétée par des espaces.
  - `NOT NULL` : Le champ doit avoir une valeur.
  - Aucune valeur par défaut n'est proposée. Cela n'aurait aucun sens. Si vous tentez d'ajouter un nouvel animal sans lui donner de nom, la ligne ne sera pas insérée dans la base de données.
- **animalType.** Le type de l'animal : poisson, chat, chien... Voici la signification de ses attributs :
  - `CHAR(15)` : Chaîne d'au plus 15 caractères. Toute valeur plus courte sera complétée par des espaces.
  - `NOT NULL` : Le champ doit avoir une valeur. Logique, non ? Les types d'animaux seront affichés en premier. Un animal n'appartenant à aucune catégorie n'apparaîtrait sur aucune page du site !
  - `DEFAULT "Divers"` : Si aucune valeur n'est indiquée pour cette colonne, on adoptera comme valeur par défaut "Divers". La colonne sera donc toujours remplie.
- **animalDescription.** Description de l'animal. Un seul attribut :
  - `VARCHAR(255)` : Chaîne de caractères de longueur variable, d'au plus 255 caractères. Aucun espace supplémentaire n'est rajouté.
- **animalPrix.** Prix de l'animal. Un seul attribut :
  - `DECIMAL(9,2)` : Nombre décimal ayant jusqu'à 9 chiffres dont 2 après la virgule (plus exactement, après le point décimal).
- **animalImage.** Nom du fichier d'image utilisé pour montrer l'animal (`chien.jpg`, `dragon.gif`, `chat.png`...). Les trois attributs sont :
  - `CHAR(15)` : Chaîne d'au plus 15 caractères, ce qui suppose implicitement que l'image sera dans le même répertoire que la table (avec 15 caractères, il n'y a pas assez de place pour inclure un chemin d'accès). Si nécessaire, la chaîne sera complétée par des espaces.

- `NOT NULL` : Il doit toujours y avoir une image pour chaque ligne. Il peut éventuellement s'agir d'une image par défaut (voir l'attribut suivant). Quoi de plus laid qu'un site Web qui affiche un horrible message d'erreur dans la fenêtre du navigateur parce qu'il ne trouve pas une illustration ?
- `DEFAULT "inexist.gif"` : C'est le nom du fichier d'image par défaut. Il pourra afficher un symbole particulier ou quelque chose du genre "Pas d'image pour cet animal".

Notez les points suivants concernant la conception de la base de données :

- **Certains champs sont déclarés `CHAR`, d'autres `VARCHAR`.** `CHAR` est plus rapide, mais `VARCHAR` plus efficace. A vous de choisir selon que vous voulez privilégier la vitesse d'exécution ou économiser l'espace disque.

  En général, on adopte `CHAR` pour les champs de petite dimension. Par exemple, avec `CHAR(5)`, vous ne pouvez gaspiller que 4 caractères au plus, alors qu'avec `CHAR(200)` vous risquez d'en perdre 199.

- **Le champ `animalID` a plusieurs significations selon l'animal auquel il s'applique.** C'est un nombre entier, différent pour chaque animal. Toutefois, que le nombre soit unique n'a pas toujours une signification concrète. Pour un chat, il permet de désigner un animal particulier parmi ses congénères, alors que, pour un poisson rouge, la notion d'individualité est fortement estompée.

  Il existe, en effet, deux catégories d'animaux. Les uns ont une individualité en propre (chatons, chiots...). Le client achète un certain animal, pas un représentant quelconque de sa race. Aussi a-t-il besoin de voir une photo de *cet* animal. D'un autre côté, certains types d'animaux n'ont pas une personnalité affirmée (poissons rouges, perruches...). Lorsque, dans une animalerie, un client veut acheter un poisson rouge, on lui montre un aquarium dans lequel nagent plusieurs poissons rouges et il en choisit un presque au hasard. Le seul élément qui distingue l'un de ces animaux de ses voisins est sa couleur (ce qu'on appelle familièrement *poisson rouge* n'est pas nécessairement rouge ; son nom est en réalité *carassin doré* - en anglais : *goldfish*). Il n'est donc pas indispensable de montrer une photo de tous les poissons rouges en magasin. Il suffit de montrer une photo de l'un d'eux.

Dans le catalogue, ces deux espèces se côtoient. Il peut s'y trouver plusieurs animaux désignés sous le terme générique *chat*, mais ils auront chacun leur identificateur (`animalID`) et leur photo personnelle. Pour les poissons rouges, on ne trouvera qu'une seule entrée sous le nom *poisson rouge*, avec un seul identificateur et une seule photo.

J'ai choisi exprès ces deux catégories d'animaux pour illustrer les différentes catégories de "produits" qu'on peut rencontrer dans un catalogue. Certains objets n'existent qu'en un seul exemplaire. C'est le cas, par exemple, d'un tableau ou de la plaque d'immatriculation d'une voiture ayant appartenu à une star. Lorsque cet objet est vendu, il disparaît tout simplement du catalogue. Mais les articles en vente ont généralement un caractère générique plus marqué : chemises, voitures... Bien qu'une image soit la photo d'une certaine chemise, on ne verrait aucune différence (sauf la taille et peut-être la couleur) entre *cette* chemise et une autre chemise du même fabricant dans le même magasin. Vous pouvez vendre plusieurs chemises identiques sans avoir à modifier sa description et son image dans le catalogue.

Construction de la table des types d'animaux

Chaque animal appartient à une certaine catégorie : son *type*. La première page du catalogue dresse la liste des types d'animaux parmi lesquels le client peut faire son choix. Une description de ce type complète chaque entrée. Cette information n'aurait pas sa place dans la table `Animal`, car cela conduirait à répéter ce texte à l'identique pour chaque animal de la même catégorie, d'où une duplication inutile. C'est un cas typique de violation des règles de construction d'une bonne base de données.

La base de données `AniCata` renferme une table appelée `Type` contenant la description de chaque type. Elle est créée par la requête SQL suivante :

```
CREATE TABLE Type
( animalType         CHAR(15)       NOT NULL,
  typeDescription    VARCHAR(255),
  PRIMARY KEY(animalType)
);
```

Chaque ligne de cette table représente un type d'animal. Voici quels en sont les différents champs :

- **animalType.** C'est le nom du type. Il est défini de la même façon que dans la table `Animal` décrite dans la section précédente, ce qui rend possible la jointure des deux tables. Cependant, ici, c'est également la clé primaire alors que ce n'était pas le cas dans l'autre table. Les attributs de cette colonne sont :
    - `CHAR(15)` : Chaîne d'au plus 15 caractères.
    - `PRIMARY KEY(animalType)` : Ce champ sera la clé primaire, ce qui implique qu'il doit être unique.
    - `NOT NULL` : Ce champ ne peut pas être vide : une clé primaire doit toujours contenir quelque chose.
- **typeDescription.** Description du type de l'animal. Un seul attribut suffit :
    - `VARCHAR(255)` : Le contenu de ce champ est une chaîne de caractères de longueur variable ne pouvant pas dépasser 255 caractères. Ce champ sera conservé dans la base de données sous sa longueur exacte.

Construction de la table des couleurs

Lorsque j'ai défini la table `Animal`, plus haut, dans ce même chapitre, j'ai parlé des différentes catégories d'animaux : ceux qui ont une personnalité (chats, chiens...) et ceux qui n'ont pas d'individualité bien marquée (poissons rouges, tortues...). Pour les premiers, le client doit pouvoir contempler *la* photo de l'animal alors que pour les autres, il suffit de lui présenter l'image d'un quelconque représentant de cette catégorie.

Toutefois, dans cette dernière catégorie, il peut y avoir des variantes caractérisées par la couleur. Exemple : perruches bleues et perruches vertes. Vous pouvez donc avoir à montrer deux photos pour une même catégorie, sans pour autant souhaiter incorporer la couleur comme champ supplémentaire de la table `Animal` (la plupart du temps, cette information resterait vide). Mieux vaut créer une table spéciale pour cette caractéristique. Dans cette table, ne figureront que les animaux pour lesquels la couleur constitue un élément distinctif. Lorsque le programme doit afficher les caractéristiques d'un animal, il peut vérifier s'il y a une entrée correspondante dans la table `Couleur`, auquel cas cela montre que l'espèce existe en plusieurs couleurs et qu'il faut afficher autant de photos.

La table `Couleur` pointe vers les images des animaux de même catégorie qui se distinguent par la couleur. Voici la requête SQL qui va créer cette table :

```
CREATE TABLE Couleur
( animalNom       CHAR(25)   NOT NULL,
  animalCouleur   CHAR(15)   NOT NULL,
  animalImage     CHAR(15)   NOT NULL DEFAULT "inexist.gif",
  PRIMARY KEY(animalNom,animalCouleur)
);
```

Chaque ligne de cette table représente un type d'animal. Voici quels en sont les différents champs :

- **animalNom.** Le nom de l'animal (lion, colley, dragon d'Asie...). Cette colonne est définie de la même façon que dans la table `Animal`, ce qui rend possible la jointure des deux tables. Cependant, ici, cette colonne est aussi l'une des deux clés primaires. Voici les attributs de cette colonne :
  - `CHAR(25)` : Chaîne d'au plus 25 caractères.
  - `PRIMARY KEY(animalNom, animalCouleur)` : Elle est constituée par l'association de deux colonnes (type et couleur), et cette association doit donner quelque chose d'unique.
  - `NOT NULL` : Cette colonne ne peut pas être vide, ce qui est normal pour une clé primaire.
- **animalCouleur.** C'est la couleur de l'animal (orange, pourpre, bleu...). Voici les attributs de cette colonne :
  - `CHAR(15)` : Chaîne d'au plus 15 caractères.
  - `PRIMARY KEY(animalNom, animalCouleur)` : Elle est constituée par l'association de deux colonnes (type et couleur), et cette association doit donner quelque chose d'unique.
  - `NOT NULL` : Cette colonne ne peut pas être vide, ce qui est normal pour une clé primaire.
- **animalImage.** Nom du fichier contenant l'image de l'animal. Voici les attributs de cette colonne :
  - `CHAR(15)` : Chaîne d'au plus 15 caractères.

- NOT NULL : Cette colonne ne peut pas être vide. Autrement dit, il faut toujours qu'il y ait une image de l'animal. Si vous n'en disposez pas, il faut alors afficher l'image par défaut.
- DEFAULT "inexist.gif" : C'est le nom du fichier d'image par défaut. Il pourra afficher un symbole particulier ou quelque chose du genre "Pas d'image pour cet animal".

Remplissage de la base de données

Il y a plusieurs façons de garnir une base de données. Vous pouvez utiliser des requêtes SQL individuelles ou l'application qui sera décrite plus loin, dans ce même chapitre. Pour ma part, j'aime bien utiliser un échantillon réduit de données permettant une mise au point facile des programmes au cours de la phase de développement. En cas d'incident venant apporter de sérieuses perturbations au contenu de la base, cette dernière est facile à recréer : DROP, CREATE (pour chaque table) et le tour est joué.

Il est facile de regarnir la table lorsque l'échantillon des données se présente sous la forme d'un fichier texte comme celui-ci :

```
<TAB>Pékinois<TAB>Chien<TAB>Petit, malin, énergique. Bonne garde.
<TAB>100.00<TAB>peke.jpg
<TAB>Chat domestique<TAB>Chat<TAB>Chat jaune et blanc. Très joueur.
<TAB>20.00<TAB>catyellow.jpg
<TAB> Chat domestique <TAB>Chat<TAB>Chat noir Poil lisse et brillant.
Aime les enfants. <TAB>20.00<TAB>catblack.jpg
<TAB>Dragon barbu chinois<TAB>Lézard<TAB>Grandit jusqu'à 60 cm.
Fascinant à regarder. Aime être pris en
main.<TAB>100.00<TAB>lizard.jpg
<TAB>Retriever Labrador<TAB>Chien<TAB>Chien noir. Grande taille.
Chien de chasse intelligent. Souvent utilisé comme guide d'aveugle.
<TAB>100.00<TAB>lab.jpg
<TAB>Poisson rouge<TAB>Poisson<TAB>Plusieurs couleurs. Bon marché.
Facile à nourrir. Bon choix initial pour les
enfants.<TAB>2.00<TAB>goldfish.jpg
<TAB>Requin<TAB>Poisson<TAB>Noir profond. Mince. Puissant,
A traiter avec précaution.<TAB>200.00<TAB>shark.jpg
<TAB>Dragon d'Asie<TAB>Dragon<TAB>Long et serpentiforme.
Généralement jaune ou rouge.<TAB>10000.00<TAB>dragona.jpg
<TAB>Licorne<TAB>Cheval<TAB>Beau destrier blanc avec une corne
en plein milieu du front.<TAB>20000.00<TAB>unicorn.jpg
```

Notez les points suivants :

- <TAB> représente le caractère "tabulation", celui que vous obtenez en appuyant sur la touche de même nom, généralement à l'extrême gauche du clavier, vers le haut.
- Chaque ligne représente un animal différent et devrait être saisie "au kilomètre", sans appuyer sur la touche "Entrée". Les nécessités de la mise en page font qu'ici elle apparaît coupée en deux.

  Un retour chariot à la fin de chaque ligne de définition est accepté par MySQL. On peut donc avoir une correspondance entre ligne de texte et ligne de données dans la table, ce qui simplifie la saisie du fichier d'échantillons.

- Chaque ligne commence par une tabulation parce que le premier champ de la table `Animal` est défini automatiquement par l'attribut `AUTO-INCREMENT`.

Pour utiliser ce fichier, donnez-lui un nom (par exemple : `animaux.dat`) et placez-le dans le sous-répertoire de MySQL qui porte le nom de la base de données (ici : `AniCata`). Exécutez ensuite la commande MySQL suivante :

```
LOAD DATA LOCAL INFILE "animaux.dat" INTO TABLE Animal;
```

Cette procédure vous permet de recréer rapidement la table en cas de nécessité.

La requête `LOAD DATA LOCAL` peut ne pas être acceptée par votre version de MySQL. Elle doit être activée au préalable. Sinon, vous verrez s'afficher le message suivant :

```
The used command is not allowed with this MySQL version
```

Reportez-vous aux Chapitres 4 et 5 pour plus d'informations sur ce sujet. Sinon essayez la forme ci-dessous :

```
LOAD DATA INFILE "animaux.dat" INTO TABLE Animal;
```

Conception du look and feel de l'application

Une fois défini ce que doit faire l'application et quelles informations doivent se trouver dans la base de données, il faut penser au *look and feel* de l'application : ce que va voir le visiteur et comment il va dialoguer avec elle. Le résultat doit être quelque chose d'agréable à voir et de facile à utiliser. Vous pouvez faire un avant-projet sur le papier, soit avec des esquisses, si vous avez un bon coup de crayon, soit au moyen d'un texte descriptif. N'oubliez pas d'y faire figurer les instruments de dialogue (boutons et liens) et de préciser leur rôle. Vous devriez faire la même chose pour chacune des pages de l'application. Avec un peu de chance, vous aurez parmi vos amis un graphiste capable de développer de belles pages Web. Avec un peu moins de chance, vous devrez vous débrouiller tout seul.

Dans l'application de l'animalerie, figurent deux projets : l'un pour ce que va voir le client ; l'autre (moins exigeant quant à sa présentation) pour la mise à jour du catalogue.

Présentation des animaux aux clients

Cette application comprend trois pages :

- **La page "vitrine".** C'est la première sur laquelle va tomber le visiteur. Elle doit montrer le nom de votre boutique et ce qu'elle vend. N'oubliez pas que les Américains et les Français ont des conceptions assez éloignées de ce qui rend une page attractive : très directe pour les premiers, plus au second degré pour nous et faisant davantage appel à l'imagination. (*N.d.T.*)
- **La page des catégories (types) d'animaux.** C'est celle dans laquelle le client potentiel va décider de choisir un poisson, un oiseau ou un dragon.
- **La page des animaux.** C'est celle dans laquelle il va choisir son futur ami parmi une galerie de portraits.

La page "vitrine"

La Figure 11.1 montre comment elle se présente. La seule chose que puisse faire le visiteur est cliquer sur le lien qui lui est proposé pour aller consulter le catalogue de l'animalerie.

La page des catégories

Cette page (Figure 11.2) affiche la liste de toutes les catégories d'animaux proposées par l'animalerie. Chaque catégorie est précédée d'un bouton radio. Après avoir cliqué sur un de ces boutons, le visiteur doit cliquer sur le bouton "Faites votre choix" pour avoir plus de détails.

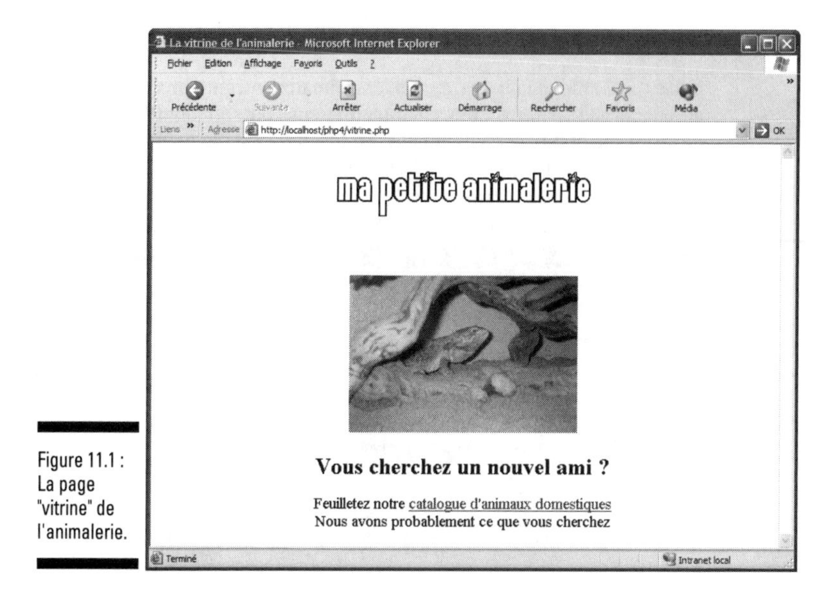

Figure 11.1 : La page "vitrine" de l'animalerie.

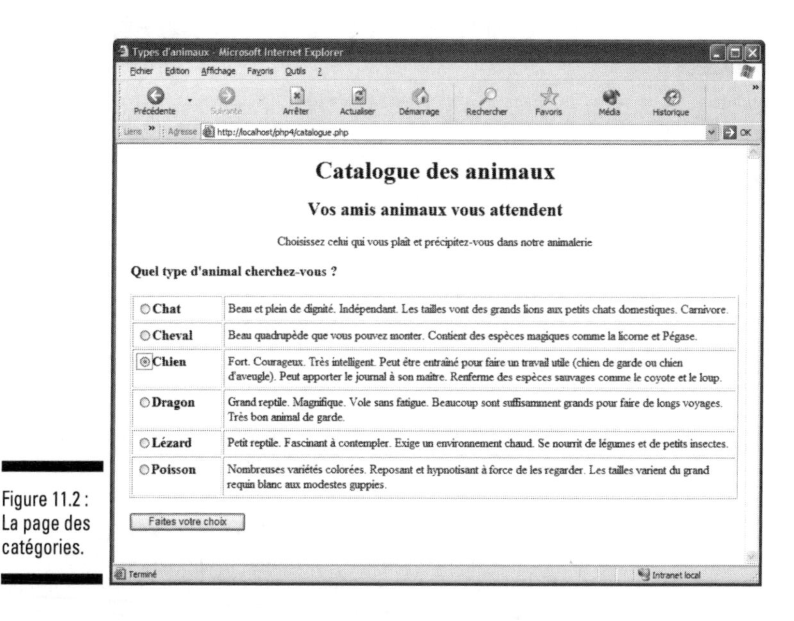

Figure 11.2 : La page des catégories.

La page des animaux

Cette page affiche la liste de tous les animaux entrant dans la catégorie choisie par le visiteur. Pour chacun, on peut voir son identificateur, sa description, son prix et son image. Le format de la page dépend des informations trouvées dans la base. Les Figures 11.3, 11.4 et 11.5 montrent quelques cas possibles

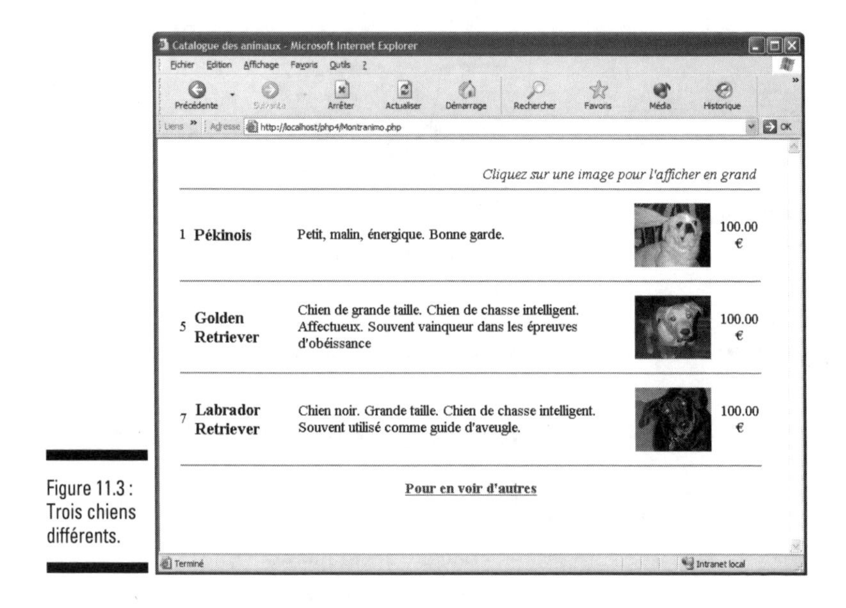

Figure 11.3 : Trois chiens différents.

Ajout d'animaux au catalogue

Cette application contient trois pages que le visiteur "normal" ne verra jamais : ce sont celles qui sont destinées à mettre à jour le catalogue. Elles fonctionnent en séquence :

1. **Sélection du type d'animal.** On doit commencer par sélectionner le type d'animal à ajouter en cliquant sur le bouton correspondant.

2. **Informations sur l'animal.** Il faut maintenant insérer les informations relatives au nouvel animal : nom, description, prix, nom du fichier d'image, en cliquant sur le bouton correspondant à l'animal.

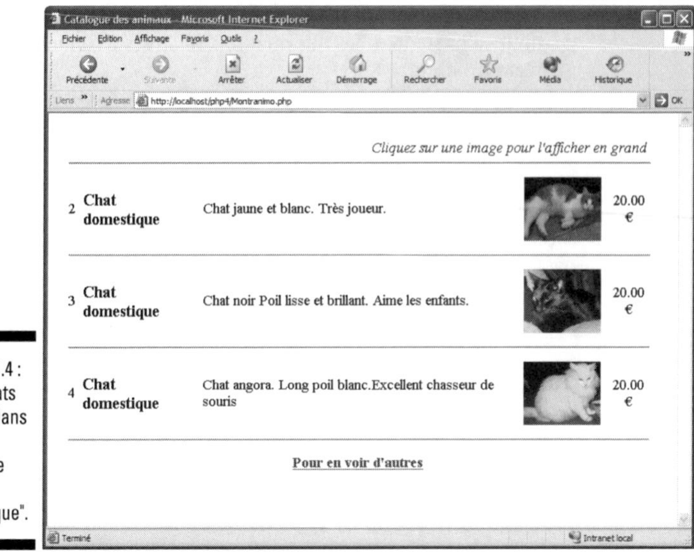

Figure 11.4 : Trois chats entrant dans la même catégorie "chat domestique".

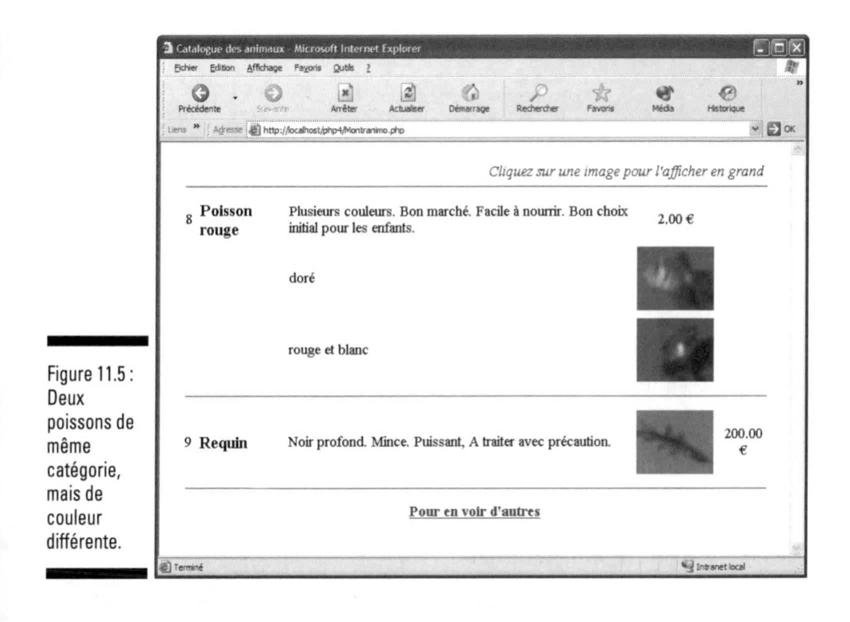

Figure 11.5 : Deux poissons de même catégorie, mais de couleur différente.

3. **Page de confirmation.** Une page s'affiche, illustrant la façon dont se présentent les informations relatives à l'animal qu'on vient d'ajouter.

Sélection du type d'animal

La Figure 11.6 montre comment se présente cette page de sélection. Vous pouvez remarquer que tous les types présents à ce moment dans le catalogue sont listés. Une section est prévue pour ajouter un nouveau type.

Figure 11.6 : Première page à renseigner quand on ajoute un animal dans le catalogue.

Informations sur l'animal

La Figure 11.7 montre la deuxième page dans laquelle l'utilisateur doit saisir les informations concernant le nouvel animal qui va entrer dans le catalogue. Elle affiche la liste des noms des animaux du catalogue appartenant au type sélectionné, afin que l'utilisateur puisse en saisir un. Une seconde section permet éventuellement l'entrée d'un nouveau nom.

Page de confirmation

Lorsque les informations saisies par l'utilisateur sont correctes, elles sont ajoutées à la base de données `AniCata`. La Figure 11.8 vous montre la page qui est alors affichée à titre de confirmation. En cliquant sur le lien proposé, l'utilisateur peut alors saisir un autre animal.

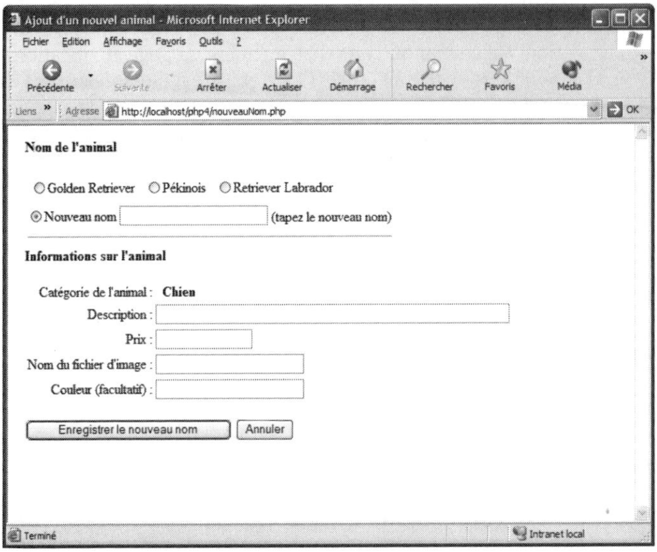

Ajout d'un nouvel animal - Microsoft Internet Explorer

Fichier Edition Affichage Favoris Outils ?

Précédente Suivante Arrêter Actualiser Démarrage Rechercher Favoris Média

Liens Adresse http://localhost/php4/nouveauNom.php OK

Nom de l'animal

Golden Retriever Pékinois Retriever Labrador

Nouveau nom (tapez le nouveau nom)

Informations sur l'animal

Catégorie de l'animal : **Chien**

Description :

Prix :

Nom du fichier d'image :

Couleur (facultatif) :

Enregistrer le nouveau nom Annuler

Terminé Intranet local

Figure 11.7 : La seconde page demande le nom de l'animal.

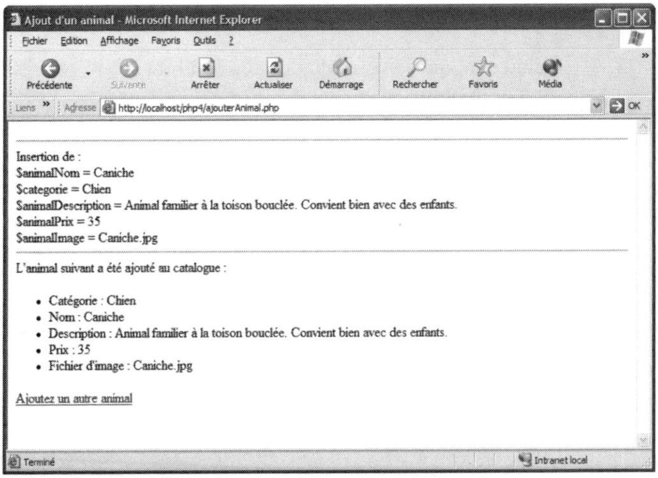

Ajout d'un animal - Microsoft Internet Explorer

Fichier Edition Affichage Favoris Outils ?

Précédente Suivante Arrêter Actualiser Démarrage Rechercher Favoris Média

Liens Adresse http://localhost/php4/ajouterAnimal.php OK

Insertion de :
$animalNom = Caniche
$categorie = Chien
$animalDescription = Animal familier à la toison bouclée. Convient bien avec des enfants.
$animalPrix = 35
$animalImage = Caniche.jpg

L'animal suivant a été ajouté au catalogue :

- Catégorie : Chien
- Nom : Caniche
- Description : Animal familier à la toison bouclée. Convient bien avec des enfants.
- Prix : 35
- Fichier d'image : Caniche.jpg

Ajoutez un autre animal

Terminé Intranet local

Figure 11.8 : Page de confirmation reproduisant les nouvelles informations entrées dans la base de données AniCata.

Page signalant des informations manquantes

L'application vérifie que l'utilisateur a bien saisi toutes les informations indispensables, et demande si nécessaire la saisie de celles qui manquent. Par exemple, si l'utilisateur a choisi "Nouvelle Catégorie" dans la première page, il doit saisir un nom de catégorie et sa description. S'il en manque un renseignement, la page en question est affichée pour le rappeler à l'ordre. Cette étape est illustrée sur la Figure 11.9.

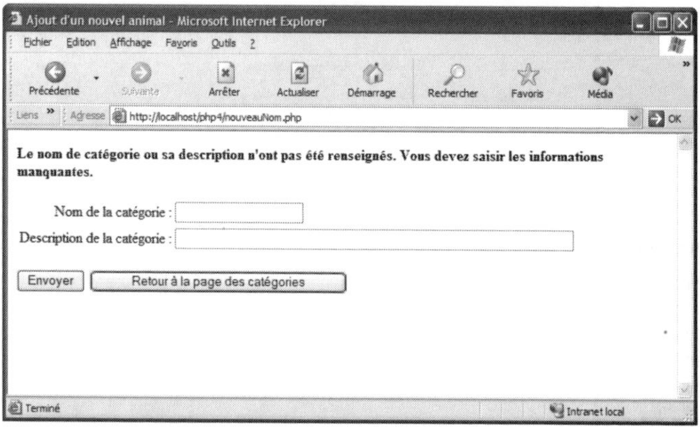

Figure 11.9 : Les saisies de l'utilisateur étaient incomplètes.

Les programmes

Maintenant que le scénario de l'application vous a été présenté avec preuves à l'appui, il est temps de pénétrer dans les coulisses et de montrer en détail les programmes qui la composent.

Comme je l'ai dit au Chapitre 10, les informations nécessaires pour établir la connexion avec la base de données se trouvent dans un fichier qui doit être placé dans un endroit sûr, portant un nom de nature à induire les malveillants en erreur. Le contenu de ce fichier `misc.inc` est ici le suivant :

```
<?php
  $user="";
  $host="localhost";
  $password="";
  $database="AniCata";
?>
```

L'application "Animalerie" se compose de deux groupes de programmes : le premier est utilisé par le visiteur pour faire son choix et le second par les responsables de la boutique pour mettre à jour leur catalogue.

Affichage du catalogue pour le visiteur

Cette application comporte trois tâches principales :

- Afficher la page d'accueil (la vitrine) qui propose un lien vers le catalogue.
- Afficher une page dans laquelle l'utilisateur peut choisir le type d'animal qui l'intéresse.
- Afficher une page présentant tous les animaux appartenant au type sélectionné.

La vitrine

C'est du HTML pur et dur, sans la moindre trace de PHP. On se contente d'afficher une page d'accueil proposant un lien pour entrer sur le site. Le Listing 11.1 en présente le contenu.

Listing 11.1 : La page de la vitrine ne contient que du HTML.

```
<?php
  /* Programme   : Vitrine.php
   * Description : Ecran d'ouverture du catalogue des animaux
   */
?>
<html>
<head>
<title>La vitrine de l'animalerie</title>
</head>
<body topmargin="0" leftmargin="0" marginheight="0" marginwidth="0">
<table width="100%" height="100%" border="0"
       cellspacing="0" cellpadding="0">
  <tr>
    <td align="center" valign="top">
      <img src="images/Nom.gif" alt="Animalerie">
      <p style="margin-top: 40pt">
      <img src="images/lezard-front.jpg" alt="Image d'animal"
        height="186" width="280">
      <p><h2>Vous cherchez un nouvel ami ?</h2>
```

```
      <p>Feuilletez notre
         <a href="Catalogue.php">catalogue d'animaux
         domestiques</a><br>Nous avons probablement ce que
         vous cherchez.
     </td>
   </tr>
</table>
</body>
</html>
```

Notez que ce programme est situé dans le répertoire Web générique. Par contre les fichiers d'images sont placés dans un sous-répertoire : `Images`. Lorsque le visiteur clique sur le lien, le programme `Catalogue.php` est automatiquement appelé.

Affichage des types d'animaux

C'est dans cette page (voir la Figure 11.2) que le visiteur va choisir le type d'animal qui l'intéresse. Le Listing 11.2 présente les instructions contenues dans ce programme.

Listing 11.2 : Programme affichant les types d'animaux que contient la base AniCata.

```
<? /* Programme   : Catalogue.php
    * Description : Affiche une liste de catégories d'animaux
    *               à partir de la table Type.
    */
?>
<html>
<head><title>Types d'animaux</title></head>
<body>
<?php
  include("misc.inc");                                       #10

  $connection = mysql_connect($host,$user,$password)         #12
       or die ("Connexion au serveur impossible");
  $db = mysql_select_db($database,$connection)               #14
       or die ("Sélection de la base de données impossible");

  // Sélectionne toutes les catégories présentes dans la table Type
  $query = "SELECT * FROM Type ORDER BY animalType";         #18
  $result = mysql_query($query)
       or die ("Exécution de la sélection impossible");      #20
```

```
   // Affichage du formulaire
   echo "<div style='margin-left: .1in'>
   <h1 align='center'>Catalogue des animaux</h1>
   <h2 align='center'>Vos amis animaux vous attendent</h2>
    <p align='center'>Choisissez celui qui vous plaît et
      précipitez-vous dans notre animalerie
   <p><h3>Quel type d'animal cherchez-vous ?</h3>\n";

   // Créer le formulaire de sélection
   echo "<form action='montranimo.php' method='post'>\n";   #31
   echo "<table cellpadding='5' border='1'>";
   $compteur=1;                                              #33
   while ($ligne = mysql_fetch_array($result))               #34
   { extract($ligne);                                        #35
     echo "<tr><td valign='top' width='15%'>\n";
     echo "<input type='radio' name='interet'
                 value='$animalType'\n";                     #38
     if ($compteur == 1)                                     #39
     { echo "checked";
     }
     echo "><font size='+1'><b>$animalType</b></font>        #42
          </td>
          <td>$typeDescription</td>                          #44
          </tr>";
     $compteur++;                                            #46
   }
   echo "</table>";
   echo "<p><input type='submit' value='Faites votre choix'>
        </form>\n";                                          #50
?>
</div>
</body>
</html>
```

Voici quelques explications sur le rôle de certaines instructions importantes (elles sont signalées par leur numéro de ligne dans le listing) :

- **10** Inclut le fichier contenant les informations nécessaires pour établir la connexion avec le serveur MySQL.
- **12** Réalise la connexion.
- **14** Sélectionne la base de données `AniCata`.
- **18** Définit la requête qui sélectionne toutes les informations contenues dans la table `Type` et les présente, triées par ordre alphabétique croissant.

20 Exécute cette requête.

31 On va ensuite créer un formulaire avec plusieurs instructions echo. Dans ce formulaire, la valeur de l'attribut action est montranimo.php, nom du programme qui sera appelé lorsque le visiteur cliquera sur le bouton "Faites votre choix".

33 Un compteur, $compteur, est initialisé à 1. C'est avec lui qu'on va compter le nombre des catégories contenues dans la table.

34 La boucle while va explorer chacune des lignes renvoyées par la requête adressée plus haut à MySQL. Chaque ligne sera placée dans la chaîne de caractères $ligne par un appel à la fonction extract().

35 La ligne est séparée en deux variables : $animalType et $typeDescription.

38/39 Créent une ligne commençant par un bouton radio et se poursuivant par le nom de chaque catégorie. Si c'est le premier du lot (si $compteur vaut 1), l'attribut checked est ajouté à cette balise pour que ce nom soit sélectionné par défaut.

Cette façon de procéder peut éviter d'éventuels problèmes avec certains navigateurs.

42/44 On affiche le type dans la première colonne du tableau, puis la description de la catégorie dans la seconde, le tout bien sûr sur la même ligne.

46 Le compteur est incrémenté d'une unité et l'on remonte dans la boucle while.

50 Lorsqu'on sort de la boucle while, le tableau HTML est refermé (</table>) et l'on crée un bouton de type Submit portant la mention "Faites votre choix". Le formulaire est alors refermé (</form>).

Lorsque l'utilisateur sélectionne un bouton radio puis clique sur le bouton Submit, le programme montranimo.php est exécuté afin d'afficher les animaux correspondant au type choisi.

Affichage des animaux

Le programme montranimo.php (voir le Listing 11.3) affiche un écran correspondant à l'une des Figures 11.3 à 11.5, selon le choix initial du visiteur.

Listing 11.3 : Programme affichant chacun des animaux du type choisi.

```
<?/* Programme   : montranimo.php
   * Description : Affiche tous les animaux d'une catégorie. Le nom
   *               de la catégorie est passé dans une variable à
   *               partir d'un formulaire. La description de chaque
   *               animal est affichée sur une seule ligne, sauf
   *               s'il en existe de plusieurs couleurs.
   */
?>
<html>
<head>
<title>Catalogue des animaux</title>
</head>
<body topmargin="0" marginheight="0">
<?php
  include("misc.inc");

  $connection = mysql_connect($host,$user,$password)
       or die ("Connexion au serveur impossible");
  $db = mysql_select_db($database,$connection)
       or die ("Sélection de la base de données impossible");

  // Sélection des animaux d'une catégorie donnée
  $query = "SELECT * FROM Animal
              WHERE animalType=\"{$_POST['interet']}\"";      #24
  $result = mysql_query($query)
       or die ("Exécution de la requête impossible");

  // Affiche les résultats dans un tableau
  echo "<table cellspacing='10' border='0' cellpadding='0'     #29
              width='100%'>";
  echo "<tr><td colspan='5' align='right'>
        <i>Cliquez sur une image pour l'afficher en grand
                                               </i><br><hr>
          </td></tr>\n";
  while ($ligne = mysql_fetch_array($result,MYSQL_ASSOC) )     #34
  { $f_prix = number_format($ligne['animalPrix'],2);

    // Y a-t-il plusieurs couleurs ?
    $query = "SELECT * FROM Couleur                            #38
                 WHERE animalNom='{$ligne['animalNom']}'";
    $result2 = mysql_query($query) or die(mysql_error());      #40
    $nbCouleurs = mysql_num_rows($result2);                    #41

    // Affiche une ligne pour chaque animal
    echo "<tr>\n";
```

```
    echo "<td>{$ligne['animalID']}</td>\n";
    $nomAnimal = stripslashes($ligne['animalNom']);
    echo "<td><font size='+1'><b>$nomAnimal</b></font></td>\n";
    echo "<td>{$ligne['animalDescription']}</td>\n";
    // Affiche l'image s'il n'y a pas plusieurs couleurs
    if ($nbCouleurs <= 1)                                    #50
    { echo "<td><a href='../images/{$ligne['animalImage']}'
                     border='0'>
            <img src='images/{$ligne['animalImage']}' border='0'
             width='100' height='80'></a></td>\n";
    }
    echo "<td align='center'>$f_prix &#8364;</td>\n
          </tr>\n";
    // Affiche une ligne pour chaque couleur si plusieurs couleurs
    if ($nbCouleurs > 1)                                     #59
    { while ($ligne2 = mysql_fetch_array($result2,MYSQL_ASSOC))
      { echo "<tr><td colspan=2> </td>
            <td>{$ligne2['animalCouleur']}</td>
            <td><a href='../images/{$ligne2['animalImage']}'
                      border='0'>
           <img src='../images/{$ligne2['animalImage']}' border='0'
            width='100' height='80'></a></td>\n";
      }
    }
      echo "<tr><td colspan='5'><hr></td></tr>\n";
  }
  echo "</table>\n";
  echo "<div align='center'>
        <a href='catalogue.php'><b>Pour en voir d'autres</b></a>
                                                         </div>";
?>
</body>
</html>
```

Le programme commence par établir la connexion avec la base de données (ce qui n'est pas réellement nécessaire, puisque cette connexion vient d'être établie par `Catalogue.php`). Voici ensuite les étapes marquantes qu'on y trouve (sans revenir sur les indications données dans le précédent listing) :

24 Extrait de la table `Animal` les lignes correspondant au type d'animal recueilli par le formulaire du programme précédent dans la variable `$interet`.

29 Pour des raisons de mise en page, on crée un tableau sur la première ligne duquel on affiche, cadré à droite, un message indiquant qu'en cliquant sur l'image d'un animal on peut la voir agrandie.

34 Cette boucle `while` va explorer les résultats extraits de la table `Animal` par la requête précédente.

38 Les lignes 38 à 41 vérifient si l'animal existe en plusieurs couleurs en lançant une nouvelle requête SQL. La réponse est placée dans la variable `$result2`, tandis que `$nbcouleurs` mémorise le nombre de lignes trouvées dans la table des couleurs pour l'animal choisi. Chaque nom est analysé lors du passage dans la boucle.

50 S'il n'y a qu'une seule couleur ou pas de couleur, on affiche une seule image dans la dernière colonne du tableau HTML.

59 S'il y a plusieurs couleurs, il faut montrer une photographie pour chaque nuance. On va alors extraire les autres résultats issus de la dernière requête SQL lancée, en exécutant dans une boucle `while` la requête de la ligne 60.

Le programme se termine en refermant, dans cet ordre : le tableau HTML, le formulaire, le programme PHP et le document HTML.

Notez qu'un lien est proposé en bas de page, offrant au visiteur la possibilité de voir d'autres catégories d'animaux. Le visiteur est alors ramené au programme `Catalogue.php`.

Ajout d'animaux dans le catalogue

L'application qui ajoute un nouvel animal au catalogue doit effectuer les tâches suivantes :

1. Créer un formulaire demandant la catégorie de l'animal. On peut choisir parmi les catégories existantes ou en créer une nouvelle.

2. Si on crée un nouveau type, il faut lui donner un nom et une description.

3. Créer un formulaire qui demande des informations sur l'animal : nom, description, prix, nom du fichier d'image et couleur (éventuellement). On peut choisir parmi les noms qui existent déjà dans la catégorie choisie ou créer un nouveau nom. Dans ce cas, il faut saisir ce nom.

4. Si on a choisi "nouveau" comme nom d'animal, il faut vérifier que le nom a bien été saisi.

5. Ranger le nouvel animal dans la base de données `AniCata`.
6. Afficher une page de confirmation montrant le détail des informations concernant le nouvel animal.

Ces tâches sont effectuées par trois programmes :

- `selection.php`. Il crée le formulaire de type d'animal (tâche 1).
- `nouveauNom.php`. Il vérifie les données relatives à la catégorie de l'animal et crée le formulaire relatif aux données de l'animal (tâches 2 et 3).
- `ajouterAnimal.php`. Il contrôle le champ contenant le nom de l'animal, range les données du nouvel animal dans la base de données du catalogue et informe l'utilisateur (tâches 4, 5 et 6).

selection.php

Ce premier programme crée une page Web contenant un formulaire HTML dans laquelle on peut sélectionner une des catégories déjà présentes dans le catalogue ou en créer une nouvelle. Pour faciliter la relecture et la maintenance du programme, certaines séquences sont incluses depuis un fichier externe. Le Listing 11.4 présente le détail de ce programme.

Listing 11.4 : Programme de sélection du type d'animal.

```
<?php
  /* Programme   : selection.php
   * Description : Permet à l'utilisateur de sélectionner un type
   *               d'animal. Affiche toutes les catégories de la
   *               table Type. Une section est prévue pour permettre
   *               de définir une nouvelle catégorie. Les sélections
   *               sont proposées sous la forme de boutons radio
   *               avec un champ pour la catégorie et un autre pour
   *               son nom et sa description.
   */
?>
<html>
<head>
<title>Types d'animaux</title>
</head>
<body>
<?php
  include("misc.inc");
```

```
  $connection = mysql_connect($host,$user,$password)
       or die ("Connexion au serveur impossible");
  $db = mysql_select_db($database,$connection)
       or die ("Sélection de la base de données impossible");

  // Recherche les types d'animaux dans la table Type,
  // par ordre alphabétique
  $query = "SELECT animalType FROM Type ORDER BY animalType";      #27
  $result = mysql_query($query)
       or die ("Exécution de la requête impossible");

  // Affiche le texte en tête du formulaire
  echo "<div style='margin-left: .1in'>
  <p><h3>Choisissez la catégorie de l'animal que vous
        voulez ajouter</h3>
        Si cette catégorie n'existe pas encore, cliquez sur
        le bouton radio <b>Nouvelle catégorie</b> puis tapez
        son  nom et sa description dans les boîtes de saisie
        placées à sa droite. Cliquez sur le bouton
        <b>Envoyez</b> lorsque vous avez terminé.";

  // Création d'un formulaire contenant la liste de sélection
  echo "<form action='nouveauNom.php' method='post'>\n";          #42
  echo "<table cellpadding='5' border='0'>\n";
  echo "<tr>";
  $compteur=0;                                                     #45
  while ($ligne = mysql_fetch_array($result))                     #46
  { extract($ligne);
    echo "<td>
      <input type='radio' name='categorie' value='$animalType'"; #49
        if ($compteur == 0)                                        #50
        { echo "checked";
        }
     echo ">$animalType</td>\n";
     $compteur++;                                                  #54
  }
  echo "</tr></table>\n";

  include("cat_table.inc");                                        #58

  echo "<p><input type='submit' value='Envoyez'>\n";             #60
  echo "</form>\n";
?>
</div>
</body>
</html>
```

Les connexions au serveur MySQL et à la base de données se font de la même façon que précédemment (voir les explications données à propos du Listing 11.2). Voici les principales actions exécutées par le programme (en partant toujours des indications sur les numéros de lignes) :

27 Cette requête extrait de la table `Type` tous les types d'animaux et les trie par ordre alphabétique croissant.

42 Création de la balise initiale d'un formulaire qui ne sera clos qu'à la fin du programme. Lorsque l'utilisateur cliquera sur le bouton Submit, le programme `nouveauNom.php` sera chargé.

45 Un compteur appelé `$compteur` est initialisé à 0.

46 Cette boucle `while` va explorer une par une toutes les lignes extraites de la base qui correspondent au critère défini dans la requête précédente. La fonction `extract()` extrait la valeur de la colonne `animalType` de chaque ligne.

49 Pour chaque type trouvé, on crée un bouton radio qui sera suivi de son nom.

50 Si c'est le premier (`$compteur` est alors égal à 0), la balise créant ce bouton radio est pourvue de l'attribut `checked` pour qu'elle soit présélectionnée.

54 Le compteur `$compteur` est incrémenté d'une unité et on remonte dans la boucle `while`.

58 A la sortie de la boucle `while`, le fichier `cat_table.inc` est inclus. Il va générer le tableau HTML (voir le Listing 11.5) qui est reproduit sur la partie de la Figure 11.6 comprise entre les deux filets horizontaux.

60 Un bouton de type Submit est affiché. Le formulaire est clos, puis c'est au tour de la section PHP, puis du document HTML.

Listing 11.5 : Affichage sous forme de tableau HTML de deux balises d'entrée de texte du formulaire.

```
<?php
  /* Programme   : cat_table.inc
   * Description : Code HTML affichant un tableau contenant deux
   *               balises pour saisir les informations concernant
   *               une nouvelle catégorie d'animal.
   */
?>
```

```
<table width='100%'>
  <tr><td colspan=3><hr></td></tr>
  <tr>
    <td align='center'>
      <input type='radio' name='categorie' value='nouveau'> 
    </td>
    <td align='right'>Nom de la catégorie :</td>
    <td><input type='text' name='neoCat' size='20' maxlength='20'>
                                                            </td>
  </tr>
  <tr><td align=center><b>Nouvelle catégorie</b></td>
    <td align='right'>Description de la catégorie:</td>
    <td><textarea name='neoDesc' cols='50' rows='6'></textarea>
    </td>
  </tr>
  <tr><td colspan=3><hr></td></tr>
</table>
```

En dehors du commentaire explicatif placé en tête, ce fichier ne contient que du code HTML. Il aurait été facile de remplacer les commentaires PHP par des commentaires HTML en utilisant directement des balises HTML (`<!-- ... !>`).

nouveauNom.php

Le deuxième programme reçoit les données saisies dans un formulaire par le premier. Il contrôle les informations et signale éventuellement qu'il en manque. Lorsque les informations requises sont au complet, il crée un formulaire dans lequel l'utilisateur peut sélectionner des informations pour le nouvel animal à ajouter au catalogue (le nom de l'animal ainsi que les données qui le concernent). Comme le précédent, ce programme crée la table et le formulaire au moyen de fichiers inclus. Il appelle aussi une fonction qui se trouve toute seule dans le fichier inclus `fonctions.inc`. Le Listing 11.6 présente les instructions du programme `nouveauNom.php`.

Listing 11.6 : Programme demandant à l'utilisateur de fournir des informations sur le nouvel animal.

```
<?php
  /* Programme   : nouveauNom.php
   * Description : Permet à l'utilisateur de saisir des informations
   *               sur l'animal. Le programme commence par regarder
   *               s'il s'agit d'une nouvelle catégorie. Si oui, il
   *               la range dans la table Type. Puis tous les animaux
```

```
  *              présents dans cette catégorie sont sélectionnés
  *              et affichés en face d'un bouton radio.
  *              L'utilisateur peut saisir un nouveau nom. Des
  *              champs sont là pour lui permettre de fournir
  *              toutes les informations nécessaires (prix,
  *              description, fichier d'image et éventuellement
  *              couleur).
  */
?>
<?php
  if (@$_POST['bouton'] == "Retour à la page des catégories"
      or @$_POST['bouton'] == "Annuler")                          #18
    { header("Location: selection.php");
    }
?>
<html>
<head>
<title>Ajout d'un nouvel animal
</title>
</head>
<body>
<?php
  include("misc.inc");
  include("fonctions.inc");

  $connection = mysql_connect($host,$user,$password)
       or die ("Connexion au serveur impossible");
  $db = mysql_select_db($database,$connection)
       or die ("Sélection de la base de données impossible");

  $categorie = $_POST['categorie'];
  /* S'il s'agit d'une nouvelle catégorie, regarder si les champs
     appropriés ont bien été renseignés. Si ce n'est pas le cas,
     l'afficher à nouveau afin que l'utilisateur puisse indiquer
     le nom de la catégorie et sa description. Si les champs
     sont renseignés, ranger la nouvelle catégorie dans la
     table Type.
  */
  if ($_POST['categorie'] == "nouveau")                           #45
  { if ($_POST['neoCat'] == "" or $_POST['neoDesc'] == "")        #46
    { include("neocat_form.inc");                                 #47
      exit;                                                       #48
    }
    // Ajouter un nouveau type d'animal à la table Type
    else                                                          #51
    { nouveauType($_POST['neoCat'],$_POST['neoDesc']);            #52
      $categorie = $_POST['neoCat'];
```

```
  }
}                                                              #55

/* Sélection des noms d'animaux d'une certaine catégorie. Si
   l'utilisateur a défini une nouvelle catégorie, on regarde si
   elle n'existerait pas déjà.
*/
$query = "SELECT DISTINCT animalNom FROM Animal
          WHERE animalType='$categorie' ORDER BY animalNom";   #62
$result = mysql_query($query)
     or die ("Exécution de la requête impossible");

$nbLignes = mysql_num_rows($result);                           #66

// Créer un formulaire
echo "<div style='margin-left: .1in'>";
echo "<form action='ajouterAnimal.php' method='post'>\n";
echo "<p><b>Nom de l'animal</b></p>\n";
if ($nbLignes < 1)                                             #72
{ echo "<hr><b>Il n'y a aucun nom dans la base de données
              pour la catégorie $categorie</b><hr>\n";
}
else                                                           #76
{ echo "<table cellpadding='5' border='0'>";
  echo "<tr>";
  while ($row = mysql_fetch_array($result))                    #79
  { extract($row);
    echo "<td>";
    echo " <input type='radio' name='animalNom'
                  value='$animalNom'";
     echo ">$animalNom</td>\n";
  }
  echo "</tr></table>";

include ("nom_table.inc");                                     #88
}

$animalDescription=" ";
$animalPrix = "";
$animalImage = "";
$animalCouleur = "";
include("info_form.inc");                                      #95
echo "<input type='hidden' name='categorie'
             value='$categorie'>\n";
echo "<p><input type='submit' value='Enregistrer le nouveau nom'>
      <input type='submit' name='neobouton' value='Annuler'>
      </form>\n";
```

```
?>
</div>
</body>
</html>
```

Regardons de plus près ce programme en nous intéressant, là encore, aux instructions dont le numéro de ligne est documenté.

18 Avant toute chose, le programme regarde par quel bouton de type Submit il a été appelé. Si c'est par "Annuler", il revient directement à `selection.php`, premier programme de la suite des programmes de gestion du catalogue, au moyen de l'instruction : `header("Location: selection.php")`. Sinon, l'appel vient du formulaire créé par le fichier inclus `neocat_form.inc` (voir le Listing 11.7).

45 Un `if` va regarder si l'utilisateur a cliqué sur le bouton radio "Nouveau" dans le formulaire du programme précédent.

46 Si c'est le cas, il vérifie que les rubriques "Nom" et "Description" ont bien été renseignées.

47 Si ce n'est pas le cas, le fichier `neocat_form.inc` (voir le Listing 11.7) est inclus et son contenu exécuté. Il s'agit d'un formulaire qui demande à l'utilisateur de saisir toutes les informations concernant le nouvel animal.

48 On tombe ensuite sur un `exit;` car il faut attendre que ces informations existent pour poursuivre l'exécution du présent programme. Ce sera le cas lorsque l'utilisateur aura renseigné le formulaire et cliqué sur son bouton Submit.

51 Si c'est le cas, toutes les informations sont présentes et on peut continuer par la clause `else` du `if` commencé plus haut.

52 La fonction `nouveauType()` a été amenée dans le programme par l'instruction : `include("fonctions.inc");`, au début de la seconde section PHP. Elle a pour rôle d'ajouter la nouvelle catégorie dans la table `Type` de la base de données `AniCata`.

55 Ici se termine le bloc exécuté si l'utilisateur a demandé à créer une nouvelle catégorie.

Jusqu'ici, la variable `$categorie` contenait "nouveau". Elle prend maintenant la valeur contenue dans la variable `$neocat` qui représente le nom de la nouvelle catégorie.

62 Cette requête recherche un seul exemplaire de chaque nom d'animal présent dans la table `Animal` pour cette catégorie et trie les réponses par ordre alphabétique croissant.

66 Le nombre de réponses (de lignes de la table) est placé dans la variable `$nbLignes`.

72 `$nbLignes` est testé pour savoir s'il est égal à zéro. Si c'est le cas, un message va avertir l'utilisateur qu'il n'existe pas d'animal de ce type dans la table `Animal`.

76 Si `$nbLignes` est différent de zéro, chaque nom d'animal trouvé est affiché, précédé d'un bouton radio. C'est une boucle `while` `(à partir de la ligne 79)` qui explore les lignes trouvées pour en extraire le nom de l'animal.

88 Le fichier `nom_table.inc` est inclus à ce point (voir le Listing 11.8). Il crée un tableau dans lequel se trouvent des boîtes de saisie qui vont permettre à l'utilisateur de fournir toutes les informations concernant le nouvel animal.

95 Enfin, le programme charge le formulaire `info_form.inc` et crée deux boutons de type Submit : le premier pour enregistrer les données recueillies dans la base de données ; le second pour annuler l'opération. Viennent ensuite l'instruction qui referme le formulaire puis la balise terminale de la section PHP et les deux balises finales du document HTML.

neocat_form.inc

Ce fichier inclus crée un formulaire dans lequel un tableau HTML va proposer deux balises d'entrée de texte : l'une pour le nom de l'animal ; l'autre pour sa description. Le Listing 11.7 en présente le contenu.

Listing 11.7 : Code HTML créant un formulaire demandant le nom de la nouvelle catégorie et sa description.

```
<?php
  /* Programme   : neocat_form.inc
   * Description : Affiche un formulaire destiné à
   *               collecter un nom de catégorie et sa
   *               description.
   */
?>
<b>Le nom de catégorie ou sa description n'ont pas été renseignés.
Vous devez saisir les informations manquantes.</b>
```

```
<form action="nouveauNom.php" method="post">
  <table>
   <tr>
    <td align="right">Nom de la catégorie :</td>
    <td><input type="text" name="neoCat"
                      value="<?php echo $_POST['neoCat'] ?>"
          size="20" maxlength="20">
    </td></tr>
   <tr>
    <td align="right">Description de la catégorie :</td>
    <td><input type="text" name="neoDesc"
          value="<?php echo $_POST['neoDesc'] ?>"
          size="70%" maxlength="55">
    </td></tr>
  </table>
  <input type="hidden" name="categorie" value="nouveau">
  <p><input type="submit" name="neobouton" value="Envoyer">
  <input type="submit" name="neobouton"
         value="Retour à la page des catégories">
</form>
```

Quelques remarques sur ce programme :

- Le formulaire n'est créé que si l'utilisateur a cliqué sur le bouton radio correspondant à une nouvelle catégorie dans la page Web du type d'animal, mais n'a pas indiqué de nom pour l'animal ou n'a pas saisi sa description. On lui donne ainsi une seconde chance.
- Presque tout le contenu du fichier est du HTML pur, la seule partie PHP étant constituée de la description placée en tête sous forme de commentaires.
- Le contenu de ce fichier n'étant pas une fonction, le programme se poursuit normalement, c'est-à-dire après l'instruction `include` qui l'a généré.
- Le formulaire contient un champ caché (`type="hidden"`) qui donne à la variable `$categorie` la valeur "nouveau". Ainsi, le programme qui se poursuit sait que le type d'animal vaut "nouveau" et qu'il doit exécuter le bloc "protégé" par l'instruction : `if ($categorie == "nouveau")` dans le programme `nouveauNom.php`.

nom_table.inc

Le rôle de ce fichier est de générer deux balises de formulaire contenues dans un tableau HTML pour que l'utilisateur puisse saisir le nom du nouvel animal. Son contenu est présenté Listing 11.8.

Listing 11.8 : Deux éléments de formulaire permettent de saisir le nom du nouvel animal.

```
<?php
  /* Programme    : nom_table.inc
   * Description : Affiche un tableau pour permettre à
                   l'utilisateur de saisir un nouveau
                   nom d'animal
   */
?>
<table border="0">
   <tr><td>
        <input type="radio" name="animalNom"
               value="nouveau" checked >Nouveau nom</td>
      <td><input type="text" name="neoNom" size="25"
               maxlength="25"> (tapez le nouveau nom)</td>
  </tr>
  <tr><td colspan=2><hr></td></tr>
</table>
```

A part les commentaires descriptifs de l'en-tête, le fichier contient de petits inserts pour afficher le nom des variables.

info_form.inc

Ce fichier propose des balises d'entrée placées dans un tableau HTML et destinées à recueillir des informations d'identification de l'animal (description, prix, fichier d'image, couleur). Le Listing 11.9 en présente le contenu.

Listing 11.9 : Rassemblement des éléments destinés à insérer un nouvel animal dans la table Animal.

```
<?php
  /* Programme :   info_form.inc
   * Description : Affiche des éléments de formulaire placés
   *               dans un tableau et servant à collecter
   *               des informations sur un animal.
```

```
   */
?>
<b>Informations sur l'animal</b><br>
 <p><table>
  <tr><td align="right">Catégorie de l'animal :</td>
    <td><b>  <?php echo $categorie ?></b></td>
  </tr>
  <tr><td align="right">Description :</td>
    <td><input type="text" name="animalDescription"
           value="<?php echo $animalDescription ?>"
           size="65" maxlength="255">
    </td></tr>
  <tr><td align="right">Prix :</td>
    <td><input type="text" name="animalPrix"
           value="<?php echo $animalPrix ?>"
          size="15" maxlength="15">
    </td></tr>
  <tr><td align="right">Nom du fichier d'image :</td>
    <td><input type="text" name="animalImage"
           value="<?php echo $animalImage ?>"
           size="25" maxlength="25">
    </td></tr>
  <tr><td align="right">Couleur (facultatif) :</td>
    <td><input type="text" name="animalCouleur"
           value="<?php echo $animalCouleur ?>"
           size="25" maxlength="25">
    </td></tr>
</table>
```

A part les commentaires descriptifs de l'en-tête, le fichier contient de petits inserts relatifs aux noms des variables.

fonctions.inc

Ce module ne renferme qu'une seule et unique fonction : `nouveauType()`. Son contenu est présenté Listing 11.10.

Listing 11.10 : Fonction nouveauType().

```
<?php
 /* Fonction    : nouveauType()
  * Description : Ajoute un nouveau type et sa description dans
  *               la table Type. Commence par regarder si ce type
  *               n'est pas déjà dans la table, auquel cas on
  *               ne fait rien.
  */
```

```
function nouveauType($animalType,$typeDescription)
{ // Préparer les données
  $animalType = ucfirst(strip_tags(trim($animalType)));
  $typeDescription = ucfirst(strip_tags(trim($typeDescription)));

  /* Regarder si la nouvelle catégorie est ou non déjà présente
     dans la table Type table. Si elle n'y est pas, elle y est
     ajoutée.
  */
  $query = "SELECT animalType FROM Type
            WHERE animalType='$animalType'";
  $result = mysql_query($query)
       or die ("Exécution de la requête impossible");
  $ntype = mysql_num_rows($result);
  if ($ntype < 1)  // si absent de la table
  { $query = "INSERT INTO Type (animalType,typeDescription)
                   VALUES ('$animalType','$typeDescription')";
    $result = mysql_query($query)
       or die ("Exécution de la requête impossible");
  }
  return;
}
?>
```

Cette fonction regarde si les informations concernant le nouvel animal ne sont pas dans la table `Type`. Si elle ne les trouve pas, elle les y insère. À part les commentaires descriptifs de l'en-tête, le fichier contient de petits inserts pour afficher le nom des variables.

ajouterAnimal.php

Ce programme reçoit les informations recueillies par le deuxième des trois programmes principaux de gestion du catalogue, `nouveauNom.php`. Si le nom d'animal était "nouveau", il vérifie qu'un nom a bien été saisi ; si ce n'est pas le cas, il invite l'utilisateur à réparer cette omission. Si tout est correct, les éléments d'identification du nouvel animal sont insérés dans les tables `Animal` et `Couleur`. Vous noterez que les renseignements facultatifs ne sont pas vérifiés. Les informations facultatives ne sont pas testées. Le Listing 11.11 présente le contenu de ce troisième programme de la série.

Listing 11.11 : Insertion d'un nouvel animal dans le catalogue.

```
<?php
  /* Programme    : ajouterAnimal.php
```

```
   * Description : Ajoute un nouvel animal à la base de données
   *               puis affiche un écran de confirmation.
   */
  if (@$_POST['neoNouton']  == "Annuler")                      #6
  { header("Location : selection.php");
  }
  $animalNom = $_POST['animalNom'];
  $neoNom = $_POST['neoNom'];
  $animalPrix = $_POST['animalPrix'];
  $animalImage = $_POST['animalImage'];
  $animalCouleur = $_POST['animalCouleur'];
  $categorie = $_POST['categorie'];
  $animalDescription = $_POST['animalDescription'];

  if ($animalNom == "nouveau")                                 #17
  { if ($neoNom == "")                                         #18
    { include("neoNom_form.inc");
      exit();
    }
    else                                                       #22
    {   $animalNom = trim($neoNom);
 $animalNom = ucfirst(strtolower(strip_tags($animalNom)));
    }
  }

  if ($animalImage == "") $animalImage = "inexis.gif";         #28
?>
<html>
<head>
<title>Ajout d'un animal</title>
</head>
<body>
<?php
  include("misc.inc");                                         #36
  $connection = mysql_connect($host,$user,$password)
       or die ("Connexion au serveur impossible");
  $db = mysql_select_db($database,$connection)
       or die ("Sélection de la base de données impossible");

// Nettoyer les informations
  $animalDescription = strip_tags(trim($animalDescription));
  $animalPrix = strip_tags(trim($animalPrix));
  $animalImage = strip_tags(trim($animalImage));
  $animalCouleur = strip_tags(trim($animalCouleur));

  echo "<hr>Insertion de :<br>
     \$animalNom = $animalNom<br>
```

```
    \$categorie = $categorie<br>
    \$animalDescription = $animalDescription<br>
    \$animalPrix = $animalPrix<br>
    \$animalImage = $animalImage<hr>";

  $query = "INSERT INTO Animal (animalNom,animalType,
            animalDescription,animalPrix,animalImage)
            VALUES
           ('$animalNom','$categorie','$animalDescription',
            '$animalPrix','$animalImage')";
  $result = mysql_query($query)
       or die ("Exécution de la requête impossible");
  $petID = mysql_insert_id();                                    #62

  echo "L'animal suivant a été ajouté au catalogue :<br>
        <ul>
         <li>Catégorie : $categorie
         <li>Nom : $animalNom
         <li>Description : $animalDescription
         <li>Prix : $animalPrix
         <li>Fichier d'image : $animalImage \n";

  if ($animalCouleur != "")                                      #72
  { if ($animalNom == "Poisson rouge" or $animalNom == "Perruche")
    { $query = "SELECT animalNom FROM Couleur
                  WHERE animalNom='$animalNom' AND
                        animalCouleur='$animalCouleur'";
      $result = mysql_query($query)
          or die ("Exécution de la requête impossible");
      $num = mysql_num_rows($result);
      if ($num < 1)
      { $query = "INSERT INTO Couleur
                 (animalNom,animalCouleur,animalImage)
                  VALUES
                  ('$animalNom','$animalCouleur','$animalImage')";
         $result = mysql_query($query)
            or die ("Exécution de la requête impossible");
         echo "<li>Couleur : $animalCouleur\n";
       }
    }
  }                                                              #88
  echo "</ul>";
  echo "<a href='selection.php'>Ajoutez un autre animal</a>\n";
?>
</body>
</html>
```

Voici quelques-uns des points importants de ce programme (la plupart des autres ayant déjà été étudiés) :

6 Teste la valeur de `@$neobouton` pour savoir si le programme a été appelé à la suite d'un clic sur un bouton de type "Annuler". Dans ce cas, le programme se contente de recharger le fichier `selection.php` au moyen d'un header.

17 Regarde s'il s'agit ou non d'un nouvel animal. Si le contenu de la variable `$neoNom` est vide, il crée un formulaire demandant de façon répétitive un nouveau nom tant que l'utilisateur n'aura pas satisfait cette requête (ligne 18). Lorsque `$neoNom` est renseigné, l'initiale du nouveau nom est transformée en une capitale par un appel à la fonction `ucfirst() (ligne 22).`

28 Si aucun fichier d'image n'a été indiqué pour la photo de l'animal, on donne à cette variable la valeur du fichier contenant le texte "Pas d'image pour cet animal".

36 Cette séquence d'instructions ajoute le nouvel animal à la base (jusqu'à la ligne 62). L'affichage des données *avant* insertion est simplement un contrôle supplémentaire. Il suffirait de le supprimer une fois le programme parfaitement au point. Remarquez comment les informations sont nettoyées par des appels à `strip_tags(strip_tags(trim($animalxxx))` pour chaque donnée d'identification.

62 On affiche les données pour confirmer qu'elles ont bien été placées dans la table `Animal`.

88 Si la couleur de l'animal était définie, la table `Couleur` est, elle aussi, mise à jour. Les seuls animaux concernés sont les poissons rouges et les perruches. On vérifie la présence de ces informations dans la table. Si elles ne s'y trouvent pas, le programme les ajoute. Ce bloc se termine à la ligne 88.

neoNom_form.inc

Cette séquence affiche dans un tableau HTML des boîtes de saisie dans lesquelles l'utilisateur va pouvoir saisir les éléments d'identification d'un nouvel animal (nom, catégorie, etc.). Ce fichier ressemble beaucoup à `neocat_form.inc` (voir le Listing 11.7). Les valeurs sont renvoyées par des champs cachés (`type="hidden"`). Le Listing 11.12 présente le contenu de ce fichier.

Listing 11.12 : Formulaire demandant à l'utilisateur de saisir un nouveau nom d'animal.

```
<?php
  /* Programme   : neoNom_form.inc
   * Description : Affiche un formulaire destiné à
                   collecter un nom d'animal.
   */
?>
<b>Vous devez saisir un nom</b>
<form action="ajouterAnimal.php" method="post">

 <table><tr>
   <td align="right">Nom de l'animal :</td>
   <td><input type="text" name="neoNom"
              value="<?php echo $neoNom ?>"
         size="25" maxlength="25">
   </td></tr>
 </table>

 <input type="hidden" name="categorie"
        value="<?php echo $categorie ?>">
 <input type="hidden" name="animalNom"
        value="<?php echo $animalNom ?>">
 <input type="hidden" name="animalDescription"
        value="<?php echo $animalDescription ?>">
 <input type="hidden" name="animalPrix"
        value="<?php echo $animalPrix ?>">
 <input type="hidden" name="animalImage"
        value="<?php echo $animalImage ?>">
 <input type="hidden" name="animalCouleur"
        value="<?php echo $animalCouleur ?>">

 <p><input type="submit" name="neobouton"
        value="Envoyez">
 <input type="submit" name="neobouton"
        value="Annuler">
</form>
```

Remarquez qu'un lien est prévu vers la première page pour permettre d'ajouter un nouvel animal au catalogue si besoin est.

Chapitre 12

Réalisation d'un site Web à accès réservé

Dans ce chapitre :

- Conception d'un site ayant une section à accès réservé.
- Conception de la base de données pour ce site.
- Conception des pages Web pour la section à accès réservé de ce site.
- Ecriture des programmes de ces pages Web.

Au Chapitre 11, je vous ai montré comment réaliser un catalogue en ligne pour une animalerie. Maintenant, nous allons voir comment ajouter à ce site Web une section à accès réservé aux seuls membres d'un petit groupe. Il leur sera offert, par exemple, des remises personnalisées, une lettre d'information et une base de données sur la vie des animaux. Vous estimez que ces offres seront suffisamment alléchantes pour qu'ils acceptent de vous communiquer leur adresse et leur numéro de téléphone. C'est de cette façon qu'ils deviendront membre de votre association. Dès lors, pour visiter la section à accès réservé, ils devront s'identifier par le couple identificateur/mot de passe.

Conception de l'application

La première étape consiste à définir ce que doit faire l'application. Sa fonction primordiale est de rassembler des informations sur un client et de les ranger dans une base de données. En remerciement, le client se verra offrir quelques-uns des avantages dont nous venons de parler. Comme il ne s'agit pas ici de manipuler des secrets d'État ou des numéros de cartes de crédit, vous devez rendre l'accès à cette section le plus facile possible.

Globalement, voici les tâches que devra accomplir la section à accès réservé :

- Proposer aux clients un moyen de définir leurs éléments d'identification, éléments que vous recueillerez pour votre base de données.
- Leur proposer une page d'accueil dans laquelle ils déclineront ces éléments lors de leurs visites ultérieures. Bien entendu, vous devrez vérifier ces éléments. S'ils se révèlent exacts, ils pourront visiter la section. Sinon, une seconde chance leur sera offerte de s'identifier.
- Afficher les pages à accès réservé à tous ceux qui se seront correctement identifiés.
- Refuser de montrer ces pages aux autres (à ceux qui ne se sont *pas* connectés ou à ceux qui l'ont fait avec des éléments inexacts).
- Conserver la trace des logins des membres. Vous souhaitez savoir qui vient visiter votre site et quand il le fait.

Conception de la base de données

La base de données constitue le cœur de cette application. C'est elle qui renferme les informations d'identification des clients enregistrés. Elle contient deux tables :

- La table des membres.
- La table des logins.

Il est pratiquement impossible d'écrire des programmes tant que la base de données qu'ils doivent manipuler n'existe pas pour permettre de les tester. Et, avant d'y mettre quoi que ce soit, il faut réfléchir à son contenu. Il sera temps ensuite d'y placer quelques données fictives pour pouvoir tester les programmes.

Certaines modifications ont été apportées au projet initialement présenté au Chapitre 4. Le développement et les tests conduisent très souvent à cette démarche adaptative. Vous vous apercevez par exemple que vous avez oublié de tenir compte de certains facteurs ou que certaines de vos idées ne collent pas avec la réalité ou sont trop difficiles à programmer. Il est tout à fait normal qu'un projet évolue au fur et à mesure qu'on entre dans la phase de réalisation. N'oubliez pas de tenir à jour votre documentation lors de ces modifications.

Construction de la table des membres

La table principale de cette application est la table `Membre`. C'est elle qui contient les informations saisies par l'utilisateur : nom, adresse, numéro de téléphone... et le couple identificateur/mot de passe. Voici la requête SQL qui va créer cette table :

```
CREATE TABLE Membre
( nomLogin     VARCHAR(20) NOT NULL,
  création     DATE        NOT NULL,
  mPasse       CHAR(255)   NOT NULL,
  nom          VARCHAR(50),
  prénom       VARCHAR(40),
  rue          VARCHAR(50),
  ville        VARCHAR(50),
  département  CHAR(2),
  codePostal   CHAR(5),
  email        VARCHAR(50),
  téléphone    CHAR(15),
  fax          CHAR(15),
  PRIMARY KEY(nomLogin)
);
```

Chaque ligne représente un membre. Voici quelles en sont les colonnes :

- **nomLogin :** L'identificateur que le membre doit utiliser pour le faire reconnaître. C'est lui qui l'a choisi. Voici comment il est défini dans la base de données :
  - `CHAR(20)` : Chaîne d'au plus 20 caractères. Toute valeur plus courte sera complétée par des espaces.
  - `PRIMARY KEY(nomLogin)` : Cet identificateur constitue la clé primaire. C'est pourquoi il doit être unique.
  - `NOT NULL` : Il est nécessaire que ce champ possède une valeur. Une clé primaire doit toujours avoir cet attribut.
- **création :** Date à laquelle cette ligne a été ajoutée à la base de données (date de création du compte). Ce champ a les attributs suivants :
  - `DATE` : C'est une chaîne de caractères qui représente une date sous la forme conventionnelle reconnue par MySQL (AAAA-MM-JJ). Mais elle peut avoir été saisie sous d'autres formes comme AA/M/J ou AAAAMMJJ.

- `NOT NULL` : Ce champ ne peut pas être vide. Ce sera toujours le cas puisque ce n'est pas l'utilisateur qui va créer son contenu mais le programme.

- **mPasse :** C'est le mot de passe que devra donner le client pour authentifier son identification. C'est lui qui l'a initialement choisi. Ce champ est ainsi défini :
  - `VARCHAR(255)` : Chaîne de caractères de longueur variable, d'au plus 255 caractères. Ce champ sera conservé sous sa longueur réelle. Il est évident que l'utilisateur ne va pas créer un mot de passe de 255 caractères. Mais il sera codé au moyen d'une fonction native de MySQL avant d'être placé dans la base de données, ce qui va l'allonger.
  - `NOT NULL` : Ce champ doit toujours avoir une valeur. Il n'est pas permis d'utiliser un mot de passe vide (c'est-à-dire de n'en définir aucun).

- **nom :** C'est le nom de l'utilisateur tel qu'il l'a lui-même saisi. Il a l'attribut suivant :
  - `VARCHAR(50)` : Chaîne d'au plus 50 caractères. Ce champ sera conservé sous sa longueur réelle.

- **prénom :** C'est le prénom de l'utilisateur tel qu'il l'a lui-même saisi. Il a l'attribut suivant :
  - `VARCHAR(40)` : Chaîne d'au plus 40 caractères. Ce champ sera conservé sous sa longueur réelle.

- **rue :** C'est l'adresse (nom de la rue et numéro dans la rue) indiquée par l'utilisateur. Il a l'attribut suivant :
  - `VARCHAR(50)` : Chaîne d'au plus 50 caractères. Ce champ sera conservé sous sa longueur réelle.

- **ville :** C'est le nom de la ville où réside l'utilisateur. Il a l'attribut suivant :
  - `VARCHAR(50)` : Chaîne d'au plus 50 caractères. Ce champ sera conservé sous sa longueur réelle.

- **département :** C'est le numéro du département dans lequel réside l'utilisateur. C'est une chaîne de 2 caractères. Il a l'attribut suivant :
  - `CHAR(2)` : Chaîne de caractères qui aura toujours 2 caractères.

- **codePostal :** C'est le code postal correspondant au lieu de résidence de l'utilisateur. Il a l'attribut suivant :
  - `CHAR(5)` : Chaîne qui aura toujours 5 caractères.
- **email :** C'est l'adresse e-mail de l'utilisateur. Il a l'attribut suivant :
  - `VARCHAR(50)` : Chaîne d'au plus 50 caractères. Ce champ sera conservé sous sa longueur réelle.
- **téléphone :** C'est le numéro de téléphone de l'utilisateur. En lui attribuant plus que les 10 caractères strictement nécessaires, on permet à l'utilisateur d'indiquer un préfixe international et d'insérer éventuellement des séparateurs entre chaque groupe de chiffres. Il a l'attribut suivant :
  - `CHAR(15)` : Chaîne de 15 caractères de long. Ce champ sera éventuellement complété par des espaces.
- **fax :** C'est le numéro de fax de l'utilisateur. En lui attribuant plus que les 10 caractères strictement nécessaires, on permet à l'utilisateur d'indiquer un préfixe international et d'insérer éventuellement des séparateurs entre chaque groupe de chiffres. Il a l'attribut suivant :
  - `CHAR(15)` : Chaîne de 15 caractères de long. Ce champ sera éventuellement complété par des espaces.

Vous aurez noté que certains champs sont de longueur fixe (`CHAR`) et d'autres de longueur variable (`VARCHAR`). Les premiers permettent un traitement plus rapide, mais les autres optimisent la place occupée par le champ sur le disque. A vous de choisir selon ce qui compte le plus dans votre application.

En général, on adopte `CHAR` pour les champs de petite dimension. Par exemple, avec `CHAR(5)`, vous ne pouvez gaspiller que 4 caractères au plus, alors qu'avec `CHAR(200)` vous risquez d'en perdre 199.

Construction de la table Login

C'est la table qui conserve trace de chacun des logins de l'utilisateur. Comme cela peut se produire plusieurs fois, il est nécessaire d'affecter une table à cette information. Sa structure est la suivante :

```
CREATE TABLE Login
( nomLogin    VARCHAR(20) NOT NULL,
  dateLogin   DATETIME    NOT NULL,
```

```
  PRIMARY KEY(nomLogin,dateLogin)
);
```

Cette table possède les deux colonnes suivantes :

- **nomLogin :** L'identificateur que le membre doit utiliser pour le faire reconnaître. C'est lui qui l'a choisi. C'est le même que celui qui figure dans la table `Membre` décrite dans la section précédente. On pourra ainsi pratiquer la jointure des deux tables. Voici comment il est défini dans la base de données :
  - `CHAR(20)` : Chaîne d'au plus 20 caractères. Toute valeur plus courte sera complétée par des espaces.
  - `PRIMARY KEY(nomLogin, dateLogin)` : Cette clé doit être unique. MySQL s'assurera qu'il n'y a pas deux couples de ce type identiques dans la table.
  - `NOT NULL` : Ce champ doit toujours avoir une valeur. Une clé primaire doit toujours avoir cet attribut.
- **dateLogin :** C'est le groupe date/heure de l'instant de chacun des logins de l'utilisateur. Il est hautement improbable que deux utilisateurs différents se connectent au même instant (à la seconde près) sur la base de données ; mais, pour un site réel et très chargé, cela pourrait se produire. Il faudrait alors créer un code de login séquentiel du genre de celui qu'on obtient avec l'attribut `AUTO-INCREMENT`. Ici, ce champ a les attributs suivants :
  - `DATE` : C'est une chaîne de caractères qui représente une date sous la forme conventionnelle de MySQL (AAAA-MM-JJ). Elle peut avoir été saisie sous d'autres formes comme AA/M/J ou AAAAMMJJ.
  - `PRIMARY KEY(nomLogin, dateLogin)` : Cet identificateur constitue la clé primaire. Il doit être unique.
  - `NOT NULL` : Ce champ doit toujours avoir une valeur. Ce sera toujours le cas, puisque ce n'est pas l'utilisateur qui va le créer mais le programme.

Ajout de données à la base

La base de données est conçue pour recevoir les informations saisies par les utilisateurs et non par le développeur qui l'a conçue. Elle sera donc initialement vide. Cependant, pour tester vos programmes, vous devrez y placer au minimum un couple d'utilisateurs factices, ce que vous pourrez réaliser au moyen d'une requête `INSERT`. Lorsque vos programmes seront au point, vous les supprimerez.

Conception du look and feel

Ici, en plus des pages de la section à accès réservé proprement dite, nous avons trois pages réservées à la procédure de connexion et à la validation de celle-ci. Dans ce chapitre, nous allons nous contenter de réaliser ces trois pages. Nous ne nous attarderons donc pas sur les autres (offres spéciales, forum de discussion, etc.). Je vous indiquerai *in fine* comment les inclure dans l'application de façon que les visiteurs non membres ne puissent y accéder.

Voici quelles sont ces trois pages :

- **Page "vitrine".** C'est la première page que va voir l'utilisateur. Elle indique l'identité du site sur lequel il vient d'arriver et son but. Nous avons déjà vu cette page au Chapitre 11. Dans ce chapitre, nous allons la modifier pour qu'elle permette d'accéder à la section à accès réservé.
- **Page de login.** Elle permet au visiteur de se logger ou de créer un nouveau compte de membre. Elle lui présente un formulaire qu'il doit remplir pour que son compte puisse être créé.
- **Page d'accueil du nouveau membre.** C'est celle qui accueille les nouveaux visiteurs par leur nom et les informe que leur compte a été créé. Elle leur fournit les informations nécessaires à la bonne utilisation des pages à accès réservé. Elle propose un bouton qui leur permet de pénétrer dans cette section et un autre pour revenir à la page principale.
- **Section à accès réservé aux membres.** C'est un groupe de pages dans lesquelles se trouvent les informations réservées aux seuls membres.

Page "vitrine"

C'est la page d'accueil de l'animalerie. Comme la plupart des gens savent ce qu'est une animalerie, aucune explication n'est réellement nécessaire. La Figure 12.1 montre comment elle se présente. Le visiteur se voit proposer deux liens : l'un pour consulter le catalogue, l'autre pour atteindre la section réservée aux membres.

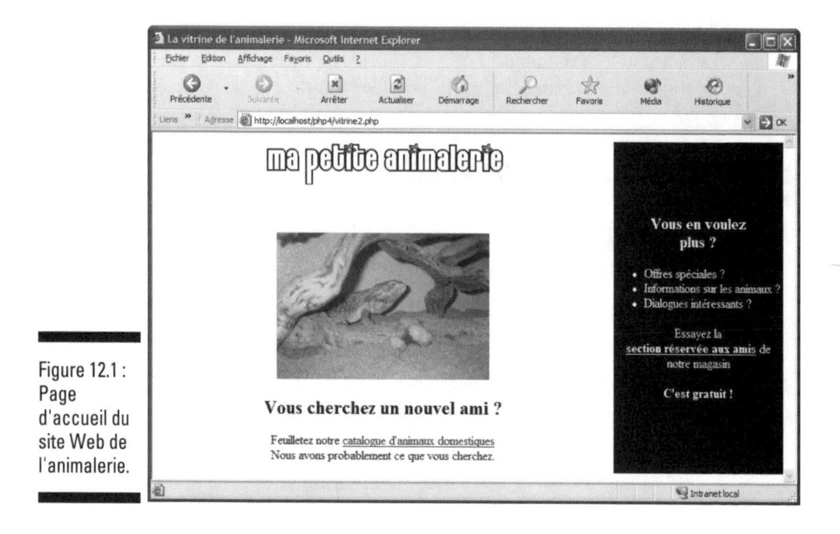

Figure 12.1 : Page d'accueil du site Web de l'animalerie.

Page de login

Cette page permet au nouveau venu de s'inscrire ou, s'il s'agit d'un ancien membre, de décliner son identité (identificateur/mot de passe) pour pénétrer dans la section à accès réservé. Le choix s'effectue en cliquant sur l'un des deux boutons proposés. La Figure 12.2 montre comment se présente cette page.

Si un client fait une faute de frappe soit dans la section de login, soit dans la section "nouveau membre", le formulaire est réaffiché avec un message d'erreur. Ainsi, si le visiteur s'est trompé dans son code postal (en indiquant un chiffre de trop, par exemple), il verra ce qui est reproduit sur la Figure 12.3 sur laquelle vous pourrez remarquer que le message d'erreur est affiché juste au-dessus du formulaire.

Lorsque le visiteur s'est loggé normalement, il atteint la première page de la section à accès réservé. Lorsqu'un nouveau membre a correctement saisi les informations qui lui sont demandées par le formulaire d'enregistrement, il voit s'afficher une page de bienvenue (voir la section suivante). En outre, un message e-mail lui est envoyé contenant le texte suivant :

```
Un nouveau compte de membre vient d'être créé pour vous.
Votre identificateur et votre mot de passe sont :
```

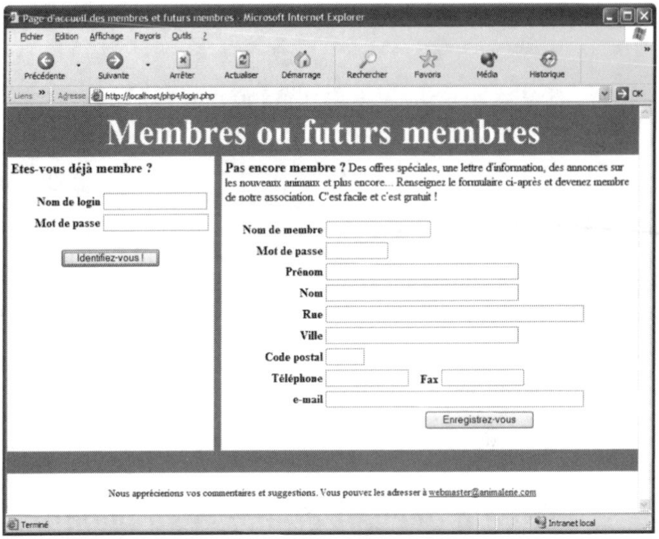

Figure 12.2 : Page dans laquelle le visiteur peut s'enregistrer ou créer un nouveau compte de membre.

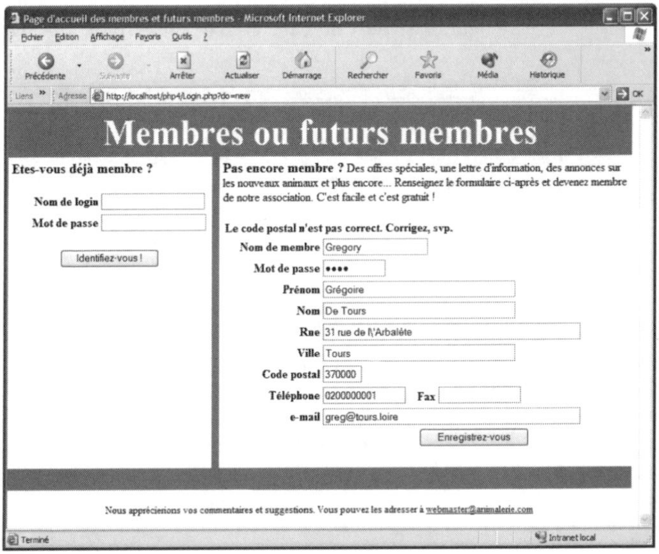

Figure 12.3 : Message résultant d'une erreur dans la saisie du code postal (6 chiffres au lieu de 5).

```
jdupont
abracadabra

Nous apprécions l'intérêt que vous portez à notre animalerie.

Si vous avez des questions à poser, vous pouvez envoyer
un e-mail à webmaster@animalerie.com.
```

Comme on peut le voir, ce message contient le mot de passe du nouveau membre, qui peut ainsi avoir confirmation de ce qu'il a saisi. On sait que les mots de passe s'oublient facilement. Un message qui contient l'identification complète permettra au nouveau membre de combler un éventuel trou de mémoire. Bien sûr, le courrier électronique n'est pas sécurisé, et envoyer un mot de passe par ce moyen n'est probablement pas une très bonne idée. Mais nous ne manipulons ici ni secret d'État ni informations bancaires. Le risque d'interception ne fera courir de réel danger ni à l'animalerie ni au nouveau membre.

Page d'accueil du nouveau membre

Cette page souhaite la bienvenue au nouveau membre et lui rappelle ce qu'il va trouver dans la section réservée. Il peut alors entrer directement dans cette section, comme on le voit sur la Figure 12.4.

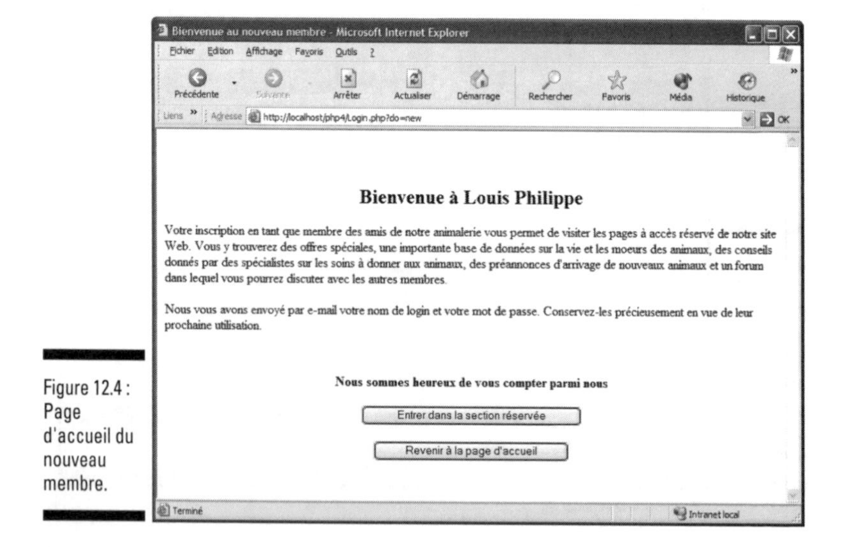

Figure 12.4 : Page d'accueil du nouveau membre.

Section à accès réservé

Cette section contient une ou plusieurs pages Web dont, pour ce qui nous intéresse ici, le contenu importe peu, car elles sont identiques à n'importe quelle page Web, sauf en ce qui concerne quelques instructions PHP placées en tête pour éviter que des utilisateurs non membres puissent les voir.

Les programmes

Maintenant que vous savez quelle sera l'apparence de vos pages et quelles sont les tâches qu'elles devront accomplir, vous pouvez écrire les programmes. En général, on crée un programme pour chaque page, bien qu'il soit possible, dans certains cas, de séparer l'application en plusieurs fichiers ou d'associer plusieurs programmes en une seule page (voir à ce propos le Chapitre 10).

Comme je l'ai dit au Chapitre 10, les informations de connexion sont conservées dans un fichier séparé, situé dans un endroit sûr et pourvu d'un nom trompeur (`chiens.inc`). Ce fichier est inclus dans chaque page devant accéder à la base de données MySQL. Pour la présente application, voici le contenu de ce fichier :

```
<?php
  $user="root";
  $host="localhost";
  $password="";
  $database="MembresSeuls";
?>
```

Les tâches que doit accomplir la section de login sont énumérées ci-dessous :

1. Afficher la page "vitrine" et proposer un lien vers la page de login.

2. Proposer une page dans laquelle les clients peuvent renseigner les rubriques identification et mot de passe pour avoir accès aux pages qui leur sont réservées.

3. Comparer le couple identificateur/mot de passe qui vient d'être saisi avec ce qui est enregistré dans la base de données. S'il y a identité, l'accès aux pages réservées est autorisé. Sinon, on revient à la page de login.

4. Afficher une page dans laquelle les clients peuvent fournir les informations leur permettant de se voir octroyer un compte de membre.

5. Contrôler les informations ainsi fournies (champs vides et formats incorrects). Si une erreur est détectée, réafficher le formulaire pour permettre sa correction.

6. Lorsque toutes les informations sont valides, ajouter le nouveau membre à la base de données.

7. Afficher une page de bienvenue pour le nouveau membre.

Ces tâches sont réparties en trois programmes :

- `Vitrine.php` : Affichage de la page "vitrine" (tâche 1).
- `Login.php` : Effectue le login et crée un nouveau compte de membre (tâches 2 à 6).
- `NouveauMembre.php` : Affiche la page de bienvenue pour le nouveau membre.

Vitrine.php

En dehors des quelques lignes de commentaires placées en tête, cette page ne contient que du HTML (l'un renvoyant au catalogue, et l'autre à la section autorisée aux seuls membres enregistrés). Le Listing 12.1 en présente le contenu.

Listing 12.1 : Le fichier de la page d'accueil Vitrine.php.

```
<?php
  /* Programme   : Vitrine.php
   * Description : Ecran d'ouverture du catalogue des animaux
   */
?>
<html>
<head>
<title>La vitrine de l'animalerie</title>
</head>
<body topmargin="10" leftmargin="0" marginheight="0" marginwidth="0">
<table width="100%" height="100%" border="0"
       cellspacing="0" cellpadding="0">
  <tr>
    <td align="center" valign="top">
      <img src="images/Name.gif" alt="Animalerie">
```

```
        <p style="margin-top: 40pt">
        <img src="images/lezard-front.jpg" alt="Image d'un animal"
          height="186" width="280">
        <p><h2>Vous cherchez un nouvel ami ?</h2>
        <p>Feuilletez notre
           <a href="Catalogue.php">catalogue d'animaux
           domestiques</a><br>Nous avons probablement ce que
           vous cherchez.
      </td>
      <td width="27%" bgcolor="black">
         <div style="color: white; link: white">
         <p style="text-align: center; font-size: 15pt">
         <b>Vous en voulez <br>plus ?</b></p>
         <ul>
          <li>Offres spéciales ?
          <li>Informations sur les animaux ?
          <li>Dialogues intéressants ?
         </ul>
         <p style="text-align: center">Essayez la
         <br><a href="membres/login.php" style="color: white">
         <b>section réservée aux amis</b></a> de notre magasin
         <p style="text-align: center"><b>C'est gratuit !</b></p>
      </td>
    </tr>
  </table>
  </body>
  </html>
```

Ce fichier se trouve dans le répertoire des pages Web ordinaires. Le seul lien qu'il comporte situe la suite dans le sous-répertoire `Membres`.

Login.php

La page de login (voir la Figure 12.2) est créée par le programme `Login.php` que présente le Listing 12.2. Ce programme se divise en deux sections, le choix entre elles étant effectué au moyen d'une instruction `switch`. La première (`case "login"`) sert pour le login tandis que l'autre (`case="new"`) permet d'enregistrer un nouveau compte de membre. Le programme crée une session (au sens PHP du terme) qui sera utilisée dans toutes les pages à accès réservé. Le formulaire affiché par `Login.php` est contenu dans le fichier `login_form.inc` qui fera l'objet d'une instruction `include()` aux endroits appropriés.

Listing 12.2 : Détail du programme Login.php.

```
<?php
/* Programme   : Login.php
 * Description : Programme de login pour la section à accès réservé
 *               de l'animalerie. Il propose deux options :
 *               1 - s'identifier par un couple nom de login/mot de
 *                   passe
 *               2 - créer un nouveau compte
 *
 *               Identificateurs et mots de passe sont conservés
 *               dans une base de données MySQL.
 */
  @session_start();                                               #11
  include("chiens.inc");                                          #12
  switch (@$_GET['do'])                                           #13
  { case "login":                                                 #14
      $connection = mysql_connect($host, $user, $password)        #15
         or die ("Connexion impossible au serveur");
      $db = mysql_select_db($database, $connection)
         or die ("La base de données ne peut pas être sélectionnée");
      $sql = "SELECT nomLogin FROM Membre                         #19
              WHERE nomLogin='$_POST[nomUtilisateur]'";
      $result = mysql_query($sql)
                or die("Impossible d'exécuter la requête");
      $num = mysql_num_rows($result);                             #23
      if ($num == 1)  //Le nom de login a été trouvé              #24
      { $sql = "SELECT nomLogin FROM Membre
                WHERE nomLogin='$_POST[nomUtilisateur]'
                AND mPasse=password('$_POST[motDePasse]')";
         $result2 = mysql_query($sql)
                or die("Impossible d'exécuter la requête");
         $num2 = mysql_num_rows($result2);
         if ($num2 > 0)  // motDePasse correct                    #31
         { $_SESSION['auth']="yes";
           $logname = $_POST['nomUtilisateur'];
           $_SESSION['logname'] = $logname;
           $aujourdhui = date("Y-m-d h:i:s");
           $sql = "INSERT INTO Login (nomLogin, dateLogin)
                  VALUES ('$logname','$aujourdhui')";
           mysql_query($sql)
                  or die("Impossible d'exécuter la requête");
          /* Attention à l'usage de la fonction header()          #40
           if (!headers_sent()) {
                header ("Location: PageMembres.php");
                exit;
           } */
```

```
          include("PageMembres.php");
          exit();
        }
        else    // motDePasse incorrect                          #48
        { unset ($do);
          $message = "Le nom de login '$_POST[nomUtilisateur]'
                   existe déjà, mais votre mot de passe n'est pas
                   correct. Essayez une fois encore.<br>";
          include("login_form.inc");
        }
      }
      elseif ($num == 0)  // nom de login absent                 #56
      { unset ($do);
  $message = "Le nom de login que vous avez saisi n'existe pas.
                   Essayez une fois encore.<br>";
        include("login_form.inc");
      }
    break;                                                       #62

    case "new" :                                                 #64
      foreach($_POST as $clé => $valeur)                         #65
      {
        if ($clé != "fax")                                       #67
        {
          if ($valeur == "")                                     #69
          {
            unset($_GET['do']);
            $message_new = "Il manque des informations obligatoires.
                Corrigez, svp.";
            include("login_form.inc");
            exit();
          }
        }
        if (ereg("(nom)",$clé))                                  #78
        {
          if (!ereg("^[A-Za-z' éèêëàâîïôûùü-]{1,50}$",
                   stripslashes($valeur)))
         {
          unset($_GET['do']);
          $message_new = "$clé n'est pas un nom valide.
                          Corrigez, svp.";
          include("login_form.inc");
          exit();
         }
        }
        $$clé = strip_tags(trim($valeur));                       #90
      } // fin du foreach
```

```
if (! ereg("[0-9]{5}",$_POST['codePostal'])                    #92
      or strlen($_POST['codePostal']) != 5)
{
  unset($_GET['do']);
  $message_new = "Le code postal n'est pas correct.
                             Corrigez, svp.";
  include("login_form.inc");
  exit();
}
if (! ereg("^[0-9 -.]{10,14}",$_POST['phone']))    // pour la
                                                         France
{
  unset($_GET['do']);
  $message_new = "Le numéro de téléphone n'est pas valide.
                       Corrigez, svp.";
  include("login_form.inc");
  exit();
}
if ($_POST['fax'] != "")
{
  if (! ereg("^[0-9 -.]{10,14}",$_POST['fax']))
  {
    unset($_GET['do']);
    $message_new = "Le numéro de fax n'est pas valide.
                       Corrigez, svp.";
    include("login_form.inc");
    exit();
  }
}
if (!ereg("^.+@.+\\..+$",$_POST['email']))
{
  unset($_GET['do']);
  $message_new = "Votre e-mail n'est pas valide.
                       Corrigez, svp.";
  include("login_form.inc");
  exit();
}                                                             #127

//  Le nom de login existe-t-il déjà ?
$connection = mysql_connect($host, $user, $password)        #130
   or die ("Connexion impossible au serveur");
$db = mysql_select_db($database, $connection)
   or die ("La base de données ne peut pas être sélectionnée");

$sql = "SELECT nomLogin FROM Membre WHERE
                              nomLogin='$_POST[nomMembre]'";
$result = mysql_query($sql)
```

```
        or die("Impossible d'exécuter la requête");
      $num = mysql_numrows($result);
      if ($num > 0)                                             #139
      {
        unset($_GET['do']);
$message_new = "Ce nom de login est déjà utilisé. Choisissez un
                        autre identificateur.";
        include("login_form.inc");
        exit();
      }
      else                                                      #147
      { $aujourdhui = date("Y-m-d");                            #148
        $département = substr($_POST['codePostal'], 0, 2); // Pour la
                                                            France
        $sql = "INSERT INTO Membre (nomLogin,création,mPasse,
                  prénom,nom,rue,ville,département,codePostal,
                  téléphone,fax,email) VALUES
        ('$_POST[nomMembre]','$aujourdhui',password('$_POST[newpass]'),
                '$_POST[prénom]',
                        '$_POST[nom]','$_POST[rue]','$_POST[ville]',
                '$département','$_POST[codePostal]','$_POST[phone]',
                '$_POST[fax]','$_POST[email]')";
        if (! mysql_query($sql))                                #157
        { echo mysql_errno()." : ".mysql_error();
          exit;
        }
        $nomUtilisateur = $_POST['nomMembre'];                  #161
        $_SESSION['auth']="yes";
        $_SESSION['logname'] = $nomUtilisateur;
        /* Envoyer un email au nouveau membre
        $message =                                              #165
        "Un nouveau compte de membre vient d'être créé pour vous. ".
         "Votre identificateur et votre mot de passe sont :".
         "\n\n\t$nomUtilisateur\n\t$_POST[newpass]\n\n".
         "Nous apprécions l'intérêt que vous portez à notre
          animalerie. ".
         "Si vous avez des questions à poser, vous pouvez envoyer ".
         "un e-mail à webmaster@animalerie.com.";

        $entete="De : membres@animalerie.com\r\n";
        $sujet = "Votre nouveau compte à l'Animalerie";
        $adresse = $_POST['email'];
        $mailsend=mail("$adresse","$sujet","$message","$entete");
        */
        /* Attention à l'usage de la fonction header()          #178
        if (!headers_sent()) {
            header ("Location: NouveauMembre.inc");
```

```
            exit;
        } */
        include("NouveauMembre.php");
        exit();
      }
    break;                                                          #186

    default:                                                        #188
        include("login_form.inc");
  }
?>
```

Voici quelques commentaires sur les points importants de ce programme. Reportez-vous aux numéros de ligne signalés dans le listing précédent :

11 Débute une session. Celle-ci doit être ouverte au début du programme, et ce même si le visiteur ne s'est pas encore loggé.

12 Le fichier `chiens.inc` contient les paramètres de connexion à la base de données `MembreSeuls`. (Voir plus haut, dans ce même chapitre.)

13 Vient ensuite un `switch` testant le contenu de la variable `$do` (dont le contenu est récupéré grâce au tableau natif `$_GET`) à l'aide de trois sections. Lorsqu'elle contient "new", il s'agit d'un nouveau membre ; lorsqu'elle contient "login", il s'agit d'un visiteur qui a décliné son identité et qui a des chances d'être un membre régulièrement inscrit. Pour tout autre contenu (clause `default`), on se contente d'afficher le formulaire. Ceci ne se produit que pour un premier accès à ce formulaire.

14 Cette séquence réalise la connexion à MySQL et la sélection de la base de données.

19 On regarde si le nom de login saisie par l'utilisateur se trouve bien dans la base de données (jusqu'à la ligne 23).

24 Si c'est le cas, le nombre de lignes trouvées est forcément égal à 1 puisqu'il ne peut pas y avoir deux utilisateurs ayant le même nom. On fait alors une consultation plus complète en cherchant à reconnaître le couple identificateur/mot de passe.

31 Si `$num2` est positif, tout va bien : il existe un membre possédant à la fois le bon identificateur et le bon mot de passe. On exécute alors la séquence placée entre accolades et qui réalise les tâches suivantes : 1) deux variables appelées `auth` et `logname` sont enregistrées dans le tableau `$_SESSION` ; 2) la date et l'heure sont récupérées dans le format attendu par la base de données ; 3) une ligne est insérée dans la table `Login` pour la connexion en cours ; 4) on charge la page réservée aux membres.

Notez que dans la fonction `date()`, le symbole des minutes est "i" tandis que "m" est celui du numéro de mois. Une erreur (trop) fréquente consiste à écrire :

```
$aujourdhui = date("Y-m-d h:m:s");
```

au lieu de :

```
$aujourdhui = date("Y-m-d h:i:s");
```

Le chargement de la page réservée aux membres devrait pouvoir être chargée en faisant appel à la fonction `header`. C'est ce que fait le programme exposé dans le texte original du livre américain. Cependant, cette méthode ne donne pas satisfaction, vraisemblablement parce que cette fonction ne peut être exécutée qu'avant tout affichage HTML. C'est pourquoi ce code est placé en commentaire. L'inclusion proposée dans le listing semble par contre assurer le fonctionnement prévu (ligne 40 et suivantes).

48 Si le mot de passe est incorrect, on réaffiche le formulaire après avoir réinitialisé la variable `$do` (pour éviter toute confusion ultérieure) et définit un message qui indique la nature de l'erreur et invite le visiteur à la corriger. Ce message sera affiché dans la page de login.

56 Selon le même principe, on va signaler que le nom d'utilisateur saisi n'existe pas dans la base de données puis réafficher le formulaire. Cette condition pourrait parfaitement être un simple `else`, mais la forme `elseif` est sans doute plus claire pour comprendre le programme.

62 Le bloc d'instructions exécuté lorsque l'utilisateur saisit un identificateur et un mot de passe dans la partie gauche du formulaire se termine ici.

64 Ici commence le bloc `case` qui est exécuté lorsque le visiteur remplit la partie droite du formulaire afin de créer un nouveau compte. On y accède lorsque le formulaire ajoute `do=new` à l'adresse URL.

65 On va maintenant tester la validité des informations saisies par le nouveau membre. Pour cela, une boucle `foreach` va explorer toutes les variables du formulaire afin de détecter les champs vides (sauf le numéro de fax qui est facultatif, cas traité en ligne 67). La validité de certains champs sera analysée plus en détail.

69 Si un champ est vide, on désaffecte la variable `$do`, puis on prépare un message d'erreur adapté avant de réafficher le formulaire (y compris le message). Le programme s'arrête en attendant que les entrées soient corrigées (leur contenu actuel étant à nouveau proposé).

78 Selon le même principe que ci-dessus, on s'intéresse en particulier aux champs `nom` et `prénom` en vérifiant qu'ils sont conformes au profil spécifié.

90 Si la saisie de l'utilisateur est correcte, on "nettoie" sa valeur. La fonction `trim()` supprime les espaces superflus des deux côtés de la chaîne de caractères saisie, tandis que la fonction `strip_tags()` la débarrasse d'éventuelles balises HTML.

Vous remarquerez le double dollar à gauche du signe "=". Il permet de se référer au nom exact du champ, lui-même contenu dans `$clé`.

92 Vous trouverez maintenant une succession de blocs qui contrôlent le format de différents champs. En cas d'erreur, la procédure employée est celle qui a déjà été explicitée ci-dessus. Cette partie se termine à la ligne 127.

130 Lorsque tous les champs ont été vérifiés avec succès, on va voir si le nom de login indiqué ne serait pas déjà dans la base de données.

139 Si le nombre de champs trouvés est différent de 0, c'est que ce nom existe déjà. Il faut donc afficher un message d'erreur et rejeter cette inscription. La méthode employée est exactement la même que ci-dessus (désaffectation de `$do`, création d'un message explicatif, réaffichage du formulaire).

147 Si le nom d'utilisateur ne figure pas dans la base de données, on va pouvoir créer un compte pour le nouveau membre et lui envoyer un message de bienvenue.

148 On donne à la variable `$aujourdhui` la valeur de la date du jour (sans l'heure), et on insère toutes les informations concernant le nouveau membre dans la base de données grâce à une requête SQL `INSERT`. Vous remarquerez que l'on emploie encore la fonction `password()` afin de crypter le mot de passe. C'est une sécurité supplémentaire contre d'éventuelles intrusions.

Le numéro du département est extrait du code postal en conservant uniquement les deux premiers chiffres de celui-ci. Son utilité réelle est certes contestable, mais cette information peut servir plus tard à simplifier certaines recherches.

157 En cas d'erreur, le programme se termine après avoir affiché le numéro et la cause de l'erreur.

161 Les deux variables de session, `$auth` et `$logname`, sont enregistrées dans le tableau `$_SESSION`.

165 Il ne reste plus qu'à envoyer un e-mail au nouveau membre pour lui confirmer son inscription, et lui rappeler son identificateur et son mot de passe. Notez la façon dont ce long message est construit. L'usage de la concaténation (opérateur " . ") sert simplement à faciliter la lecture de ce bloc. N'oubliez pas que, si HTML ignore les espaces en trop et les retours à la ligne dans le texte, il n'en va pas de même du courrier électronique ! Ce message peut, en principe, être envoyé par l'instruction :

```
$mailsend=mail("$email","$sujet","$message","$entete");
```

que nous avons commentée dans le texte, car tous les hébergeurs gratuits bloquent l'exécution de cette fonction dans le but de lutter contre le *spam*. Chez un hébergeur rétribué, il faudra se renseigner auprès de l'administrateur du système.

178 On peut alors charger la page de bienvenue au nouveau membre. Reportez-vous aux explications fournies plus haut (ligne 40).

186 Termine le bloc `case` pour un nouveau membre.

188 Il s'agit du bloc `case` pour la condition par défaut, exécutée uniquement si `$do` ne vaut ni `login`, ni `new`. Il n'est exécuté que lors d'un premier appel au programme, autrement dit lorsque l'utilisateur vient de `vitrine.php` et qu'aucun formulaire n'a été émis. La seule chose à faire est d'afficher la page de login.

En tout état de cause, pour que les variables de session soient correctement transmises lors du changement de page par un `header`, l'expérience montre qu'il faut utiliser une version de PHP au moins égale à la 4.2.0, ce qui correspond, pour les utilisateurs de EasyPHP, à la version 1.6.0 de ce logiciel. *(N.d.T.)*

L'inclusion à chaque stade de `login_form.inc` (au lieu de répéter à chaque fois cette séquence d'instructions) évite un alourdissement du programme qui le rendrait totalement illisible. De plus, cette technique permet de séparer totalement affichage (produit par login_form.inc) et traitement des informations (pris en charge par login.php).

login_form.inc

Le fichier est inclu à plusieursendroits de Login .php. Il affiche les deux formulaires de la page que montre la Figure 12.2. Son contenu est reproduit sur le Listing 12.3.

Listing 12.3 : Fichier à inclure pour afficher les deux formulaires de l'application.

```
<?php
 /* Fichier     : login_form.inc
  * Description : Affiche la page de login. Celle-ci présente deux
  *               formulaires : le premier pour saisir un nom de
  *               login existant et le mot de passe associé ; la
  *               seconde pour saisir les informations permettant de
  *               s'enregistrer en tant que nouveau membre.
  */
?>

<html>
<head>
<title>Page d'accueil des membres et futurs membres</title>
</head>
<body topmargin="0" leftmargin="0" marginheight="0" marginwidth="0">
<table border="0" cellpadding="5" cellspacing="0">
 <tr><td colspan="3" bgcolor="gray" align="center">
  <font color="white" size="+10">
      <b>Membres ou futurs membres</b></font></td></tr>
 <tr>
  <td width="33%" valign="top">
   <font size="+1"><b>Etes-vous déjà membre ?</b></font>
   <p>
   <!-- pour le login des nouveaux membres -->
   <form action="Login.php?do=login" method="post">
   <table border="0">
    <?php
      if (isset($message))
          echo "<tr><td colspan='2'>$message </td></tr>";
    ?>

    <tr><td align=right><b>Nom de login</b></td>
     <td><input type="text" name="nomUtilisateur" size="20"
                   maxsize="20">
```

```
    </td></tr>

   <tr><td width="120" align="right"><b>Mot de passe</b></td>
    <td><input type="password" name="motDePasse"
             size="20" maxsize="20"></td></tr>

   <tr><td align="center" colspan="2">
     <br><input type="submit" name="log" value="Identifiez-
     vous !"></td></tr>
  </table>
  </form>
 </td>
 <td width="1" bgcolor="gray"></td>
 <td width="67%">
   <p><font size="+1"><b>Pas encore membre ?</b></font>
      Des offres spéciales, une lettre d'information, des annonces
      sur les nouveaux animaux et plus encore...
      Renseignez le formulaire ci-après et devenez membre de notre
      association. C'est facile et c'est gratuit !</b>

  <!-- formulaire à renseigner par les nouveaux membres -->
  <form action="Login.php?do=new" method="post">
  <p>
  <table border="0" width="100%">
   <?php
     if (isset($message_new))
          echo "<tr><td colspan='2'><b>$message_new</b></td></tr>";
   ?>

   <tr><td align="right"><b>Nom de membre</b></td>
    <td><input type="text" name="nomMembre"
            value="<?php echo @$_POST['nomMembre'] ?>"
            size="20" maxlength="20"></td></tr>

   <tr><td align="right"><b>Mot de passe</b></td>
    <td><input type="password" name="newpass"
       value="<?php echo @$_POST['newpass'] ?>"

           size="10" maxlength="8"></td></tr>

   <tr><td align="right"><b>Prénom</b></td>
    <td><input type="text" name="prénom"
           value="<?php echo @$_POST['prénom'] ?>"
           size="40" maxlength="40"></td></tr>

   <tr><td align="right"><b>Nom</b></td>
    <td><input type="text" name="nom"
```

```
            value="<?php echo @$_POST['nom'] ?>"
            size="40" maxlength="40"></td></tr>

    <tr><td align="right"><b>Rue</b></td>
     <td><input type="text" name="rue"
            value="<?php echo @$_POST['rue'] ?>"
            size="55" maxlength="50"></td></tr>

    <tr><td align="right"><b>Ville</b></td>
     <td><input type="text" name="ville"
            value="<?php echo @$_POST['ville'] ?>"
            size="40" maxlength="40"></td></tr>

    <tr>
    <td align="right"><b>Code postal</b></td>
    <td><input type="text" name="codePostal"
            value="<?php echo @$_POST['codePostal'] ?>"
            size="5" maxsize="5"></td></tr>

    <tr><td align=right><b>Téléphone</b></td>
     <td><input type="test" name="phone"
            value="<?php echo @$_POST['phone'] ?>"
            size="15" maxlength="20">
           <b>Fax</b>
        <input type="text" name="fax"
            value="<?php echo @$_POST['fax'] ?>"
            size="15" maxlength="20"></td></tr>

    <tr><td align=right><b>e-mail</b></td>
     <td><input type="test" name="email"
            value="<?php echo @$_POST['email'] ?>"
            size="55" maxlength="67"></td></tr>

    <tr><td> </td>
     <td align="center">
       <input type="submit" value="Enregistrez-vous"></td>
    </tr>
   </table>
   </form>
  </td>
 </tr>
 <tr><td colspan="3" bgcolor="gray"> </td></tr>
</table>
<br>
<div align="center"><font size="-1">
Nous apprécierions vos commentaires et suggestions. Vous pouvez
les adresser à <a href="mailto:webmaster@animalerie.com">
```

```
webmaster@animalerie.com</A>
</font></div>
</body>
```

A l'exception de quelques inclusions PHP du genre de celle-ci :

```
value="<?php echo @$_POST['ville'] ?>"
```

permettant d'afficher les valeurs précédemment saisies en cas de réaffichage des formulaires, ce fichier ne contient que du code HTML. Voici les quelques rares points intéressants de ce fichier :

- Il y a deux formulaires : Le premier pour qu'un utilisateur déjà enregistré puisse s'identifier ; le second, pour qu'un nouveau membre puisse s'inscrire. Ils se distinguent par leurs boutons Submit qui envoient respectivement `do=login` ou `do=new`. Nous avons déjà rencontré la variable `$do` dans le programme `Login.php` du Listing 12.2.
- Les messages d'erreur éventuellement affichés sont contenus dans la variable `$message` pour le premier formulaire et dans la variable `$message_new` pour le second. Lorsqu'une de ces variables contient quelque chose, son contenu est affiché.

NouveauMembre.php

C'est la page qui contient un message de bienvenue à l'intention du nouveau membre. Elle est chargée lorsque l'identification de l'utilisateur a été réussie et qu'il a été enregistré dans la base de données. Le Listing 12.4 présente son contenu.

Conformément aux remarques faites plus haut sur l'usage de la fonction `header`, ce type d'appel est placé ici en commentaire. Le cas où l'utilisateur tente d'accéder directement à cette page sans passer par la création d'un nouveau compte (en début de programme) le renvoie directement à `login.php` à l'aide d'une instruction `include`. Pour éviter alors l'affichage d'un message signalant que la session est déjà ouverte, l'appel à `session_start` est précédé du caractère @.

Listing 12.4 : Souhaits de bienvenue adressés au nouveau membre.

```
<?php
 /* Programme   : NouveauMembre.php
  * Description : Affiche une page de bienvenue à l'intention
  * du nouveau membre en l'appelant par ses prénom et nom. Il a
```

```
  * ensuite le choix entre visiter les pages à accès réservé ou
  * revenir à la page d'accueil du site Web.
*/
  @session_start();
  if (@$_SESSION['auth'] != "yes")
  { include("login.php");
    /* header("Location: login.php"); */
    exit();
  }
  include("chiens.inc");

  $connection = mysql_connect($host, $user, $password)
       or die ("Connexion impossible au serveur");
  $db = mysql_select_db($database, $connection)
       or die ("La base de données ne peut pas être sélectionnée");

  $sql = "SELECT prénom,nom FROM Membre
                WHERE nomLogin='{$_SESSION['logname']}'";
  $result = mysql_query($sql)
                 or die("Impossible d'exécuter la requête");
  $ligne = mysql_fetch_array($result,MYSQL_ASSOC);
  extract($ligne);
  echo "<html>
        <head>
        <title>Bienvenue au nouveau membre</title>
        </head>
        <body>
        <h2 align='center' style='margin-top: .7in'>
        Bienvenue à $prénom $nom</h2>\n";
?>
<p>
Votre inscription en tant que membre des amis de notre animalerie
vous permet de visiter les pages à accès réservé de notre site Web.
Vous y trouverez des offres spéciales, une importante base de
données sur la vie et les mœurs des animaux, des conseils donnés
par des spécialistes sur les soins à donner aux animaux, des
préannonces d'arrivage de nouveaux animaux et un forum dans
lequel vous pourrez discuter avec les autres membres.
<p>Nous vous avons envoyé par e-mail votre nom de login et votre
mot de passe. Conservez-les précieusement en vue de leur
prochaine utilisation.
<br>
<div align="center">
<p style="margin-top: .5in">
<b>Nous sommes heureux de vous compter parmi nous</b>
<form action="PageMembres.php" method="post">
  <input type="submit" value="Entrer dans la section réservée">
```

```
</form>
<form action="../Vitrine.php" method="post">
   <input type="submit" value="Revenir à la page d'accueil">
</form>
</div>
</body>
</html>
```

Vous remarquerez que le programme commence par un lancement de session (`@session_start();`) et teste ensuite la variable `$auth` pour s'assurer que l'utilisateur s'est bien loggé en déclinant son identité. Si ce n'est pas le cas, on revient au programme `login.php`. Si tout est correct, la connexion avec le serveur MySQL puis avec la base de données est établie. Ensuite, à partir de cette base, on fait une recherche sur le nom de login (fourni par le tableau `$_SESSION`) pour extraire les prénom et nom de l'utilisateur afin de les inclure dans le message de bienvenue qui va lui être adressé.

Deux formulaires proposent chacun un bouton Submit différent permettant à l'utilisateur d'accéder aux pages qui lui sont réservées ou de revenir à la page d'accueil du site Web de l'animalerie.

Pages à accès réservé

Le contenu de ces pages est identique à celui des pages Web ordinaires, à un détail près : elles ne doivent s'afficher que si l'utilisateur s'est correctement loggé. C'est pourquoi elles commenceront par une série d'instructions du type :

```
@session_start();
if (@$_SESSION['auth'] != "yes")
{ header("Location: login.php");
  exit();
}
```

ou, si la méthode précédente échoue :

```
@session_start();
if (@$_SESSION['auth'] != "yes")
{ include("login.php");
  exit();
}
```

Ceci évitera que n'importe qui puisse visiter ces pages rien qu'en plaçant leur URL dans la fenêtre d'adresse de son navigateur.

Développements possibles

Ce type d'application est souvent mis en service avant que tout soit réalisé, c'est-à-dire avec un sous-ensemble des fonctionnalités initialement prévues. C'est pourquoi il faut prévoir des développements ultérieurs.

En considérant ce que vous venez de voir jusqu'ici, vous pouvez vous rendre compte que beaucoup de choses pourraient être ajoutées, parmi lesquelles :

- **Oubli de son mot de passe.** Il arrive fréquemment aux utilisateurs d'oublier leur mot de passe. Aussi, de nombreuses applications proposent-elles un lien pour le retrouver. Il leur sera alors envoyé par e-mail.
- **Modification du mot de passe.** Un membre peut avoir envie de changer son mot de passe. Il est intéressant d'offrir cette possibilité.
- **Mise à jour des informations d'identité.** Une adresse, un numéro de téléphone ou un e-mail peuvent changer. L'application devrait permettre au membre de modifier en conséquence les informations qui le concernent.
- **Création d'une liste de membres.** Vous pourriez souhaiter imprimer une liste soigneusement mise en page de vos clients. Evidemment, c'est là une possibilité qui ne doit pas être offerte à n'importe qui mais réservée au gestionnaire du site Web. Cependant, on ne peut pas exclure totalement l'accès à cette liste à certains membres.

Cinquième partie

Les dix commandements

"Voulez-vous que j'appelle l'entreprise qui vous a vendu votre logiciel et que je leur demande une nouvelle version de leur système de base de données ou savez-vous bien ce que vous êtes en train d'écrire ?"

Dans cette partie...

Le chapitre de cette partie contient des astuces, des conseils et des avertissements basés sur ma propre expérience. Peut-être pourront-ils vous servir de guide dans le chemin que vous allez parcourir pour devenir un bon développeur Web ? Je l'espère sincèrement.

Chapitre 13

Dix astuces pour bien concevoir une base de données

Dans ce chapitre :

- Assurez-vous que les informations de votre base de données contiennent le moins d'erreur possible.
- Evitez certaines erreurs de conception.
- Construisez votre base de données pour qu'elle corresponde bien à vos informations.

La conception d'une base de données peut se révéler intimidante la première fois qu'on s'y attelle. Pas de panique ! Vous allez très vite avoir le pied à l'étrier. Voici quelques leçons que l'expérience m'a apprises durement. Peut-être en ferez-vous votre profit et ne referez-vous pas ces mêmes erreurs ?

Interrogez tout le monde

Lorsque vous commencez à planifier votre base de données, faites une enquête autour de vous. Demandez à tous ceux que le sujet intéresse ou concerne quelles interrogations elle pourrait susciter. Je vous assure qu'ils soulèveront des questions auxquelles vous n'aviez jamais songé. Si vous ne discutez pas avec le responsable du marketing, comment penseriez-vous à demander la date de naissance de vos clients de façon que votre entreprise puisse leur envoyer une carte d'anniversaire ? Si vous ne parlez pas avec le directeur général, penseriez-vous à demander aux collaborateurs de votre entreprise quels sont leurs passe-temps favoris afin que l'entreprise sache quelles activités sponsoriser ? Si vous ne parlez pas au directeur des ressources humaines, penseriez-vous à demander à vos clients où ils ont passé leurs dernières vacances afin que l'entreprise puisse offrir comme premier prix d'un concours un voyage vers un lieu de villégiature renommé ? Même si vous ne collectez pas toutes les informations imaginables, essayez de prendre en compte le plus possible d'éléments avant de choisir ceux que vous garderez. A partir d'une liste complète de souhaits, vous serez en mesure de synthétiser, organiser et trier ce dont vous avez réellement besoin. Sinon, votre base de données risquera d'être incomplète et moins utile qu'il ne serait souhaitable.

Trouvez un identificateur unique comme clé primaire

Cela semble évident, mais plus difficile qu'il n'y paraît. Par exemple, vous pouvez être tenté d'utiliser le patronyme comme identificateur unique dans une table de clients. Ce n'est pas une bonne idée, même si vous êtes sûr que, dans votre environnement, il n'y a pas deux clients ayant le même nom. Cet identificateur doit rester immuable pendant toute la durée de vie de la base de données. Un client (une cliente, surtout) peut changer de nom pour un tas de raisons. Et que va-t-il se passer si vous avez mal orthographié ce nom lorsque vous l'avez saisi ? C'est pourquoi les numéros de Sécurité sociale sont si souvent utilisés comme identificateur unique : ils sont uniques et immuables. Dans la plupart des tables, vous aurez besoin d'inventer un identificateur (un numéro de client, par exemple), en étant certain qu'il est aussi singulier qu'une empreinte digitale et qu'il ne risque pas de changer.

Les clés primaires peuvent être des liens

Beaucoup de tables sont liées entre elles en insérant la clé primaire d'une table sous forme de colonne dans une autre table. C'est une des relations du type un-vers-plusieurs les plus souvent utilisées entre les tables. Par exemple, un client peut être associé à sa commande au moyen d'une colonne contenant son identificateur unique (pourquoi pas son code client ?) dans la table des commandes. Plusieurs lignes de cette table sont susceptibles de recevoir le même code client, puisqu'une même personne peut passer plusieurs commandes. Les clés primaires ont été traitées dans le Chapitre 3.

Occupez le moins de place possible pour chaque information

Des informations pertinentes et de petite taille accroissent la souplesse d'adaptation à des cas de figure imprévus. Vous pouvez rassembler deux champs de données plus facilement qu'il n'est possible d'en séparer un seul en deux parties. Par exemple, conserver le nom et le prénom d'un client dans un seul champ peut poser problème si vous voulez isoler le prénom du patronyme. Mieux vaut leur consacrer deux champs distincts que vous réunirez éventuellement si votre application le demande.

Evitez de dupliquer des informations

Une table ne doit pas contenir plusieurs exemplaires de la même information. Si cette information venait à être modifiée, vous devriez effectuer cette modification à plusieurs endroits, ce qui est une cause potentielle d'erreurs pouvant provoquer des problèmes difficiles à localiser. Si vous constatez que vous êtes amené à stocker la même information dans une ligne de table, c'est le signe que vous devez réorganiser vos données et créer une autre structure. Supposons par exemple qu'une table contienne des adresses, et que vous découvriez que plusieurs personnes ont les mêmes coordonnées. Vous devriez alors placer l'adresse dans une table séparée, appelée disons Habitat. Vous pourrez ensuite lier les deux tables au moyen d'un identificateur unique pour l'habitat dans la ligne de la table où se trouve l'identité des personnes qui partagent la même adresse.

Une seule information par colonne

Ne mettez qu'une seule information dans chaque colonne. Par exemple, une table appelée `Film` peut contenir une colonne `Acteurs` donnant la liste des acteurs du film. Mais ce n'est pas une bonne idée. Le mieux est sans doute de créer une table séparée que vous appellerez `Acteur` et qui contiendra une ligne par acteur. Un pointeur reliera alors chaque entrée de la table `Film` à autant d'entrées qu'il est nécessaire dans la table `Acteur`.

Trouvez des noms évocateurs

Que ce soit pour une base de données, une table ou une colonne, des noms évocateurs faciliteront le travail de tous ceux qui auront besoin de l'utiliser. Un nom doit indiquer avec précision ce qui est stocké dans une base de données, une table ou une colonne. Ainsi, `Table1` n'évoque rien du tout alors que `Individu` est déjà mieux et `Client` bien préférable. `Date` est banal ; `DateNaissance` ou `DateCommande` sont plus clairs.

La plupart des nombres peuvent être représentés par des chaînes de caractères

Un nombre ne doit être conservé sous cette forme que si on a l'intention de le faire intervenir dans un calcul. Ce n'est pas le cas des numéros de téléphone, des codes postaux et autres NIF (Numéro d'identification de Français : c'est ce qu'on appelle couramment le "numéro de Sécurité sociale"). Alors, conservez-les tout simplement sous forme de chaînes de caractères. Voyez aussi le Chapitre 3 à ce sujet.

Donnez de l'air à vos colonnes

Cela va sans dire, mais il m'est arrivé plus d'une fois de buter sur des colonnes trop étroites. Réfléchissez soigneusement à la largeur de chaque colonne. Quel est le nom le plus long dans l'annuaire du téléphone ? Quel est le nom de ville le plus long ? Les numéros de téléphone français ont 10 caractères, mais les numéros des autres pays contiennent (au moins) un préfixe de nationalité de 2 chiffres. Et si l'entreprise d'un client ne dispose pas d'une SDA (Sélection directe à l'arrivée, *N.d.T.*), vous devez prévoir en plus du numéro général de l'entreprise le numéro de poste du client. "Anticonstitutionnellement" est-il réellement le plus long mot possible ?

Servez-vous des champs ENUM

L'emploi de champs de type ENUM vous évitera de nombreuses erreurs de frappe puisqu'ils n'acceptent que des termes extraits d'une liste fixée à l'avance. Même si le nombre de valeurs possibles est élevé, vous y gagnerez. MySQL autorise 65 535 valeurs différentes dans un champ ENUM. C'est probablement plus que vous n'en aurez réellement besoin. Reportez-vous au Chapitre 3 pour plus d'informations sur ce point.

Index

E

F

G

H

R

S

T

U

V

W

" ENFIN DES LIVRES QUI VOUS RESSEMBLENT ! "

Egalement disponibles dans la même collection !

Titre	ISBN	Code
3DS Max 5 Poche pour les Nuls	2-84427-516-8	65 3689 0
Access 2002 Poche pour les Nuls	2-84427-253-3	65 3297 2
Access 2003 Poche pour les Nuls	2-84427-583-4	65 3781 5
AutoCAD 2004 Poche pour les Nuls	2-84427-548-6	65 3764 1
C# Poche pour les Nuls	2-84427-350-5	65 3410 1
C++ Poche pour les Nuls	2-84427-312-2	65 3338 2
Créez des pages Web Poche pour les Nuls (3e éd.)	2-84427-538-9	65 3760 9
Créer un réseau sans fil Poche pour les Nuls	2-84427-533-8	65 3718 7
Créer un site Web Poche pour les Nuls	2-84427-450-1	65 3576 9
Dépanner et optimiser Windows Poche pour les Nuls	2-84427-519-2	65 3692 4
DivX Poche pour les Nuls	2-84427-462-5	65 3611 4
Dreamweaver MX 2004 Poche pour les Nuls	2-84427-612-1	65 4060 3
Easy CD & DVD Creator 6 Poche Pour les Nuls	2-84427-569-9	65 3774 0
Excel 2000 Poche pour les Nuls	2-84427-964-3	65 3229 5
Excel 2002 Poche Pour les Nuls	2-84427-255-X	65 3299 8
Excel 2003 Poche Pour les Nuls	2-84427-582-6	65 3780 7
Flash MX 2004 Poche pour les Nuls	2-84427-613-X	65 4061 1
Gravure des CD et DVD Poche pour les Nuls (3e éd.)	2-84427-547-8	65 3763 3
HTML 4 Poche pour les Nuls	2-84427-321-1	65 3363 2
iMac Poche pour les Nuls (3e éd.)	2-84427-320-3	65 3362 4
Internet Poche pour les Nuls (3e éd.)	2-84427-536-2	65 3721 1
Java 2 Poche pour les Nuls	2-84427-317-3	65 3359 0
JavaScript Poche pour les Nuls	2-84427-335-1	65 3385 5
Linux Poche pour les Nuls (2e éd.)	2-84427-464-1	65 3613 0
Mac Poche pour les Nuls (2e éd.)	2-84427-319-X	65 3361 6
Mac OS X Poche pour les Nuls	2-84427-264-9	65 3308 7
Mac OS X Panther Poche pour les Nuls	2-84427-611-3	65 4059 5
Mac OS X v.10.2 Poche pour les Nuls	2-84427-459-5	65 3608 0
Money 2003 Poche pour les Nuls	2-84427-458-7	65 3607 2
Nero 6 Poche pour les Nuls	2-84427-568-0	65 3773 2
Office 2003 Poche pour les Nuls	2-84427-584-2	65 3782 3
Office XP Poche pour les Nuls	2-84427-266-5	65 3310 3
Outlook 2003 Poche pour les Nuls	2-84427-594-X	65 4051 2
PC Poche pour les Nuls (3e éd.)	2-84427-537-0	65 3722 9

Titre	ISBN	Code
PC Mise à niveau et dépannage Poche pour les Nuls	2-84427-518-4	65 3691 6
Photo numérique Poche pour les Nuls	2-84427-609-1	65 4057 9
Photoshop 7 Poche pour les Nuls	2-84427-394-7	65 3491 1
Photoshop CS Poche pour les Nuls	2-84427-614-8	65 4062 9
Photoshop Elements 2 Poche pour les Nuls	2-84427-461-7	65 3610 6
PHP et mySQL Poche pour les Nuls (2e éd.)	2-84427-591-5	65 3788 0
PowerPoint 3003 Poche pour les Nuls	2-84427-593-1	65 4050 4
TCP/IP Poche pour les Nuls	2-84427-367-X	65 3443 2
Registre Windows XP Poche pour les Nuls (le)	2-84427-517-6	65 3690 8
Réseaux Poche pour les Nuls	2-84427-265-7	65 3309 5
Retouche photo pour les Nuls	2-84427-451-X	65 3577 7
Sécurité Internet Poche pour les Nuls	2-84427-515-X	65 3688 2
SQL Poche pour les nuls	2-84427-376-9	65 3461 4
Unix Poche pour les Nuls	2-84427-318-1	65 3360 8
Utiliser un scanner Poche pour les Nuls	2-84427-463-3	65 3612 2
VBA Poche pour les Nuls	2-84427-378-5	65 3463 0
VBA pour Office Poche pour les Nuls	2-84427-592-3	65 3789 8
Vidéo numérique Poche pour les nuls (la) (3e éd.)	2-84427-610-5	65 4058 7
Visual Basic .net Poche pour les Nuls	2-84427-336-X	65 3386 3
Visual Basic 6 Poche pour les Nuls	2-84427-256-8	65 3300 4
Windows 98 Poche pour les Nuls	2-84427-460-9	65 3609 8
Windows Me Poche pour les Nuls	2-84427-937-6	65 3199 0
Windows XP Poche pour les Nuls (3e éd.)	2-84427-597-4	65 4054 6
Windows XP Trucs et Astuces Poche Pour les Nuls	2-84427-585-0	65 3783 1
Word 2000 Poche pour les Nuls	2-84427-965-1	65 3230 3
Word 2002 Poche Pour les Nuls	2-84427-257-6	65 3301 2
Word 2003 Poche Pour les Nuls	2-84427-581-8	65 3779 9

Achevé d'imprimer par Corlet, Imprimeur, S.A. - 14110 Condé-sur-Noireau
N° d'Imprimeur : 87291 - Dépôt légal : septembre 2005 - *Imprimé en France*